INJUSTICE SERVED

THE STORY OF BRITISH COLUMBIA'S ITALIAN ENEMY ALIENS DURING WORLD WAR II

RAYMOND CULOS

FOREWORD BY THE HON. FRANK IACOBUCCI, C.C., Q.C.

CUSMANO

*IN*GIUSTIZIA È FATTA

STORIA DEGLI STRANIERI NEMICI ITALIANI DELLA COLUMBIA BRITANNICA NEL CORSO DELLA SECONDA GUERRA MONDIALE

RAYMOND CULOS

PREFAZIONE DELL'ONOREVOLE FRANK IACOBUCCI, CC, QC

CUSMANO

© 2012 Raymond Culos

All rights reserved. No part of this publication may be reproduced, transmitted in any form or by any means - electronic, mechanical, photocopying, recording or otherwise stored in a retrieval system - without the prior written consent of the Publisher.

Tutti i diritti riservati. Nessuna parte di questa pubblicazione può essere riprodotta, trasmessa in qualsiasi forma o con qualunque mezzo - elettronico, meccanico, fotocopia, registrazione o altrimenti conservata in un sistema recuperabile, senza il previo consenso scritto del detentore del copyright.

Legal Deposit
National Library of Canada

Library and Archives Canada Cataloguing in Publication

Culos, Raymond, 1936-
     Injustice served : the story of British Columbia's Italian enemy aliens during World War II / Raymond Culos ; foreword by Frank Iacobucci.

Includes index.
Text in English and Italian.
ISBN 978-0-9809700-8-1

     1. Italian Canadians-Evacuation and relocation, 1940-1945. 2. World War, 1939-1945-Prisoners and prisons, Canadian. 3. World War, 1939-1945-Italian Canadians. 4. Italians-British Columbia-Vancouver-History-20th century. 5. Italian Canadians-British Columbia-Vancouver-History-20th century. 6. Italian Canadians-British Columbia- Vancouver-Biography. I. Title. II. Title: Ingiustizia è fatta : storia degli stranieri nemici italiani della Columbia Britannica nel corso della seconda guerra mondiale.

D805.C3C85 2012   940.54'7271   C2012-900437-5

Published by Cusmano Books
P.O. Box 91510, RPO Robert
Montreal (QC)
Canada H1R 3X2

This book is published compliments of the Italian Cultural Centre Society (ICCS) of Vancouver via a grant from the Government of Canada, Community Historical Recognition Program (CHRP).

Questo libro è pubblicato per gentile concessione della Società del Centro Culturale Italiano (ICCS) di Vancouver ed il Governo del Canada, Programma di riconoscimento storico per le Comunità (CHRP).

 Canadä

Printed in Canada

This book is dedicated to the wives and children of BC's Italian enemy aliens interned during World War II. Wives were denied the love, attention and support of their spouses while the children, the dear children, lost their precious innocence in the process.

Questo libro è dedicato alle mogli e ai figli degli stranieri nemici italiani della Columbia Britannica internati durante la seconda guerra mondiale. Le mogli si sono viste negare l'amore, l'attenzione e il sostegno dei loro coniugi, mentre i bambini, i cari bambini, persero la loro preziosa innocenza.

ACKNOWLEDGEMENTS

It is with a great sense of appreciation that I recognize the main contributors to this publication, from interviews conducted over a period of two decades.

In the 1990s, Ramon Benedetti, Gloria Bowe, Elain Butz*, Vito Cianci*, Phyllis Culos*, Marino Culos*, Herman Ghislieri*, Bruno Girardi*, Hon. Dolores Holmes, Lina Iacobucci*, Margherita McPherson*, Emma Maffei*, Antonietta Marino*, Lu Moro*, Elisa Negrin*, Silvio Ruocco*, Elmo Trasolini*.

In 2010 and 2011, Gina Benetti, Remo Caldato, Mario Caravetta, Nellie Cavell, Alice D'Appolonia, Madeline Dent, Paul Di Fonzo, Georgina Fabbro, Alita Gibson, Attilio L. Girardi, Elio Maddalozzo, Ernie Maddalozzo, Hon. Mario Mondin, Greg Moro, Nino Negrin, Tony Padula, Leonard Tenisci.

Special words of appreciation are extended to Frank Iacobucci, a treasured friend since boyhood, for writing the Foreword to this publication. I am also very pleased to acknowledge the professional support of Domenic Cusmano, publisher, Licia Canton, editor, and Corrado Cusmano, creative director. For their work on the Italian translation, I would like to thank Elettra Bedon, Giulia De Gasperi, Giuliana Gardellini, Isabella Martini and Emanuele Oriano.

In addition, I acknowledge with thanks the assistance of Andrew Martin, VPL Special Collections, the library staff at Postmedia Network Inc., and the Glenbow Museum.

Writing this passage in the history of Canada's wartime history has been a stimulating and often emotional experience. I am grateful to the Italian Cultural Centre Society, which received a CHRP grant to produce this book, for the opportunity to present an objective analysis of the BC Italian Enemy Alien phenomenon during World War II.

Raymond Culos,
Burnaby, BC

---

*deceased

RINGRAZIAMENTI

È con grande apprezzamento che mi accingo a ringraziare i principali contributi a questa pubblicazione, derivata da interviste condotte nell'arco di due decenni.

Negli anni Novanta: Ramon Benedetti, Gloria Bowe, Elain Butz, Vito Cianci*, Phyllis Culos*, Marino Culos*, Herman Ghislieri*, Bruno Girardi*, Dolores Holmes, Lina Iacobucci*, Margherita McPherson*, Emma Maffei*, Antonietta Marino*, Lu Moro*, Elisa Negrin*, Silvio Ruocco*, Elmo Trasolini*.*

Nel 2010 e 2011: Gina Benetti, Remo Caldato, Mario Caravetta, Nellie Cavell, Alice D'Appolonia, Madeline Dent, Paul Di Fonzo, Georgina Fabbro, Alita Gibson, Attilio L. Girardi, Elio Maddalozzo, Ernie Maddalozzo, Mario Mondin, Greg Moro, Nino Negrin, Tony Padula, Leonard Tenisci.

Un ringraziamento particolare va a Frank Iacobucci, caro amico fin dalla nostra giovinezza, per aver scritto la Prefazione alla presente pubblicazione. Sono anche lieto di ringraziare l'editore Domenic Cusmano, la curatrice Licia Canton e il direttore creativo Corrado Cusmano per il loro contributo professionale. Per l'opera prestata nella traduzione in lingua italiana, ringrazio Elettra Bedon, Giulia De Gasperi, Giuliana Gardellini, Isabella Martini ed Emanuele Oriano.

Ringrazio inoltre per l'assistenza Andrew Martin, curatore delle Collezioni Speciali della Biblioteca Pubblica di Vancouver, il personale d'archivio della Postmedia Network Inc. e il Museo Glenbow.

Scrivere di questo momento nella storia del Canada del tempo di guerra è stata un'esperienza stimolante e spesso carica d'emozione. Sono grato alla Società del Centro Culturale Italiano, che ha ottenuto un finanziamento CHRP per la produzione di questo libro, per l'occasione offerta di presentare un'analisi obiettiva della questione degli italiani "stranieri nemici" in Columbia Britannica durante la seconda guerra mondiale.

Raymond Culos,
Burnaby, BC

---

*deceduti

TABLE OF CONTENTS

Foreword		15
Introduction		17
Chapter One	*Fascists Organize in BC*	23
Chapter Two	*Brancucci Makes His Debut*	37
Chapter Three	*Italian Press with a Fascist Twist*	53
Chapter Four	*Monday, June 10, 1940*	71
Chapter Five	*Enemy Aliens Apprehended*	83
Chapter Six	*Second Group of Internees to Kananaskis*	93
Chapter Seven	*Tribunals and Release of the Internees*	111
Chapter Eight	*Enemy Aliens Report to RCMP*	125
Chapter Nine	*Italian Canadians Serve in Canada's Forces*	141
Chapter Ten	*The Aftermath*	157
Profiles		
Gina Benetti	*Canada gave my parents their life*	171
Remo Caldato	*The government should apologize*	174
Nellie Cavell	*I was mortified at having to report to the RCMP*	177
Alice D'Appolonia	*I was lonely, sick and with no money*	180
Trentino (Paul) Di Fonzo	*I went from enemy alien to Canadian soldier*	183
Georgina Gatto Fabbro	*Images of Hitler and Mussolini were burned in effigy*	186
Herman Ghislieri	*My father, brother and I were at Kananaskis at the same time*	189
Alita Emanuele Gibson	*My teacher said I should have been sent to the concentration camp*	192
Attilio L. Girardi	*My Canadian-born father was classified as an enemy alien*	195
Hon. Mario Mondin	*It was sheer stupidity for one to say that my mother was an enemy alien. Sheer stupidity!*	198
Greg Moro	*Dad went from enemy alien to war service to a BC Lacrosse Hall of Fame inductee. Isn't that incredible?*	201
Tony Padula	*My mother was witness to the arrest of the Girardi Brothers*	204
Leonardo Tenisci	*My father loved his family, church, music and politics*	207

INDICE

Prefazione 15

Introduzione 17

Capitolo primo   *I fascisti si organizzano in Columbia Britannica* 23

Capitolo secondo   *L'esordio di Brancucci* 37

Capitolo terzo   *Stampa italiana a tendenza fascista* 53

Capitolo quarto   *Lunedì 10 giugno 1940* 71

Capitolo quinto   *L'arresto degli stranieri nemici* 83

Capitolo sesto   *Il secondo gruppo di internati a Kananaskis* 93

Capitolo settimo   *I tribunali e il rilascio degli internati* 111

Capitolo ottavo   *Gli stranieri nemici si presentino alla RCMP* 125

Capitolo nono   *Gli italocanadesi nelle forze armate canadesi* 141

Capitolo decimo   *Conseguenze* 157

Profili

Gina Benetti   *Il Canada ha ridato la vita ai miei genitori* 171

Remo Caldato   *Il governo dovrebbe scusarsi* 174

Nellie Cavell   *Dovermi presentare alla RCMP era mortificante* 177

Alice D'Appolonia   *Ero sola, malata e senza un soldo* 180

Trentino (Paul) Di Fonzo *Da straniero nemico diventai soldato canadese* 183

Georgina Gatto Fabbro   *Immagini di Hitler e di Mussolini date alle fiamme* 186

Herman Ghislieri   *Mio padre, mio fratello e io eravamo tutti insieme a Kananaskis* 189

Alita Emanuele Gibson   *Il maestro disse che mi avrebbero dovuto mandare in campo di concentramento* 192

Attilio L. Girardi   *Mio padre, nato in Canada, fu classificato come straniero nemico* 195

On. Mario Mondin   *Dire che mia madre era una straniera nemica fu mera stupidità!* 198

Greg Moro   *Mio padre da straniero nemico passò a fare il militare fino a essere ammesso nella Hall of Fame del Lacrosse, in Columbia Britannica. Non vi sembra una storia incredibile?* 201

Tony Padula   *Mia madre fu testimone dell'arresto dei fratelli Girardi* 204

Leonardo Tenisci   *Mio padre amava la famiglia, la chiesa, la musica e la politica* 207

FOREWORD

Ray Culos has written a book that very much deserves to be written, especially by someone like him who has many qualifications and reasons for recounting the story of BC's Italian Enemy Aliens during World War II.

In expressing my thanks to him for the opportunity to write this foreword, I would like to add a few personal observations. I have known Ray and his wife, Judy, all of my adult life. Each of us attended Britannia High School in Vancouver's East End, with Judy and me in the class a year behind Ray. Our two families were good friends as were Santo and Alice Pasqualini, who are frequently mentioned in the book. My older brother, Danny, was married to the late Lina Pasqualini, who at six years old cried profusely at seeing her father detained and eventually taken away for some two and a half years. On several occasions, I worked for Santo Pasqualini after World War II when he catered for weddings. Some years ago, my wife and I paid tribute to Santo and Lina by contributing in their honour to the construction of a senior citizens' extended care facility built by the Friulani Community in Toronto. In the war years my father and mother were required to report to the RCMP, and I remember going with my mother on one or more of her monthly visits.

I state all this simply to emphasize that my family and I lived through the period covered by this book. But this book has taught me much more about the unfortunate episode of our history than I ever knew. Ray has skilfully traced the sequence of events leading to

PREFAZIONE

Ray Culos ha scritto un libro che certamente meritava di essere scritto, specialmente da parte di qualcuno che, come lui, ha molte qualifiche e molte ragioni per raccontare la storia degli italiani della Columbia Britannica, considerati stranieri nemici nel corso della seconda guerra mondiale.

Nel ringraziarlo per avermi offerto l'opportunità di scrivere questa premessa, vorrei aggiungere alcune osservazioni personali. Conosco Ray e sua moglie Judy da sempre. Abbiamo frequentato tutti e tre la Britannia High School nell'East End di Vancouver, con Judy e io nella stessa classe, un anno dopo di Ray. Le nostre famiglie erano in buona amicizia, come con Santo e Alice Pasqualini, menzionati spesso nel libro. Mio fratello maggiore Danny era sposato con Lina Pasqualini, che all'età di sei anni pianse disperata vedendo il padre arrestato e portato via per due anni e mezzo circa. In varie occasioni io lavorai per Santo Pasqualini dopo la guerra, quando operava nella ristorazione per i matrimoni. Qualche anno fa, mia moglie e io rendemmo omaggio a Santo e Lina contribuendo in loro onore alla costruzione di una casa di cura e riposo per anziani voluta dalla comunità friulana di Toronto. Negli anni della guerra mio padre e mia madre dovevano presentarsi alla RCMP, e io ricordo di aver accompagnato mia madre in una o due delle sue visite mensili.

Dico tutto questo solamente per sottolineare che la mia famiglia e io vivemmo il periodo di cui parla questo libro. Ma il libro mi ha insegnato assai più di quanto io non sapessi a proposito di questo

the internment of Italo-Canadians, including the formation of a group of Italo-Canadians who were anti-fascists that led to divisive tensions within the Italo-Canadian community, the unsuspecting naiveté of many of the internees in their attachment to Italy, the draconian measures of the Canadian Government and, in many cases, the devastating consequences of the internment.

No charges were laid against the internees, no due process was provided to them, and no real justice was shown to them. All of these terrible ingredients are aptly described by Ray Culos through interviews he conducted and documentary and archival evidence he researched.

The thirteen profiles relating to some of the internees make the events of the story come alive, especially for those of us who lived through that time. Through these profiles and the efforts of Ray Culos in writing this account, we can see the courage, resilience, and ultimately the triumph of the internees in rebuilding their lives for their loved ones, their community, and indeed their country.

The book is about a stain on the history of Canada. Understandably, revealing the truth behind the stain offends us all. But if we ever wish to avoid repeating the errors, tragedies, and misfortunes of the Italian Enemy Alien episode, we must confront the truth. And for Canadians both individually and collectively to learn more about that truth, I salute and congratulate Ray Culos for his efforts, commitment, and talent in writing this book.

The Honourable Frank Iacobucci, C.C., Q.C.
Retired Justice of the Supreme Court of Canada
Toronto, Ontario

sfortunato episodio della nostra storia. Ray ha ricostruito con abilità la sequenza degli avvenimenti che condussero all'internamento degli italocanadesi, compresa la formazione di un gruppo di antifascisti italocanadesi che generò tensioni all'interno della comunità, l'ingenuità di molti internati nel proprio attaccamento all'Italia, le misure draconiane del governo canadese e, in molti casi, le devastanti conseguenze dell'internamento.

Nessun capo d'imputazione fu elevato nei confronti degli internati, non venne loro accordato un giusto processo né fu fatta vera giustizia. Culos descrive tutti questi terribili ingredienti attraverso interviste ed evidenze documentarie da lui stesso raccolte.

I tredici profili di internati rendono vividi gli avvenimenti della storia, specialmente per quei lettori che hanno vissuto quell'epoca. Attraverso questi profili e lo sforzo compiuto da Culos per scrivere questa storia, vediamo il coraggio, la resistenza, e il trionfo finale degli internati nel ricostruire le proprie vite per i loro cari, per la loro comunità, e in definitiva per il loro paese.

Questo libro parla di una macchia nella storia del Canada. È comprensibile che rivelare la verità dietro la macchia ci offende tutti. Ma se si vuole evitare di ripetere gli errori, le tragedie e le sventure della vicenda degli italiani come stranieri nemici, si deve guardare in faccia la verità. Perché i canadesi, sia individualmente che collettivamente, ne sappiano di più su quella verità, mi congratulo con Ray Culos per lo sforzo, l'impegno e il talento profusi nella stesura di questo libro.

Onorevole Frank Iacobucci, C.C., Q.C.
Giudice in pensione della Corte Suprema del Canada
Toronto, Ontario

INTRODUCTION

During the debate of the Standing Committee on Canadian Heritage, November 26, 2009, the Hon. Jason Kenney, Minister of Citizenship, Immigration and Multiculturalism referenced a government initiative commonly referred to as the Community Historical Recognition Program (CHRP). "Consequently, we designated $5 million of funding within the community historic recognition program to be available exclusively for projects that commemorate and educate Canadians about the Italian Canadian internment during the Second World War." (Citizenship and Immigration Canada website: www.cic.gc.ca/english/multiculturalism/programs/community.asp).

Following approval of its application for funding, the Italian Cultural Centre Society (ICCS) of Vancouver, through its president Joe Finamore, asked that I research and write a definitive account of the story to which the Minister referred. I accepted his kind invitation and now proceed to share my findings with you, the reader.

Within the pages of this book, you are introduced to an episode from the annals of Canada's wartime history that is little known to the average Canadian. Moreover, the event itself, which threatened to divide Vancouver's Italian community, has been much derided by a few and clearly misunderstood by many. It is the story of Italians and Italian Canadians living in British Columbia who were classified as enemy aliens by the Canadian Government during World War II.

The enemy alien designation applied to a) Italian nationals, b) Canadian residents who arrived from Italy circa 1922-1940 and, most importantly, c) members of the Circolo Giulio Giordani, the fascist club in Vancouver, BC.

When Italy declared war on Canada in June 1940, Italian nationals living in the country were regarded as citizens of a belligerent enemy country. Thus the loyalty of many of these residents was held suspect

INTRODUZIONE

Durante il dibattito davanti al Comitato Permanente sul Patrimonio Canadese del 26 novembre 2009, l'on. Jason Kenney, ministro della Cittadinanza, dell'Immigrazione e del Multiculturalismo, ha parlato dell'iniziativa governativa chiamata Programma di Riconoscimento Storico per le Comunità: «Di conseguenza abbiamo stanziato un finanziamento di 5 milioni di dollari all'interno di questo programma a disposizione esclusiva di progetti che commemorino e informino i canadesi sull'internamento di italocanadesi durante la seconda guerra mondiale». (Sito del ministero canadese della Cittadinanza e Immigrazione: www.cic.gc.ca/english/ multiculturalism/programs/community.asp)

Dopo l'approvazione di una domanda di finanziamento, la Società del Centro Culturale Italiano di Vancouver, attraverso il suo presidente Joe Finamore, mi ha commissionato un resoconto definitivo su questo episodio. Ho accettato l'invito e mi accingo ora a condividere col lettore le notizie raccolte.

Le pagine di questo libro presentano un episodio del periodo bellico canadese poco noto al canadese medio. Inoltre, l'episodio stesso, che minacciò di dividere la comunità italiana di Vancouver, è stato da alcuni deriso e da molti chiaramente mal interpretato. Si tratta della storia degli italiani e degli italocanadesi che vivevano nella Columbia Britannica e che il governo canadese classificò come stranieri nemici durante la seconda guerra mondiale.

Il termine straniero nemico venne applicato a: a) cittadini italiani, b) residenti canadesi che erano arrivati dall'Italia negli anni 1922-1940, e soprattutto c) soci del Circolo Giulio Giordani, il circolo fascista di Vancouver.

Quando l'Italia dichiarò guerra al Canada nel giugno del 1940, i cittadini italiani residenti nel paese diventarono cittadini di un paese

by federal authorities. As a result, the alleged fascists among them were arrested and incarcerated, while others, representing the vast majority, were required to register with the RCMP.

Italian cultural and social organizations have existed in British Columbia since the Felice Cavallotti Italian Mutual Aid Society of Nanaimo was founded in 1900. Such organizations commemorate the cultural heritage of Italy and provide services and social opportunities to its constituents. The rationale of organizations such as the Italian Cultural Centre (Vancouver) is to share the Italian experience with the greater community.

Two days following the outbreak of war with Italy the politically and nationalistically skewed associations including the Circolo Giulio Giordani, Circolo Roma, the affiliate Women's Lodge, and the Ex-Combattenti (Italian Veterans' Association), were declared illegal by the Canadian Government.

The Giulio Giordani Club, named in memory of a martyr of the fascist movement in Italy, was introduced in BC in 1927. In the process, it was aided and abetted by members of the Royal Italian Consular Corps. Club members declared allegiance to Benito Mussolini, commonly referred to as Il Duce, the leader. According to classified RCMP documents, the wording of the club's membership application card read (in translation), "I swear to execute without discussion the orders of Il Duce and to serve with all my strength and, if necessary, my blood the cause of the Fascist Revolution." (Letter dated May 29, 1940 sent to the Rt. Hon. Ernest Lapointe, PC, K.C., Minister of Justice and Attorney-General for Canada by N. A. Robertson, Chairman of the RCMP's Inter-Departmental Committee.)

Important members of the BC fascist group, totalling 44 men – as alleged by the RCMP – subsequently were interned at Kananaskis, AB, Petawawa, ON, and/or Fredericton, NB. In addition to these POWs, the remaining enemy aliens comprised two main categories or groups. Firstly, Italian nationals living near air, rail and shipping facilities – considered a secondary level security risk – were ordered removed from the Pacific coast. The other group, comprising as many as 1,800[1] Italian BC residents, were required to report monthly to the RCMP.

in guerra contro il Canada. Le autorità federali sospettarono della loro lealtà. Avvenne quindi che i presunti fascisti vennero arrestati e incarcerati, mentre altri, in grande maggioranza, furono obbligati a registrare il proprio nome presso la RCMP (Reale Polizia a Cavallo del Canada: le "Giubbe Rosse").

Le organizzazioni culturali e sociali italiane sono esistite nella Columbia Britannica fin dal 1900, anno di fondazione, a Nanaimo, della Società di Mutuo Soccorso "Felice Cavallotti". Organizzazioni di questo tipo commemorano il patrimonio culturale italiano e offrono servizi e opportunità d'incontro ai propri soci. La ragion d'essere di organizzazioni come il Centro Culturale Italiano di Vancouver è condividere l'esperienza italiana con la comunità nel suo insieme.

Due giorni dopo lo scoppio della guerra, il governo canadese dichiarò illegali le associazioni italiane schierate dal punto di vista politico e nazionalistico, tra cui il Circolo Giulio Giordani, il Circolo Roma, la Lega Femminile Italiana (affiliata allo stesso) e gli Ex Combattenti (l'associazione dei veterani italiani).

Il Circolo Giulio Giordani, così chiamato in memoria di un martire del movimento fascista in Italia, venne costituito in Columbia Britannica nel 1927, con l'appoggio del regio corpo consolare italiano. I soci del Circolo giuravano fedeltà a Benito Mussolini, Il Duce. Secondo documenti riservati della RCMP, la domanda d'iscrizione al Circolo diceva: «Giuro di eseguire senza discutere gli ordini del Duce e di servire con tutta la mia forza e, se necessario, con il mio sangue la causa della Rivoluzione Fascista». (Lettera del 29 maggio 1940 inviata all'on. Ernest Lapointe, PC, K.C., ministro della Giustizia e Attorney General del Canada da N. A. Robertson, presidente della commissione interministeriale della RCMP).

Successivamente, membri importanti (secondo la RCMP) del gruppo fascista della Columbia Britannica, per un totale di 44 uomini, furono internati a Kananaskis, nell'Alberta, a Petawawa, nell'Ontario, e/o a Fredericton, nel Nuovo Brunswick. Oltre a questi prigionieri di guerra, i restanti stranieri nemici si dividevano in due gruppi principali. Ai cittadini italiani che vivevano vicino a impianti portuali, aeroportuali e ferroviari, considerati a un rischio sicurezza di secondo

Countering the pro-Italy segment of the population were the members and supporters of the Canadian-Italian War Vigilance Association. The founder of this anti-fascist organization was BC-born Angelo Branca, then a rising star in the legal profession. He and his executive group, including Marino Culos, president of the Sons of Italy Society, marshalled the pro-Canada citizens, the majority segment of the Italian Colony. At its first public meeting the membership pledged loyalty to King and Country while condemning those of contrary beliefs.

Notwithstanding the opposing political sections of the Italian presence in British Columbia, a number of difficult and disturbing situations occurred to otherwise naïve and/or innocent people.

Executing sweeping powers granted under the provisions of the Defence of Canada Regulations of the Canada War Measures Act (1939), the RCMP sprang into action. Shortly after Mussolini's declaration of war, hundreds of RCMP officers were dispatched in an attempt to apprehend Italians suspected of being a possible threat to the State. Of those detained in the nation-wide roundup, 632 eventually were incarcerated[2] in one of the three main internment camps. The 44 internees from BC comprised less than one percent of the number of Italians living in Vancouver. This minority group – all men – was destined to be detained for an average of 15½ months.

Mindboggling as it may appear, some of the internees had family members serving in Canada's armed forces, while they were confined behind barbed wire. This paradox is extended to include an action taken by the Sons of Italy Society. Members of this society, who were among those arrested and interned, had their memberships suspended for the duration of their incarceration. As the war progressed, the Society, at the initiative of its ladies' auxiliary, launched a Remember the Soldiers project. Care packages and notes of support were periodically mailed to the sons and daughters of society members serving in Canada's armed forces.

livello, fu ordinato di evacuare la costa pacifica. L'altro gruppo consisteva di 1.800[1] italiani residenti nella Columbia Britannica ai quali fu ordinato di presentarsi mensilmente alla RCMP.

Al segmento di popolazione a favore dell'Italia si contrapponevano i soci e i sostenitori dell'Associazione Canadese-Italiana di Vigilanza sulla Guerra. Il fondatore di questa organizzazione antifascista era Angelo Branca, nato nella Columbia Britannica, allora un astro nascente della professione legale. Branca e il suo esecutivo, tra cui Marino Culos, presidente della Società dei Figli d'Italia, guidavano i cittadini favorevoli al Canada, maggioranza della colonia italiana. Durante il primo incontro pubblico i soci giurarono fedeltà al Re e al Paese, condannando la fazione opposta.

Nonostante le fazioni politicamente contrapposte all'interno della comunità italiana della Columbia Britannica, persone ingenue e/o innocenti restarono vittime di situazioni difficili e allarmanti.

La RCMP si mise in azione, sulla base dei nuovi poteri conferiti dai Regolamenti per la Difesa del Canada attuativi della legge sulle misure in tempo di guerra (1939). Poco dopo la dichiarazione di guerra da parte di Mussolini, centinaia di agenti della RCMP furono incaricati di procedere alla cattura di italiani sospettati di rappresentare una possibile minaccia per lo Stato. Tra gli arrestati, a livello nazionale 632 individui[2] vennero incarcerati nei tre principali campi di internamento. I 44 internati della Columbia Britannica rappresentavano meno dell'un per cento del totale degli italiani che vivevano a Vancouver. Questa minoranza, esclusivamente maschile, era destinata a una detenzione media di quindici mesi e mezzo.

Per quanto possa sembrare sbalorditivo, alcuni degli internati avevano parenti arruolati nell'esercito canadese. Il paradosso riguardò anche un'iniziativa della Società dei Figli d'Italia; i suoi soci arrestati e internati si videro sospesa l'iscrizione per il periodo di detenzione. Con il progredire della guerra, la Società, per iniziativa della sezione

---

[1] This number is extrapolated from Canadian Census figures on the Italian-Canadian and Italian-born population of BC between 1922 and 1940.

[2] Internment Statistics Report, August 18, 1945.

[1] Sulla base di un'estrapolazione dalle cifre del censimento canadese della la popolazione di origine italiana della Columbia Britannica tra il 1922 e il 1940.

[2] Rapporto sulle statistiche dell'internamento, 18 agosto 1945.

What the statistics do not reveal is the degree of suffering and hardship experienced by family members of Canada's Italian enemy aliens. What is clear, however, is that Mussolini's belligerence was the root cause of their plight.

In this context, it is very important for one to appreciate the cause and effect of the Canadian Government's actions towards its citizens of Italian heritage. For example, when Santo Pasqualini was arrested and interned, his wife was left with a faltering bakery business and mounting debts. A recent arrival from Italy, Alice Pasqualini's command of the English language was limited and her business acumen virtually non-existent. Forced to sell her remaining assets to pay debts, she suffered a major mental breakdown and was hospitalized for months at a time. With no relatives living in Canada, she sought the advice of the parish priest and compassionate friends. Eventually, her two children, Lina and Lino, ages six and three respectively, were assigned to caring families. Notwithstanding, this tragic affair created a lifetime of mental anguish for each member of the family.

To this day many questions remain unanswered or have been only partially addressed. For example: What exactly did lead to the internment of Italians? Was discrimination a factor? What crime did the people incarcerated commit? Why were Italian enemy aliens not permitted to have legal counsel? What was life like in a POW camp? Were any of the internees charged and/or convicted of an offence against the State? Why were so many otherwise loyal Canadians required to register with the RCMP? How did the wives and children cope while the families' breadwinners were in internment camps? And is redress or an official government apology warranted in some or all cases?

The following objective analysis, including first person profiles, is intended to provide an insightful and accurate review of the enemy alien factor. Hopefully, this treatise will assist you in determining whether justice or injustice was served.

Ray Culos

femminile, lanciò il progetto "Ricorda i Soldati". Pacchi e biglietti di sostegno venivano periodicamente inviati ai figli e alle figlie dei soci che prestavano servizio nelle forze armate canadesi.

Le statistiche però non rivelano le sofferenze e le difficoltà vissute dalle famiglie degli stranieri nemici in Canada. È chiaro però che la causa prima della loro condizione fu la belligeranza di Mussolini.

In questo contesto è molto importante capire le cause e gli effetti delle azioni intraprese dal governo canadese verso i cittadini di origini italiane. Per esempio, quando Santo Pasqualini fu arrestato e internato, sua moglie Alice si ritrovò con un panificio in difficoltà e sempre più indebitato. Arrivata da poco dall'Italia, Alice Pasqualini sapeva poco d'inglese e quasi niente di affari. Costretta a vendere i beni che possedeva per pagare i debiti, soffrì un grave esaurimento nervoso e fu ricoverata per mesi. Non avendo parenti in Canada, Alice si rivolse al parroco e ad amici caritatevoli. I suoi due figli, Lina e Lino, di sei e tre anni, furono affidati a famiglie che si presero cura di loro. Ciononostante, questo tragico evento segnò profondamente la vita di ciascun membro di questa famiglia.

Fino ad oggi molte domande rimangono senza risposta o ne hanno avuta solo una parziale. Per esempio, cosa portò all'internamento degli italiani? La discriminazione contribuì in qualche modo? Che crimine avevano commesso i detenuti? Perché agli italiani stranieri nemici non fu permesso di avere assistenza legale? Com'era la vita in un campo per prigionieri di guerra? Ci furono internati accusati e condannati per reati contro lo Stato? Perché fu richiesto a canadesi leali verso il proprio Paese di registrarsi presso la RCMP? Come vissero mogli e figli mentre i capifamiglia si trovavano nei campi di internamento? Sono giustificati risarcimenti o scuse ufficiali del governo in alcuni oppure in tutti i casi?

L'analisi oggettiva che segue, compresi racconti in prima persona, intende fornire un esame accurato e approfondito del fattore stranieri nemici. Si spera che questo lavoro possa aiutare il lettore a decidere se sia stata fatta giustizia oppure ingiustizia.

Ray Culos

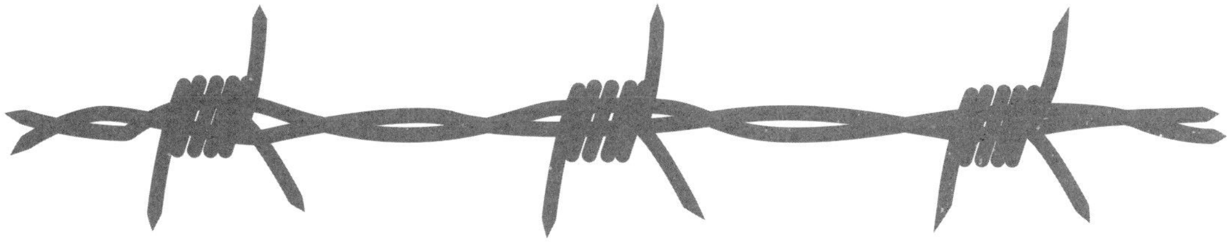

CHAPTER ONE

Fascists Organize in BC

With stealth and clandestine purpose, the far-reaching tentacles of Italy's new regime slithered over the Rocky Mountains into British Columbia from Venice, Alberta, where a section of the Fascist Party had been established in 1925. With conviction or misplaced loyalty, a minority group of Italian residents in Vancouver succumbed to the nationalistic rhetoric of Benito Mussolini, protagonist and absentee leader of the March on Rome in October 1922. The fascist dictator vaulted onto the world stage by championing the cause of disgruntled war veterans whose sacrifice, he protested, had not fully been recognized by the Treaty of Versailles. In 1929 Mussolini's international prominence and stature advanced significantly when he successfully orchestrated the Lateran Pact with the Vatican. The agreement recognized the Holy See as an independent state and ended a long-standing polemic. In so doing, he gained the admiration of millions of Catholics world-wide, while fostering nationalism at home and abroad. As a result, he gave expatriates including many of those living in Vancouver a renewed sense of pride and self-worth. They, like most Italian immigrants to this country, applauded Mussolini's social, health, and educational reforms.

The die-hard pro-Italy extremists, who were exhilarated by the resurgence of *la Patria* on the world scene, organized *Fascio* groups in major Canadian cities. In so doing, they were supported, if not encouraged, by members of the Royal Italian Consular Corps and the Partito Nazionale Fascista (National Fascist Party of Italy). Nicola Masi was the local Italian consular agent in 1927, when a cell of the pro-fascist Circolo Giulio Giordani (*Fascio*) was formed. The club's first secretary,

CAPITOLO PRIMO

I fascisti si organizzano in Columbia Britannica

I tentacoli del nuovo regime valicarono le Montagne Rocciose per penetrare in Columbia Britannica a partire da Venice, un villaggio nella provincia dell'Alberta, dove nel 1925 era stata fondata una sezione del Partito Fascista. Per convinzione o malriposta lealtà, una minoranza degli italiani residenti a Vancouver cedette alla retorica nazionalista di Benito Mussolini, protagonista e leader in absentia della Marcia su Roma dell'ottobre 1922. Il dittatore fascista si proiettò sulla ribalta internazionale sostenendo la causa dei veterani scontenti, il cui sacrificio, a suo dire, non era stato pienamente riconosciuto dal Trattato di Versailles. Nel 1929 l'importanza e la prominenza internazionale di Mussolini aumentarono significativamente quando egli orchestrò con successo la stipula con il Vaticano dei Patti Lateranensi. L'accordo riconosceva la Santa Sede come stato indipendente e chiudeva un lungo contenzioso. Così facendo, Mussolini guadagnò l'ammirazione di milioni di Cattolici in tutto il mondo, incoraggiando allo stesso tempo il nazionalismo in Italia e all'estero. Diede agli espatriati, compresi quelli che vivevano a Vancouver, un rinnovato senso di orgoglio e di autostima. Essi, come molti altri immigrati italiani in Canada, applaudivano le riforme sociali, della sanità e della scuola di Mussolini.

I più sfegatati estremisti filoitaliani, esaltati dalla rinascita della Patria sulla scena mondiale, organizzarono fasci nelle più grandi città canadesi. Erano sostenuti, oltre che incoraggiati, dal regio corpo consolare italiano e dal Partito Nazionale Fascista. Nicola Masi era l'agente consolare italiano locale nel 1927 quando fu formato il Fascio Giulio Giordani. Il primo segretario del fascio, dott. Eugenio Zito, medico all'Ospedale di St. Paul, curò con successo il reclutamento, inducendo

Dr. Eugenio Zito, a practicing medical doctor with privileges at St. Paul's Hospital, was an effective *Fascio* membership recruiter. He successfully encouraged a number of the more educated and prominent members of Vancouver's Italians to join. They were a relatively easy target. This was so because many of them resented the hand of silent discrimination evident as they laboured to advance and be recognized within the Canadian context. In their patriotic zeal and enthusiasm, however, members of the newly founded fascist club tended to ignore the reality of the Italian dictator's potentially aggressive foreign policies. Some of Mussolini's dictates, especially his dream of an expanded Italian Empire inevitably would run counter to the principles espoused by western democracies.

Piero Orsatti followed Zito as secretary of the *Fascio*. Orsatti, an internationally renowned tenor and local singing instructor, had roots to Italy's aristocracy. He epitomized the character of the New Order. Although the Circolo Giulio Giordani feigned publicity, its new spokesperson got top billing at the Columbus Day Celebration on October 12, 1933. He was introduced as a main speaker and warmly received for his remarks entitled, "Presentation of the Fascist Secretary." Orsatti was followed by *l'avvocato* Angelo Branca, the evening's official orator, who applauded the achievements of Cristoforo Colombo, especially his epic voyage and discovery of America.

The *Fascio* continued to recruit behind the scenes and at one point approached Marino Culos. A popular member of the Società Figli d'Italia, Culos had written and published *Souvenirs [Ricordi] of the Progress and Activities of the Members of the Italian Colony of Vancouver, 1935*. Although he attended a few of the by-invitation-only Giordani Club meetings at the Consul's office at 501 Main Street, he spurned the offer to become a member. In all likelihood, he would have joined had it not been for the wording of the membership application card. In his judgement, to sign the *tessera* was tantamount to swearing allegiance to Mussolini. And this he was not prepared to do.

un gran numero d'italiani della Vancouver bene a iscriversi. Erano un obiettivo piuttosto facile, poiché molti di loro erano scontenti della silenziosa ma tangibile discriminazione subita mentre tentavano di salire i gradini della scala sociale canadese. Tuttavia, in quest'atmosfera di zelo e patriottismo entusiasta, i membri del nuovo fascio tendevano ad ignorare la realtà di una politica estera, voluta dal dittatore italiano, potenzialmente aggressiva. Alcuni dei dettami di Mussolini, in particolare il sogno di un vasto impero italiano, si sarebbero inevitabilmente scontrati con i principi delle democrazie occidentali.

Dopo il dott. Zito, Piero Orsatti divenne il nuovo segretario del Fascio. *Orsatti, tenore di livello internazionale e insegnante di canto, discendeva dall'aristocrazia italiana ed era l'emblema del nuovo ordine. Nonostante il Circolo Giulio Giordani dichiarasse di rifuggire dalla pubblicità, Orsatti fu al centro dell'attenzione durante la celebrazione del Columbus Day il 12 ottobre 1933. Orsatti fu presentato come oratore principale e accolto caldamente per il suo discorso intitolato "Presentazione del Segretario Fascista." Seguì l'avvocato Angelo Branca, oratore ufficiale della serata, il quale applaudì i successi di Cristoforo Colombo, in particolare il suo viaggio epico e la scoperta dell'America.*

Il fascio continuò a reclutare dietro le quinte e avvicinò Marino Culos. Noto socio della Società Figli d'Italia, Culos aveva scritto Ricordi *dei progressi e delle attività dei soci della Colonia Italiana di Vancouver, 1935. Sebbene avesse partecipato ad alcuni degli incontri a invito organizzati dal Circolo Giulio Giordani, avvenuti presso l'ufficio del Console al 501 di Main Street, Culos rifiutò l'invito a iscriversi. Con ogni probabilità avrebbe finito con l'iscriversi se non fosse stato per le frasi usate nel modulo d'iscrizione. Secondo Culos, firmare la tessera equivaleva a giurare fedeltà a Mussolini. E questo non intendeva farlo.*

La Motonave Cellina riceve la bandiera

Nel corso degli anni Trenta, navi cariche di prodotti commerciali provenienti dall'Italia attraccavano regolarmente al porto di Vancouver. Nelle stive di queste navi c'erano prodotti come olio d'oliva, riso, formaggi e scatolame destinati a negozi come P. Tosi & Co., Bosa, Benny's Foods

Nicola Masi, Dr. E. Zito

Piero Orsatti

Giulio Giordani Club members and friends, 1930

Iscritti e simpatizzanti del *Circolo Giulio Giordani,* 1930

MV Cellina Gets Its Colours

During the 1930s, ships carrying commercial products from Italy regularly visited the Port of Vancouver. In the holds of these ships were products such as olive oil, rice, cheese and canned goods destined for retail outlets such as P. Tosi & Co., Bosa's, Benny's Foods and the Union Grocery Store. Members of local Italian associations were encouraged by the Royal Italian vice-consul to visit the ships and to fraternize with the officers and crew. Among those who responded to his invitation were members of the Circolo Giovani Italiane, (Italian Young Girls' Club), a Lega Femminile Italiana (Women's Lodge) affiliate. The young women delighted in wearing their Italian regional costumes on organized visits aboard vessels such as the 17,000-ton *MV Cellina*.

On Sunday, May 5, 1935, approximately 20 of the club's belles were among those welcomed aboard the *Cellina* by Captain Rodolfo Muntain for a day of celebration. The guests sang songs, conversed in Italian and witnessed the ship's crew receiving its colours. In the process, the sailors were initiated into the Confederazione Nazionale Dopolavoro, the Afterwork Club. The idea for such an organization had been conceived by Mussolini and was designed to bring all ranks of workers together during leisure hours for cultural recreation. Through the crews of Italy's growing merchant marine, the Afterwork Club also served to provide news from home and to share fascist rhetoric with sympathetic nationals living abroad.[3]

There is no evidence to suggest that the young women's club members were in any way involved politically. They were present, however, to provide a tasteful Italian family atmosphere to the ship's company, many of whom had been away from home for several weeks, if not months. Because these programs were so successful, Mary Castricano, organizer of the Italian Girls' Club activities, often would invite members of the crew and women's club back to her home for refreshments. These impromptu coffee parties offered the seamen an opportunity to experience a touch of "home-away-from-home" hospitality.

e Union Grocery Store. Il viceconsole spronava i soci delle associazioni italiane del luogo a visitare le navi e a fraternizzare con gli ufficiali e l'equipaggio. Le socie del Circolo Giovani Italiane, una divisione della Lega Femminile Italiana, furono tra coloro che risposero all'invito. Queste giovani donne erano felici di indossare i costumi regionali tradizionali italiani durante le visite organizzate sulle navi, come per esempio il Cellina *di 17 mila tonnellate di stazza.*

Domenica 5 maggio 1935 una ventina di socie del Circolo salì con altri ospiti a bordo del Cellina, *accolti dal Capitano Rodolfo Muntain, per una giornata di festa. Gli ospiti cantarono canzoni, conversarono in italiano e parteciparono alla cerimonia della consegna della bandiera all'equipaggio della nave. Durante la cerimonia i marinai entrarono a far parte della Confederazione Nazionale Dopolavoro. L'idea alla base di questa organizzazione era di Mussolini; l'ente aveva come scopo quello di raggruppare lavoratori di tutti i livelli nel tempo libero a scopo ricreativo. Attraverso gli equipaggi della crescente marina mercantile italiana, il Dopolavoro serviva inoltre a riportare notizie da casa e a condividere la retorica fascista con i cittadini italiani all'estero.[3]*

Non ci sono prove che attestino dell'impegno politico delle socie del circolo femminile. Erano lì per ricreare un'atmosfera familiare italiana per i membri dell'equipaggio, alcuni dei quali erano via da casa da settimane o da mesi. Dato il successo di questi programmi, Mary Castricano, organizzatrice delle attività del Circolo delle Giovani Italiane, invitava spesso a casa sua membri dell'equipaggio e socie del Circolo. Queste festicciole improvvisate offrivano ai marinai la possibilità di vivere l'ospitalità di "una casa lontano da casa".

La benedizione spirituale durante questa importante occasione era affidata a Monsignor E.A. Antoniolli, un abate benedettino della Chiesa del Sacro Cuore. Erano presenti, inoltre, rappresentanti di diverse società e organizzazioni italiane, tra cui Carmine Marino, socio del Circolo Giulio Giordani e protetto del dottor Zito. Marino, residente di

---

[3] Dopolavoro Constitution

[3] Costituzione del Dopolavoro

Marino Culos

Angelo Branca
1934 Canadian amateur
middleweight champion

Angelo Branca
Campione canadese
dilettanti pesi medi 1934

Angelo Branca

Providing a spiritual blessing on this important occasion was Monsignor E.A. Antoniolli, the Benedictine abbot from Sacred Heart Church. Also in attendance were representative members in good standing of various Italian societies and organizations. One of the VIPs on the guest list was Carmine Marino, a member of the Circolo Giulio Giordani and protégé of Dr. Zito. Recognized as a long-time resident of Vancouver, he joined the more than one hundred and fifty local Italians on aboard the *Cellina* on that warm and beautiful day. Marino, beaming with nationalistic pride, had recently been enrolled as a *cavaliere* by Mussolini thus making him a knight of the Fascist Government. *Cav.* Marino, the patriarch of a large extended family from Carrufo, Abruzzo, influenced friends and relatives to join or at least to support the Circolo Giulio Giordani.

In reporting on the *Cellina* day of celebration, *The Vancouver Sun* ran a news item stating in effect that Carmine Marino had been so honoured as a knight of Fascist Government because "he represents, according to Italian residents, all that is finest in the worker's character."

Italy Invades Ethiopia

In October 1935, hundreds of thousands of Italian troops with modern war materiel invaded Abyssinia (Ethiopia) from Italy's bordering African colonies of Eritrea and Italian Somaliland. The military strike commenced Mussolini's seven-month campaign designed to enlarge his country's empire in East Africa. It was a deadly affair, with Italy introducing chemical warfare: mustard gas and phosgene. During the course of the conflict, which included extensive aerial bombardment and frontal attacks, the Ethiopians claimed to have sustained in excess of 750,000 military and civilian casualties.

Screams of protest from a people being brutally besieged by the Italian dictator's military machine could be heard the world over. In an attempt to gain support for his country's rapidly deteriorating situation, Emperor Haile Selassie made a personal plea to members of the League of Nations. Although a majority of the statesmen condemned Italy's invasion of a sovereign country and member of the League, they

lunga data di Vancouver, quel giorno era a bordo del Cellina *insieme ad altri 150 italiani del posto. Marino, pieno di orgoglio nazionalistico, era da poco stato nominato cavaliere da Mussolini. Il cavalier Marino, patriarca di una grande famiglia originaria di Carrufo in Abruzzo, spinse parenti e amici ad aderire o almeno a sostenere il Circolo Giulio Giordani.*

The Vancouver Sun, quotidiano locale, riportò, scrivendo delle celebrazioni sul Cellina, *che Carmine Marino era stato insignito dal governo fascista del titolo di cavaliere perché "rappresenta, secondo i residenti italiani, il meglio che si possa trovare nella personalità di un lavoratore".*

L'Italia invade l'Etiopia

Nell'ottobre del 1935, centinaia di migliaia di soldati italiani invasero l'Abissinia (Etiopia) avanzando dall'Eritrea e dalla Somalia Italiana, già colonie italiane in Africa. L'invasione segnò l'inizio di una campagna lunga sette mesi lanciata da Mussolini al fine di allargare l'impero nell'Africa orientale. Fu una guerra sporca, che l'Italia combatté anche con aggressivi chimici: iprite e fosgene. Nel corso del conflitto, che vide anche estesi bombardamenti aerei e attacchi frontali, gli etiopi dichiararono più di 750.000 perdite tra militari e civili.

Le grida di protesta di un popolo sottoposto a una brutale aggressione da parte dalla macchina bellica del dittatore fascista risuonarono nel mondo intero. Nel tentativo di ottenere sostegno per il proprio paese la cui situazione stava rapidamente peggiorando, l'imperatore Hailé Selassié lanciò un appello personale ai membri della Società delle Nazioni. Nonostante la maggioranza degli statisti condannasse l'invasione di uno stato sovrano e membro della Società, non si fece che votare a favore dell'imposizione di sanzioni commerciali e di embarghi. La Società delle Nazioni, antesignana delle Nazioni Unite, nulla fece per rimettere sul trono il Leone di Giuda.

A Vancouver, la conquista italiana dell'Etiopia venne condannata da quasi tutti. Il viceconsole Pietro Colbertaldo, i cui uffici si trovavano al 207 di West Hastings, condusse una personale campagna di

did little more than to vote for the imposition of trade sanctions and embargoes. Neither did this world body, the forerunner organization to the United Nations, take any overt action to reinstate the Lion King to his throne.

In Vancouver, Italy's conquest of Ethiopia was condemned by all but a few citizens. The Italian vice-consul Pietro Colbertaldo, whose offices were located at 207 West Hastings Street, conducted a personal recruitment campaign among local Italians. *Signor* Colbertaldo actively encouraged ex-patriots to return to the motherland to take up arms for *la Patria*. His efforts, however, met with resolute resistance and gained little if any results. In addition, the vice-consul's wife, Paulina Colbertaldo, appealed to local Italian women to donate their gold wedding rings to help fund Italy's conquest of Ethiopia. There is evidence to suggest that this program achieved a modicum of success, but generally the overture was resisted or simply ignored.

Among those who traded gold rings for steel replicas were Mary Castricano, Antonietta Marino, Artemisia Minichiello and Raffaella Trasolini. According to her son Elmo, Mrs. Trasolini's gold rings were melted down for ease of mailing. However, for some inexplicable reason, the nugget was never forwarded to Colbertaldo's secretary Ines Falcioni. Instead it lay among Mrs. Trasolini's possessions, eventually to be passed along to Elmo's wife who wears it attached to a gold chain around her neck.

The antagonism toward Italians in general during the mid-1930s certainly became apparent to Canadian-born Elmo Trasolini when he was a student at Florence Nightingale School. "In those days, I have to admit, we were kind of shy – we had to be careful – when old Mussolini went into Ethiopia. I took a lot of flack over that at school. If I could get that teacher today, I would kill the son-of-a-bitch. We were studying history and we were getting into the subjects of dictators and stuff like that and he would point to me and say, 'Who is the dictator of Italy?' And I had to get up and answer. Then you know, 'Mussolini-Trasolini'. Boy, to this day, I am telling you ...." Elmo recalled with disdain.

reclutamento tra gli italiani del posto. Il signor Colbertaldo incoraggiava gli ex combattenti a ritornare in Italia per combattere per la Patria. I suoi propositi, respinti con forza, produssero ben pochi risultati. Sua moglie Paulina Colbertaldo si appellò alle donne italiane perché donassero le loro fedi d'oro per finanziare la conquista dell'Etiopia. Qualche risultato ci fu, ma in generale la proposta venne accolta con diffidenza oppure completamente ignorata.

Mary Castricano, Antonietta Marino, Artemisia Minichiello e Raffaella Trasolini furono tra quelle che scambiarono anelli d'oro con riproduzioni in metallo. Secondo il figlio Elmo, gli anelli d'oro della signora Trasolini vennero fusi per facilità di spedizione. Tuttavia, per ragioni ancora sconosciute, l'oro fuso non raggiunse mai la segretaria di Colbertaldo, Ines Falcioni, ma rimase tra le proprietà della signora Trasolini fino a raggiungere la moglie di Elmo.

L'antagonismo verso gli italiani durante la metà degli anni '30 era evidente a Elmo Trasolini, nato in Canada, studente alla scuola Florence Nightingale: «In quei giorni, devo ammettere che eravamo timidi, dovevamo stare attenti; quando il vecchio Mussolini andò in Etiopia, mi sono beccato un sacco di improperi a scuola. Se oggi mi trovassi davanti quell'insegnante, lo ucciderei, quel figlio di puttana. Studiavamo storia, parlando di dittatori e roba del genere, e mi puntava il dito contro chiedendomi: "Chi è il dittatore d'Italia?" E io mi dovevo alzare a rispondere. E poi, "Mussolini-Trasolini". Ancora oggi... ti dirò...» ricordò Elmo con disprezzo.

Cercansi eroi per la campagna etiope

Demetrio Milani, allora immigrato da poco a Vancouver, respinse l'invito di Colbertaldo a combattere per l'Italia. Milani ricevette una lettera dal viceconsole nella quale gli si chiedeva di presentarsi presso l'ufficio consolare. «Pensai che fosse successo qualcosa alla mia famiglia in Italia e andai dal console. Quando entrai nel suo ufficio mi salutò con: "Viva il Duce e viva Vittorio Emanuele". Chiesi che cosa volesse e mi rispose chiedendomi se volessi andare in guerra in Abissinia. Disse che sarei diventato un eroe. Gli risposi: "Come mai finora non vi siete

Heroes Wanted for the Ethiopian Campaign

Demetrio Milani, a recent immigrant of the day to Vancouver, spurned Colbertaldo's overture to fight for Italy. Milani had received a letter from the Italian vice-consul requesting that he present himself at the consular office. "I thought something had happened to the family back in Italy, so I went to see him. When I entered his office I was greeted with, 'Viva Il Duce e Viva Vittorio Emanuele'. So, I asked, 'What do you want?'" He asked me if I wanted to go to the war in Abyssinia [Ethiopia]. He said I would become a 'hero'. So, I answered, 'How come so far you have not even once wanted to know if I was hungry, or if I have a job or anything, and now you want to send me to the butcher's shop? I'm a hero?' So, he told me if I should ever go back to Italy, they will force me into the army. I said to hell with you and Italy, and I walked out," recalled the disillusioned ex-patriot.

A news item appeared on the front section of *The Vancouver Sun* dated October 3, 1935, that read, "Italians Here Volunteer." Pietro Colbertaldo, Royal Italian vice-consul, commenting on those wanting to fight for Italy in Ethiopia was quoted as stating, "About 15 men have so far requested me to take their names as volunteers. It is not the practice of Italy to call to the colours reservists resident in foreign lands. But they can volunteer."

The quote continues with, "Included in the list so far are three brothers, Italians but BC-born. I have had requests from Canadians who were born in England." In the following day's edition, a *Vancouver Sun* reporter talked to a dozen or so young Italians just after newspapers had heralded word that Italian troops had invaded Ethiopia. He concluded that Vancouver's young Italians were not getting excited about the war and that there would be no great rush from Canada to join Mussolini's forces in Africa.

Certain local labour groups were among those outraged by the events in Africa. As a result, one particular union organization demonstrated against the Italian Consulate in the foyer of the Dominion Bank Building. The picketers carried placards and shouted anti-Italian slogans

mai interessato di sapere se avessi fame o un lavoro o qualsiasi altra cosa e ora volete mandarmi al macello? Io, un eroe?" Mi disse che se mai fossi tornato in Italia, mi avrebbero arruolato nell'esercito. Risposi: "Al diavolo lei e l'Italia" e me ne andai», ricordò il disilluso ex patriota.

Un articolo apparso sulla prima pagina del Vancouver Sun *il 3 ottobre 1935 titolava: «Gli italiani di qui vanno volontari». L'articolo citava il regio viceconsole Pietro Colbertaldo, che a proposito di coloro che volevano andare a combattere per l'Italia in Etiopia dichiarava: «Finora quindici uomini circa mi hanno chiesto di essere iscritti come volontari. L'Italia non è solita chiamare alle armi i riservisti residenti all'estero. Ma essi possono offrirsi volontari».*

La citazione continua: «Per ora l'elenco comprende tre fratelli italiani, nati in Columbia Britannica. Ho ricevuto richieste da parte di canadesi nati in Inghilterra». Nell'edizione del giorno successivo, un reporter del Vancouver Sun *parlò con una dozzina circa di giovani italiani poco dopo che i giornali avevano riportato la notizia che le truppe italiane avevano invaso l'Etiopia. Il reporter concludeva che i giovani italiani di Vancouver non erano entusiasti della guerra e che non ci sarebbe stata la corsa a unirsi alle forze di Mussolini in Africa.*

Alcuni sindacati erano indignati dagli eventi in Africa. Un gruppo di sindacalisti manifestò contro il Consolato Italiano nell'atrio del Dominion Bank Building. I manifestanti portavano cartelli e gridavano slogan antiitaliani in segno di protesta contro l'invasione italiana dell'Etiopia.[4] Ironia volle che a quel tempo gli uffici di Colbertaldo si trovassero di fronte al Cenotafio e Monumento ai Caduti di Victory Square, all'angolo di Hastings e Cambie.

Per evitare eventuali scontri con manifestanti, il personale di Colbertaldo, tra cui la segretaria Emma Lussin, iniziò a usare l'entrata posteriore dell'edificio. Un giorno un gran pacco senza mittente arrivò all'ufficio. Il personale, che non voleva toccare il pacco, chiese a Colbertaldo di occuparsene. Gocce di sudore gli imperlarono la fronte

---

[4] Emma Lussin ne fu testimone oculare.

MV Cellina, Dopolavoro Celebration / *MV Cellina*, festa del Dopolavoro

in protest of Italy's invasion of Ethiopia.[4] Ironically, Colbertaldo's offices at the time were located across from the Victory Square Cenotaph and War Memorial, Hastings at Cambie streets.

In an attempt to avoid possible confrontation with demonstrations, Colbertaldo's staff, including secretary Emma Lussin, began using the rear entrance to the building. One day, a large package with no discernible return address arrived at the office. The staff, reluctant to touch the parcel, asked Colbertaldo to intercede. As beads of perspiration formed on his forehead, the clerks drew back from the counter. The vice-consul then gingerly and painstakingly removed the brown wrapping paper. Slowly and methodically, he slit open the carton to reveal its contents. He paused, drew a deep breath, and laughed nervously. As the tension mounted, Colbertaldo carefully and meticulously searched the contents of the box. Then, in a sudden and dramatic jerk, he turned to face his staff. A smiling Colbertaldo was holding four bottles of wine in his hands, a gift from a friend at an Okanagan winery. "I damn near collapsed," declared Lussin with animated emotion.

The labour union's action had been symptomatic of the resentment voiced by a growing number of Canadians. A local newspaper quoted Francesco Federici, proprietor of the Hotel Vancouver Barbershop and one of the city's best known Italians, as stating, "I am most sad" over the Ethiopian dispute. "Mr. Federici said that not only have Italians always had a high admiration for the British, but they feel more at home under the British flag than under other flags."

Colbertaldo Transferred to Winnipeg

In early 1937, a special dinner was arranged for the vice-consul and Mrs. Colbertaldo prior to their departure for Winnipeg, the location of Pietro Colbertaldo's new posting as vice-consul. The gala affair was held at the Hotel Vancouver's Italian Room. Attending the formal banquet were members of Vancouver's influential Italian inner circle, including, as one would expect, members of the Fascio. Italo Rader, the

---

[4] As witnessed by Emma Lussin.

mentre i dipendenti si allontanavano dal banco. Con delicatezza e cautela il viceconsole rimosse la carta. Lentamente e metodicamente tagliò il cartone e aprì il pacco. Si fermò, respirò a fondo e fece una risatina nervosa. Mentre la tensione saliva, Colbertaldo controllò meticolosamente il contenuto del pacco. Poi, con un movimento improvviso, si voltò verso il personale. Colbertaldo sorrideva mostrando quattro bottiglie di vino, regalo di un amico da una cantina di Okanagan. «Ho quasi fatto un collasso», raccontò animata Emma Lussin.

L'azione dei sindacati era sintomatica di un risentimento espresso da un numero crescente di canadesi. Un quotidiano locale citava Francesco Federici, proprietario della bottega di barbiere dell' Hotel Vancouver e uno degli italiani più noti in città: «Sono molto triste al riguardo» della questione etiope. «Il signor Federici ha detto che gli italiani non solo nutrono da sempre una grande ammirazione per i britannici, ma si sentono più a casa propria sotto la bandiera britannica che sotto qualsiasi altra».

Colbertaldo trasferito a Winnipeg

Agli inizi del 1937, venne organizzata, presso la Sala Italiana dell'Hotel Vancouver, una cena in onore di Pietro Colbertaldo e di sua moglie in occasione della loro partenza per Winnipeg, nuova assegnazione del viceconsole. Parteciparono a questo banchetto personaggi di spicco della comunità italiana di Vancouver, tra cui ovviamente membri del Fascio. Italo Rader, colto uomo d'affari, dirigente della sede Catelli di Vancouver, presiedette la serata. Uno degli oratori fu Aristodemo Marin, un pezzo d'uomo afflitto da problemi d'udito che lo facevano parlare con voce alta e cadenzata; fu seguito da Ennio Victor Fabri, un giovane avvocato dalla voce acuta che parlò in inglese, e da Cleofe Forti, dinamica direttrice della scuola di lingua italiana, che salutò il viceconsole con parole calorose e sincere a nome delle consorelle di Vancouver.

Colbertaldo rispose ai complimenti dei partecipanti alla cena con un discorso di commiato abbondantemente condito di ringraziamenti e di retorica politica, nel quale menzionò alcuni degli individui

MV Cellina, Giovani Club members / *MV Cellina*, iscritti al Circolo Giovanile

Pietro Colbertaldo, Italian Vice-Consul

Pietro Colbertaldo, viceconsole d'Italia

Carmine Marino, Knight of Italy

Il Cavalier Carmine Marino

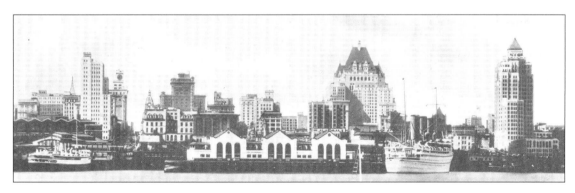

Vancouver, Ricordi cover photo 1935 / Vancouver nel 1935, copertina di *Ricordi*

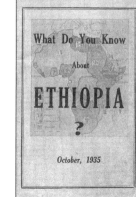

About Ethiopia - published by Toronto fascists

About Ethiopia, pubblicazione filofascista di Toronto

cultured businessman and manager of the Catelli food products office in Vancouver, served as chairman during the evening's proceedings. A keynote speaker was Aristodemo Marin, a huge figure of a man. He was afflicted with a hearing impairment which caused him to speak in loud staccato tones. He was followed by Ennio Victor Fabri, a young lawyer with a high-pitched voice who spoke in English. Also a presenter was Cleofe Forti, the dynamic director of the Italian language school. She offered heartfelt words of farewell to her employer on behalf of Vancouver's Italian women, *le consorelle.*

Colbertaldo responded to the accolades of the partisan attendees by delivering a valedictory and offering generous kudos and political rhetoric. He named several of the more important people who had contributed to the progress of the Italian community, including Cleofe Forti. He acknowledged her successes as a language teacher and theatrical director. In particular he thanked her for producing the live theatre renditions of *La Locandiera* (The Innkeeper) and *Cenerentola* (Cinderella) which played to sell-out crowds at Strathcona School. He concluded his reference to Miss Forti by applauding the Italian foreign office's decision to send the popular *direttrice* to Vancouver. "And finally, guided by the genius of the Duce, with the cooperation of fascism and with all its good and courageous people, Italy has conquered those lands before denied but which by destiny were to be part of the new Italian Empire of which we celebrated the first glorious anniversary on the 9th of May. In the conquest of the Empire, you, together with other Italian people of this Province, have done your part too, by donating money, gold, and even by volunteering." In conclusion, he asked his guests to raise their glasses and join with him in offering a *brindisi.* "Let us toast to our beloved King Emperor Vittorio Emanuele III and to Imperial Rome." The attendees responded with a chorus of "Viva l'Italia!"[5]

più importanti che avevano contribuito al progresso della comunità italiana, tra cui la stessa Cleofe Forti. Riconobbe i suoi successi come insegnante d'italiano e regista di teatro. La ringraziò in particolare per la produzione de La Locandiera *e di una messa in scena di* Cenerentola, *entrambe andate esaurite alla Strathcona School. Il viceconsole lodò la decisione del Ministero italiano degli Affari Esteri di mandare questa famosa direttrice a Vancouver. «E infine, guidata dal genio del Duce, dalla cooperazione del Fascismo e di tutto il suo buon e valoroso popolo, l'Italia ha conquistato quelle terre che le eranpo prima state negate ma che dalla Provvidenza erano destinate a fare parte del nuovo Impero Italiano, del quale il giorno 9 corr., ne abbiamo già celebrato il primo glorioso anniversario. Per la conquista dell'Impero anche voi qui presenti, assieme alla popolazione italiana di questa Provincia, avete fatto la vostra parte splendidamente donando denaro, oro e perfino volontari». Alla fine, chiese agli ospiti di alzare i calici e di unirsi a lui nel fare un brindisi: «Facciamo tutti un brindisi alla salute e gloria del nostro amatissimo sovrano, Re Imperatore, Vittorio Emanuele III, ed a Roma Imperiale». I partecipanti risposero in coro: "Viva l'Italia!"*[5]

---

[5] Excerpts from *L'Eco Italo-Canadese,* January 1937.

[5] Brani tratti da *L'Eco Italo-Canadese,* gennaio 1937.

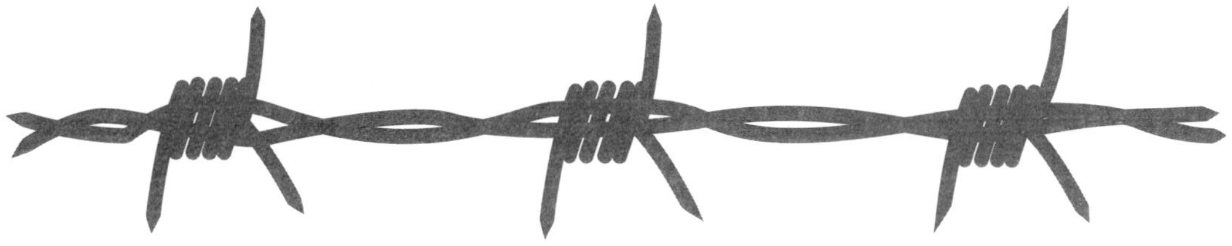

CHAPTER TWO

Brancucci Makes His Debut

Some historians have concluded that Mussolini's international reputation as a progressive, if not, benevolent dictator changed significantly following Italy's annexation of Ethiopia. The perceived change among Western Allies related not only to Il Duce's aggressiveness in Africa, but to the formation of the Axis partnership with Germany. Moreover, when Mussolini provided military support to General Francisco Franco's fascist forces during the Spanish Civil War there appeared no question as to his real motives. For the pro-Italy expatriates around the world, these overt actions created a further surge in nationalistic fervour and hysteria. A microcosm of this pride-in-*la patria* phenomenon is evidenced by the welcoming editorials and paid advertisements in the local Italian newspaper on the arrival in Vancouver, in May 1937, of the dynamic *Cavaliere* Dr. Giuseppe Brancucci.

Brancucci and his wife Elena arrived from Yonkers, New York, where he had served as Italian consular agent for 16 years. The demeanour and magnetism of this handsome career diplomat were infectious and contributed to a heightening of Italian nationalism in Vancouver.

Under Brancucci's mandate, a new dimension of pro-fascist activity quickly became evident. His priorities included increasing support of the Italian language school and establishing a youth club. With the rank of lieutenant in the Italian military, he immediately lent support to the *Fascio* club and the Italian veterans' association. One of the vehicles important in publicizing his agenda was the local pro-fascist Italian language newspaper. In this regard, his congenial yet persuasive personality helped gain the desired results.

CAPITOLO SECONDO

L'esordio di Brancucci

Alcuni storici sono giunti alla conclusione che la fama internazionale di Mussolini quale dittatore benevolo e progressista sia mutata in modo significativo in seguito all'annessione dell'Etiopia da parte dell'Italia. Tale cambiamento, percepito tra gli alleati occidentali, non è riconducibile solo all'aggressività del Duce in Africa ma anche alla formazione dell'Asse Italia-Germania. Inoltre, quando Mussolini decise di fornire sostegno militare alle forze fasciste di Francisco Franco durante la Guerra Civile Spagnola, non vi fu dubbio sulle sue reali motivazioni. Negli espatriati filoitaliani sparsi per il mondo queste azioni inequivocabili crearono un'ulteriore ondata di isteria e di fervore nazionalistico. Un'istanza di questa recrudescenza di orgoglio patriottico viene fornita dagli editoriali di benvenuto e dalle inserzioni a pagamento nel quotidiano italiano locale in occasione dell'arrivo a Vancouver, nel maggio del 1937, del dinamico Giuseppe Brancucci.

Brancucci e la moglie Elena arrivavano da Yonkers, New York, dove Brancucci aveva prestato servizio come agente consolare italiano per 16 anni. Il portamento e il magnetismo di questo prestante diplomatico di carriera erano contagiosi e contribuirono al rafforzamento del nazionalismo italiano a Vancouver.

Durante il suo mandato, ben presto prese forma una nuova dimensione di attivismo filofascista. Tra le sue priorità vi era l'aumento del sostegno alla scuola di lingua italiana e la creazione di un circolo giovanile. In quanto tenente nell'Esercito Italiano, Brancucci prestò immediatamente il suo sostegno al Fascio e all'Associazione dei Veterani

Italian Language School Speaks Volumes

Miss Cleofe Forti, as described above, indeed was a brilliant schoolmarm. The government in Rome had dispatched her to Vancouver in early 1937 to administer Vancouver's Italian Language School. Under Forti's tutelage, and Giuseppe Brancucci's supervision, the school increased its popularity and enrolment. Her terms of reference were inclusive of language instruction and the promotion of Italian cultural programs and events. As a result, hundreds of Canadian-born Italians learned to speak, read and write Italian. The students relished in their new-found skills, which in some cases proved a godsend to parents needing assistance in writing letters to relatives in Italy.

In addition to the Italian language classes, Forti produced two theatrical productions. The first, *The Innkeeper,* Carlo Goldoni's brilliant three-act comedy, was a smash hit. Taking extra bows for their brilliant performances were Nino Sala, Bruno Girardi, Armando Biscaro, Marino Fraresso, Emma Lussin, Ines Falcioni, Emma Dalfo and Mary Minichiello.[6] "We were young. The Italian consul and Miss Forti, the Italian teacher, started it. She was dynamic. It really was a moment of great unity in the community," recalled Girardi, a popular member of the cast.

Cinderella was the school board's second successful theatrical venture. Its performers were a troupe of young students. In the lead role was Ada Trevisan, who was supported by a group of 50 young teens smartly dressed in period costumes. They spoke their lines in Italian, danced, and sang to the delight of their parents and friends. "I was 12 and played the role of a young boy in the play," reminisced Gina Sanvido Benetti, a three-time scholastic gold medalist. "Miss Forti had us all enjoying being part of the production. And you know, I do not recall a single incident in which she attempted to indoctrinate us politically," stated Benetti with conviction.

Italiani. Uno dei principali veicoli di propaganda del suo programma fu il quotidiano locale filofascista di lingua italiana. Indubbiamente, la sua personalità congeniale e persuasiva lo aiutò a raggiungere i risultati desiderati.

La Scuola di Lingua Italiana

Cleofe Forti, come già detto, era sicuramente un'insegnante brillante. Il governo italiano l'aveva inviata a Vancouver all'inizio del 1937 per amministrare la Scuola di Lingua Italiana di Vancouver. Con la gestione di Cleofe Forti e la supervisione di Brancucci, la scuola crebbe in popolarità e in iscrizioni. I punti forti erano l'insegnamento della lingua italiana e la promozione di iniziative e programmi culturali italiani. Il risultato fu che centinaia di italiani nati in Canada impararono a parlare, leggere e scrivere in italiano. Gli studenti erano molto fieri delle loro nuove capacità che, in alcuni casi, si rivelarono un toccasana per i genitori che avevano bisogno di aiuto per scrivere ai parenti in Italia.

Oltre alle lezioni di lingua italiana, Cleofe Forti produsse due rappresentazioni teatrali. La prima, La Locandiera, *la brillante commedia in tre atti di Carlo Goldoni, fu un enorme successo. I più applauditi per la loro brillante interpretazione furono Nino Sala, Bruno Girardi, Armando Biscaro, Marino Fraresso, Emma Lussin, Ines Falcioni, Emma Dalfo e Mary Minichiello[6]. «Eravamo giovani. Furono il console italiano e la signorina Forti, l'insegnante di italiano, a dare inizio a tutto. Cleofe Forti era dinamica. Davvero fu un momento di grande unità nella nostra comunità», ebbe a dire Girardi, uno degli attori più popolari del cast di allora.*

La seconda impresa teatrale di successo della scuola fu Cenerentola. *La troupe era composta da studenti giovanissimi. Il ruolo principale era interpretato da Ada Trevisan, che recitava insieme a una cinquantina di ragazzi vestiti elegantemente con costumi d'epoca. Recitavano in*

---

[6] Mary (Minichiello) Pettovello celebrated her 99th birthday in 2011. She is the last surviving founding member of the *Lega Femminile Italiana* established in October 1927.

[6] Mary (Minichiello) Pettovello ha festeggiato il suo 99° compleanno nel 2011. È l'unica fondatrice sopravvissuta della Lega Femminile Italiana fondata nell'ottobre del 1927.

Cinderella youth performers / I giovani attori di *Cenerentola*

La Locandiera performers / Gli attori de *La Locandiera*

PATRONATO SCOLASTICO ITALIANO
DI VANCOUVER. B. C.

GIOVEDI' 15 LUGLIO, 1937
~~Mercoledì', 14 Luglio, 1937~~ · 7 p. m.

Strathcona School Auditorium

LA LOCANDIERA

Brillante Commedia in tre Atti del Goldoni

——— e ———

La FESTA DI PANTALONE

Commedia in un atto all'antica Moda delle Maschere di G. M. Cominetti

Durante l'intervallo fra la prima e la seconda commedia avrà luogo la premiazione degli alunni delle Scuole Italiane di Vancouver.

Tutti gli Italiani di Vancouver sono pregati di essere presenti a questa serata che si dà a beneficio delle nostre scuole.

La Locandiera sold-out performance

Tutto esaurito per *La Locandiera*

Cleofe Forti & Giuseppina Emanuele

Wearing her cultural quasi-political hat, Forti recommended a list of students to Brancucci for the Italian Government's annual free trips to Italy. Between 1934 and 1939, according to a newspaper account, more than 500 young Italian Canadians travelled to Rome to experience Mussolini's hospitality. Billeted at camps where they were introduced to fascist youth leaders, the Canadians witnessed programs designed to strengthen their understanding of Italian life and progress. Moreover, the guests were expected to return home and spread the word about the glory of Italy and fascism.

In 1937, Vancouver received an allocation of five free trips to Italy. The young women selected to go with 23-year-old chaperon Rina Bidin were the Grippo sisters, Mary and Florence, their cousin Maria Grippo plus Rosa Berardino and Eda Giorgi.

The majority of these students made the trip to Montreal via employee rail passes provided by their fathers. The excited and enthusiastic group, along with their counterparts from across Canada, boarded Cunard's *BF Ascania* for France via England. "Unfortunately, while in France we had a little trouble," stated Mary Grippo Stroppa. "The French didn't like the fact that the Italian Government had sponsored our trip. We were asked not to let them know that Italy was paying for the trip," she continued.

During their time in France, the otherwise happy Canadians got a chance to attend the World's Fair and Exposition in Paris. And then it was by rail to Switzerland en route to Italy where they made a brief stop in Milan, before heading for Rome. From Italy's ancient capital they were taken to Anzio, where they stayed at a luxurious mansion, dined in beautiful gardens overlooking the sea and became acclimatized to the warmth and beauty that is Italy. However, anti-political feelings also greeted the Canadians vacationing in Anzio, a fishing port city 57 kilometres south of Rome. "In Anzio the Italians didn't seem to like us too well. It likely was because we were Canadians and the fact that our government in Ottawa had imposed sanctions against Italy during the

italiano, ballavano e cantavano, per la gioia dei loro genitori e amici. «Avevo 12 anni e, nella commedia, recitavo il ruolo di un ragazzino», ricordava Gina Sanvido Benetti, che vinse per ben tre volte la medaglia d'oro a scuola. «La signorina Forti ci rendeva piacevole partecipare alla produzione. E, in realtà, non ricordo un solo episodio in cui abbia cercato di indottrinarci politicamente», affermò decisa la signora Benetti.

In virtù del suo ruolo in parte culturale e in parte politico, Cleofe Forti forniva a Brancucci una lista di studenti da lei raccomandati per poter usufruire annualmente dei viaggi gratuiti in Italia offerti dal governo italiano. Tra il 1934 e il 1939, secondo il resoconto di un quotidiano, più di 500 giovani italocanadesi viaggiarono alla volta di Roma per sperimentare l'ospitalità di Mussolini. Alloggiati in accampamenti in cui venivano presentati ai capi della gioventù fascista, i canadesi usufruirono di programmi volti a rafforzare la loro comprensione della vita in Italia e del progresso. Inoltre, ci si aspettava che questi ospiti, una volta rientrati a casa, avrebbero contribuito a propagandare la gloria dell'Italia e del fascismo.

Nel 1937 a Vancouver furono assegnati cinque posti per il viaggio gratuito in Italia. Le ragazze prescelte per partire con l'accompagnatrice ventitreenne Rina Bidin furono le sorelle Grippo, Mary e Florence, la loro cugina Maria Grippo, oltre a Rosa Berardino e Eda Giorgi.

La maggioranza di queste studentesse fece il viaggio per Montreal con tessere ferroviarie da dipendenti fornite dai loro padri. Questo gruppo pieno di entusiasmo e di eccitazione, assieme alle controparti dal retro del Canada, si imbarcò sul piroscafo Ascania delle linee Cunard diretto in Francia via Inghilterra. «Sfortunatamente, mentre eravamo in Francia, ci furono alcuni problemi», affermò Mary Grippo Stroppa. «I francesi non gradivano il fatto che il governo italiano avesse sponsorizzato il nostro viaggio. Ci fu chiesto di non far loro sapere che l'Italia stava pagando per il viaggio», continuò.

Durante il periodo trascorso in Francia, le altrimenti felici canadesi ebbero l'opportunità di visitare l'Esposizione Universale di Parigi. Poi partirono in treno, attraversando la Svizzera alla volta dell'Italia,

Italian Language School Certificate

Certificato della Scuola Italiana

Text book profile of Mussolini

Profilo di Mussolini dal libro di lettura

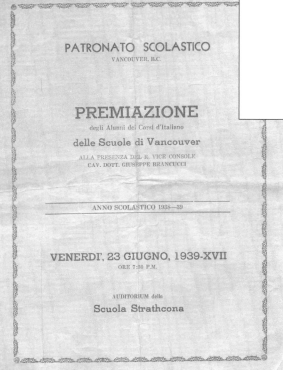

Il fascio Littorio.

Italian language text book; *il fascio*

Libro di lettura: voce *il fascio*

Italian School grad program

Programma di una premiazione della Scuola Italiana

41

Ethiopian crisis. But we all agreed that the trip was one of the happiest of our lives," Stroppa stated nostalgically.

A Vancouver newspaper ran an article with photo, September 13, 1937, headed, "Home From Italy." It read, "Guests of Il Duce's government for the past two months, the young ladies above are members of 80 Canadian Italians who returned to Vancouver Saturday after visiting parents [sic] in Italy." The photo pictured Rose Berardino, Edith George and Rina Bidin who arrived ahead of the three Grippo girls. "So happy and undisturbed, that you'd never know they are on a verge of war," said Rose. "But we didn't see Mussolini, was Edith's regret."

Italian Youth March in Tune

There seemed no end to Cleofe Forti's energy and enthusiasm, as she pursued her professional obligations. When Brancucci encouraged her to support the activities of the Circolo Giovanile, the youth organization of the Vancouver Italian Canadian Mutual Aid Society (VICMAS), she accepted with enthusiasm and aplomb. This assignment must have given her great pleasure and satisfaction, as the *giovani* were among the young children who regularly attended her Italian language classes.

The VICMAS's most dynamic pre-war president was Mario Ghislieri. He had arrived in Vancouver in 1934 from Alessandria di Sale, Piemonte, via Moose Jaw, Saskatchewan, with impressive credentials. A former officer in the Italian Army, Ghislieri was born to a family of noble lineage. His family's genealogical tree included truly illustrious people; Giacomo Filippo Marquis Ghislieri of Stefano and His Holiness Pope Pius V.

Ghislieri possessed great patriotic fervour, and soon became recognized as an exceptionally competent organizer and orator. As a leading spokesperson for the Associazione Ex-Combattenti, the Italian Veterans' Association, he soon became involved with the Circolo Giulio Giordani and Circolo Roma *Fascio* organizations. Established in 1937, the Roma Club had a stalwart pro-Italy secretary and spokesperson in Rose Puccetti. She was a dynamic but rather snooty community leader

ove fecero una breve sosta a Milano prima di dirigersi a Roma. Da lì furono poi trasferite ad Anzio, dove soggiornarono in una dimora lussuosa, cenarono in giardini bellissimi con vista sul mare e si abituarono al calore e alla bellezza dell'Italia. Tuttavia, le canadesi in vacanza ad Anzio, cittadina di pescatori a 57 chilometri a sud di Roma, incontrarono anche ostilità. «Ad Anzio non avevamo l'impressione di andare molto a genio agli italiani. Forse la ragione era che eravamo canadesi e che il nostro governo aveva imposto sanzioni contro l'Italia durante la crisi di Etiopia. Ciononostante, per tutte noi il viaggio fu il più felice della nostra vita», affermò Stroppa con nostalgia.

Il 13 settembre 1937 un giornale di Vancouver pubblicò un articolo corredato di foto, dal titolo «Di ritorno dall'Italia». Si leggeva: «Ospiti del Governo del Duce negli ultimi due mesi, queste ragazze fanno parte di un gruppo di 80 canadesi di origine italiana tornati a Vancouver sabato dopo aver visitato i parenti in Italia». La foto ritraeva Rose Berardino, Edith George e Rina Bidin che erano arrivate prima delle tre Grippo. «Erano tutti così felici e spensierati che non si sarebbe mai detto fossero alle soglie di una guerra», disse Rose. «Ma il rimpianto di Edith fu che non avevamo visto Mussolini».

La gioventù italiana marcia all'unisono

L'energia e l'entusiasmo di Cleofe Forti sembravano senza limiti nell'adempimento dei suoi obblighi professionali. Quando Brancucci l'incoraggiò a sostenere le attività del Circolo Giovanile, la branca dei giovani della Società Italiana di Mutuo Soccorso di Vancouver (VICMAS), Cleofe Forti accettò con entusiasmo e compostezza. Questo compito deve averle fatto molto piacere, in quanto i giovani in questione appartenevano al gruppo di ragazzi che frequentava regolarmente le sue lezioni di lingua italiana.

Mario Ghislieri fu il più dinamico presidente del VICMAS prima della guerra. Era arrivato a Vancouver nel 1934 da Alessandria di Sale in Piemonte, passando per Moose Jaw in Saskatchewan, con credenziali davvero notevoli. Ex ufficiale del Regio Esercito Italiano, Ghislieri era

Vancouver girls guests of Mussolini

Le ragazze di Vancouver ospiti di Mussolini

Voyage to France and Italy

Viaggio in Francia e in Italia

Mario Ghislieri, WW I officer / Mario Ghislieri, ufficiale durante la Grande Guerra

Canadian youth on shipboard / Giovani canadesi a bordo

who had a wide circle of friends and contacts. These included the many young people she had taught at the Italian Language School.

At the Youth Club's inaugural meeting on March 21, 1937, Ghislieri addressed a large audience of supporters. The attendees included a sizeable group of youths between the ages of 10 and 16 and their parents. Directing his remarks to the children, Ghislieri stated there were two loves that they should always value and remember above all others: love for one's parents, and love of the club. They responded with a single voice as they repeated his words in the form of a pledge.

Serving with Mario Ghislieri on the board of directors were his three children: Erminio, gymnastics instructor; Federico, secretary; and Gabriela, undersecretary, a position which she shared with Remo Visentin. In addition, executive member Nellie Santamaria served as auditor.

The response from the community was truly amazing, as two hundred or so children were immediately enrolled as members of the club. The youngsters would sing patriotic songs on supervised chartered bus rides and at family picnics. Their repertoire included *Faccetta Nera* (Little Black Face), the Italian fascist marching song born of the Ethiopian campaign. For obvious reasons, this *canzone* was to have a very brief lifespan.

Retrospectively, a number of former Youth Club members have stated that subliminal pro-Italy messaging often was evident during the course of supervised outings and activities. However, there are those who disagree vehemently with this assertion: they cannot recall any attempt on the part of Forti or Ghislieri to subject them to any form of propaganda.

Eleven-year-old Tony Padula and his younger sister Mary remember being issued hats, shirts and ties as part of the regular members' paraphernalia. These items were worn by all the kids at most club functions: bus trips, picnics and meetings. Although neither recalled being aware of anything of an indoctrinatory nature, both remember an incident that took place in the kitchen of their home shortly after

nato da una famiglia di nobile lignaggio, il cui albero genealogico vantava uomini illustri quali il marchese Giacomo Filippo Ghislieri di Stefano e Sua Santità Papa Pio V.

Ghislieri possedeva un grande fervore patriottico e divenne famoso come organizzatore e oratore estremamente competente. In quanto portavoce di punta dell'Associazione degli Ex Combattenti, fu ben presto coinvolto nel Circolo Giulio Giordani e nel Circolo Roma, entrambe organizzazioni del Fascio. Fondato nel 1937, il Circolo Roma ebbe in Rose Puccetti una segretaria e portavoce strenuamente filoitaliana. Rose Puccetti era una leader dinamica ma piuttosto supponente, con un ampio giro di amici e di contatti; tra questi, i molti giovani cui aveva insegnato italiano alla Scuola di Lingua Italiana.

Il 21 marzo 1937, in occasione dell'incontro inaugurale del Circolo Giovanile, Ghislieri parlò a un ampio pubblico di sostenitori. Tra i presenti vi era un gruppo di giovani tra i 10 e i 16 anni con i loro genitori. Rivolgendosi direttamente ai ragazzi, Ghislieri affermò che esistevano due amori che essi avrebbero sempre dovuto considerare e ricordare al di sopra di tutti gli altri: l'amore per i propri genitori e l'amore per il circolo. La platea rispose all'unisono, ripetendo le parole di Ghislieri come un giuramento.

Il consiglio direttivo comprendeva, oltre a Mario Ghislieri, anche i suoi tre figli: Erminio, insegnante di ginnastica, Federico, segretario, e Gabriela, sottosegretario, ruolo che divideva con Remo Visentin. Inoltre, il membro dell'esecutivo Nellie Santamaria svolgeva anche il ruolo di revisore dei conti.

La risposta dalla comunità fu veramente impressionante: circa duecento ragazzi vennero iscritti al Circolo Giovanile. I ragazzi erano soliti cantare canzoni patriottiche durante le gite organizzate in pullman o durante i picnic di famiglia. Il loro repertorio comprendeva Faccetta nera, la canzone fascista nata dalla campagna d'Etiopia. Per ovvie ragioni, questa canzone ebbe vita molto breve.

In seguito, vari ex soci del Circolo Giovanile hanno affermato che, durante le attività e le gite organizzate, era evidente la presenza di

PNE Italian parade float, 1936

Carro allegorico italiano alla Pacific National Exhibition, 1936

Queen / Regina: Rosina Signori Sala.

Attendants / Addette: Clorinda Piccolo Magliocco, Lina Gazzola Nadalin.

From left / Dalla sinistra: Nellie Marchi, Emma Dolfo Ciccone, Mary Barrazuol Ghislieri, Mary Minichiello Pettovello, Marino Culos.

Standing / In piedi: Mario Ghislieri

the outbreak of war with Italy. The occasion is indelibly ensconced in their memory banks. They actually witnessed their father tossing the quasi uniform and club photos into the fire of the family's wood and coal stove! They rationalized this action by suggesting that Mr. Padula had done so to protect them from any possible innuendo. They weren't alone in this experience, as other former Giovanile club members have attested that their parents also used similar methods to rid themselves of possible embarrassment.

Ernie Maddalozzo was 9 or 10 when he became a member of the Circolo Giovanile. He remembers being issued a hat and scarf to wear. Moreover, he recalls attending a particular movie at which Italian fascist propaganda films were viewed. "The film I saw included footage of Italians marching into Ethiopia with Il Duce coming on to say a few words. I remember one such film being shown at the Colonial Theatre. It was billed as a special night or event at which these films would be featured. It likely was sponsored by the Italian consular office. We were just kids and didn't care much about what the source was regarding the films. I think we got in free of charge," Maddalozzo stated.

Eighteen-year-old Nellie Pitton, Brancucci's remarkably astute secretary, went to work for him shortly after graduating from the Grandview High School of Commerce. By her own admission, she was very green, her Italian not polished. Although her secretarial skills were excellent, her Italian skills were not. So the vice-consul hired Grace Fabri to provide that particular expertise.

"Brancucci was such a charismatic person. He was well spoken, very diplomatic, absolutely a career diplomat, like I haven't seen since – or before. He could spellbind people. Everybody loved him, but he was fiercely, fiercely *fascista*," Nellie recalled.

A year into her employment, the vice-consul instructed her to attend meetings of the Roma Club. Nellie did so with trepidation, as she never quite felt accepted by the elitist members of the *Fascio* auxiliary. These women included *signore* Puccetti, Fabri, Ruocco and Federici. They often would come to see Brancucci at his new offices in the Marine

messaggi subliminali filoitaliani. Altri, invece, affermano risolutamente il contrario: non ricordano alcun tentativo da parte di Cleofe Forti o di Ghislieri di sottoporli a forme di propaganda.

L'undicenne Tony Padula e Mary, sua sorella minore, ricordano di aver ricevuto cappelli, camicie e cravatte quale dotazione di membri regolari del Circolo. Questi indumenti venivano indossati da tutti i bambini nella maggior parte delle occasioni sociali legate al Circolo stesso: gite in pullman, picnic e adunate. Sebbene nessuno dei due ricordi di essere stato in qualche modo indottrinato, entrambi ricordano un episodio che si verificò nella cucina di casa loro poco dopo l'inizio della guerra con l'Italia. Questo fatto è rimasto indelebilmente impresso nella loro memoria: videro il padre gettare nel fuoco della loro cucina economica la loro quasi-uniforme e le foto del Circolo. In seguito si dissero che il padre l'avesse fatto per proteggerli da ogni possibile sospetto. Tony e Mary non furono soli in questo: altri ex membri del Circolo Giovanile confermarono che anche i loro genitori avevano usato metodi analoghi per liberarsi di ogni possibile imbarazzo.

Ernie Maddalozzo aveva 9 o 10 anni quando venne iscritto al Circolo Giovanile. Ricorda di aver ricevuto un cappello e una sciarpa da indossare. Inoltre, ricorda di essere stato a un particolare cinema che proiettava film italiani di propaganda. «Il film che vidi io conteneva scene di soldati italiani in marcia in Etiopia, col Duce che appariva e diceva qualche parola. Ricordo che un film di questo tipo venne proiettato al Colonial Theatre. L'occasione venne pubblicizzata come serata speciale dedicata alla proiezione di questi film; probabilmente era sponsorizzata dal Consolato Italiano. Eravamo bambini e non ci importava da dove arrivassero questi film. Mi pare che fossero gratis», affermò Maddalozzo.

Nellie Pitton, la brillante segretaria di Brancucci, aveva 18 anni quando cominciò a lavorare per lui subito dopo aver ottenuto il diploma dalla Grandview Commercial High School. Per sua stessa ammissione, allora Nellie era ancora molto acerba e il suo italiano imperfetto. Se come segretaria era ottima, non altrettanto si poteva dire del suo

Sacred Heart Rectory building and construction committee

Canonica della Parrocchia del Sacro Cuore e commissione edilizia

L. Giuriato, F. Comparelli, Fr. G. Bortignon, A. Branca, A. Marin,
Fr. L. Della Badia, V. Fabri, M. Culos

Tony Pitton rebuked by Brancucci

Tony Pitton, che fu rimproverato
da Brancucci

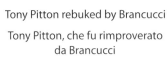

Benito Mussolini

Courtesy N. Cavell / Per gentile concessione di N. Cavell

Nellie Pitton Cavell, 1938

Building, 355 Burrard Street, and virtually ignore Nellie as they passed her desk. However, once she had attended a few meetings of the Roma Club these women, especially Mrs. Fabri, became very friendly and welcoming. But Nellie never sought membership in the club because her father Antonio (Tony) Pitton didn't approve.

Tony Pitton, a director-orator of the Sons of Italy Society, served with Italy's armed forces in World War I and therefore was associated with the Ex-Combattenti. At one of the veterans' sessions, members were given an update on Mussolini's accomplishments. Then they were led in the singing of patriotic songs, including *Giovenezza* – a fascist favourite. Pitton objected to the political rhetoric. His exact words have been lost to history, but what is clearly understood is that his anti-fascist comments came to the attention of Brancucci who became uncharacteristically outraged.

"Brancucci came into the office the next day and demanded I come into his office," Nellie Cavell recalled. "He yelled at me. I was shocked, as I had never seen that side of him. 'You phone your father and tell him to get here right away or you're fired!' Well, I burst into tears. Why was he yelling at me? As I regained my composure I asked what happened?"

"That's what I intend to find out," he roared.

italiano. Per questo, il viceconsole decise di assumere Grace Fabri per integrare questo aspetto.

«Brancucci era una persona davvero carismatica. Parlava bene, era molto diplomatico, un vero diplomatico di carriera, come non ho mai visto né prima, né dopo. Riusciva a incantare la gente. Tutti lo amavano, ma era ferocemente fascista», ricorda Nellie. Dopo che Nellie era stata alle sue dipendenze per un anno, il viceconsole le diede disposizioni di frequentare gli incontri del Circolo Roma. Nellie lo fece con trepidazione, in quanto non si era mai sentita veramente accettata dalle snob del fascio femminile. Tra queste c'erano le signore Puccetti, Fabri, Ruocco e Federici. Venivano spesso a fare visita a Brancucci nei suoi nuovi uffici del Marine Building, al 355 di Burrard Street, praticamente ignorando Nellie quando passavano davanti alla sua scrivania. Tuttavia, dopo che Nellie ebbe partecipato ad alcuni degli incontri del Circolo Roma, queste donne, la signora Fabri in particolare, divennero più amichevoli e gentili nei suoi confronti. Ma Nellie non si iscrisse mai al Circolo perché suo padre, Antonio (Tony) Pitton, non approvava.

Tony Pitton, direttore-oratore della Società Figli d'Italia, aveva prestato servizio nelle forze armate italiane durante la prima guerra mondiale e frequentava quindi gli Ex Combattenti. A uno degli incontri dei veterani, i membri vennero aggiornati sui successi di

VICMAS - Circolo Giovanile 1937

First row / Prima fila: Federico Padula, Nicola Di Tomaso, Dante Faoro, Tony Ricci, Jimmy Ricci, (unidentified / sconosciuto), Italo Quercetti, Bruno Barichello, Ernie Maddalozzo, Americo Cavasin, Secondo Cavasin, Ernesto Giardin, John Miotto, Ernie Pastro, Enrichetta Benetti, Mario Ghislieri, Elio Maddalozzo, Tom Pavan, Fred Pavan, (unidentified / sconosciuto), Mario Crema, Lily Geremia, Nora Geremia, Enes Petrin, Mary Basso, Laura Vincent, Mary Padula, Pietro Cecarini.

Second row / Seconda fila: (unidentified / sconosciuto), Bruno Quercetti, Ivo Barichello, Joe Barazzuol, Joe Agostino, Rita Santaga, Dennise Carniello, Lea Faoro, Mary Stefani, Evelyn Piovesan, Angie Bianchin, Delfina Basso, Annie Miotto.

Third row / Terza fila: Midge Santaga, Tony Padula, Rinda Durante, Gina Zanon, Eva Zanatta, Vickie Giardin, Antonina Pitton, Lina Maddalozzo, Rina Maddalozzo, Irma Zamai, Rose Agostino.

Fourth row / Quarta fila: Peter Culos, Bruno Facchin, Gina Grigoletto, Nori Canal, Angelina Stancato, Dave Giuriato, Amalfa Bifano, Ines Giuriato, Bruna Facchin, Teresa Stancato, Armida Pitton, Dora Giardin, Carmela Stancato, Annie Barro, Josephine Lastoria, Elda Grigoletto, Charlotte Barro, Gilda Piovesan, Josephine Dal Secco, (unidentified / sconosciuto), Gloria Papini, Delfina Rossi, Joe Callegari.

Fifth row / Quinta fila: Davino Basso, (unidentified / sconosciuto), Norma Martini, Elda Dotto, Nellie Santamaria, Dea Medrin, Vera Martini, Nora Piovesan, Dora Filippone, Gabriella Ghislieri, Emily Barazzoul, Angelina Barro, Emily Barazzuol, Emma D'Andre, Clorinda Piccolo, Gino Callegari, Rino Faoro, Cirillo Braga.

Sixth row / Sesta fila: Luigi Giuriato, Vittorio Basso, Oronato Facchin, Lino Giuriato, Vico Dal Secco, Gerard Dal Secco, Lino Dotto, Mary Peppe, Alfred Papais, Remo Vincent, Emilio Girone, Rosi Zanatta, Herman Ghislieri, Fred Ghislieri, Bruno Girardi, Nino Sala, Rosina Signori.

Vancouver Italian-Canadian Mutual Aid Society Inc.
Circolo Giovanile
May 16, 1937.

- Yucho Chow Photo -

"Hearing the commotion, Miss Forti came into the office through the open door. 'Signor Console, Nellie had nothing to do with the incident. Calm down.' So, he realized that he was yelling at the wrong person and took a deep breath. He said, 'Nellie, please phone your dad and tell him to come down here right away.' So I phoned and said, 'Papa I don't know what's wrong but the consul wants you to come up here right away.'

"Within an hour or so, my dad walked into the outer office. I was an emotional wreck, as it was I who had to usher him into Brancucci's office. As I returned to my station, I closed the door behind me. I thought I would die. My dad was rather tight lipped about the conversation which ensued. Suffice it to say he never changed his attitude about un-Canadian behaviour. And however forceful the reprimand was, the incident itself was soon forgotten. But can you imagine my father, who admired Brancucci so very much, being called up on the carpet for that!"

Mussolini, poi vennero indotti a cantare canzoni patriottiche, tra cui Giovinezza, una delle preferite dai fascisti. Pitton intervenne condannando la retorica politica. Non resta traccia delle sue esatte parole, ma risulta chiaro che i suoi commenti antifascisti giunsero all'attenzione di Brancucci, che ne fu insolitamente offeso.

«Brancucci arrivò in ufficio il giorno seguente e mi ordinò di andare nel suo ufficio. Mi urlò in faccia. Ero sconvolta, in quanto non avevo mai visto quell'aspetto del suo carattere,» ricorda Nellie Cavell. «"Telefona a tuo padre e digli di venire qui immediatamente, o sei licenziata!" Beh, io scoppiai a piangere. Perché mi urlava contro? Quando riuscii a riacquistare un contegno, chiesi cosa fosse successo».

«"È ciò che intendo scoprire", ruggì.»

«Accortasi dell'agitazione, la signorina Forti entrò nell'ufficio attraverso la porta aperta. "Signor Console, Nellie non ha niente a che vedere con quanto è successo. Si calmi!" Allora Brancucci si rese conto che se la stava prendendo con la persona sbagliata e respirò a fondo. Disse: "Per favore, Nellie, telefona al tuo papà e digli di venire qui subito". Allora telefonai e dissi: "Papà, non so cosa sia successo, ma il Console vuole che tu venga qui immediatamente". Dopo circa un'ora, mio padre entrò nell'anticamera dell'ufficio. Mi sentivo emotivamente un rottame, in quanto dovetti farlo entrare personalmente nell'ufficio di Brancucci. Non appena ritornai alla mia postazione, chiusi la porta dietro di me. Pensavo di morire. Mio padre non disse nulla sulla conversazione che seguì. Ma non cambiò mai il suo atteggiamento verso i comportamenti anticanadesi. E per quanto severo fosse stato il rimprovero, l'episodio fu presto dimenticato. Ma immaginatevi che cosa significasse per mio padre, che ammirava così tanto Brancucci, essere redarguito per quello!»

CHAPTER THREE

Italian Press with a Fascist Twist

CAPITOLO TERZO

Stampa italiana a tendenza fascista

L'Eco Italo-Canadese was founded in October 1936. The first issue, which sold for five cents a copy, was introduced as *L'Eco Italiana* but was changed to conform to proper Italian. The new Italian language bi-weekly filled a media vacuum created by the demise of the city's first Italian language newspaper some 20 years before. With partners Leo Cercarini, Louis Marino and John Trevisiol, publisher Bruno Girardi embarked on a mission to create a vital voice in the affairs of the Italian community. In this context, Girardi did a credible job. But to sustain the operation he needed paid circulation and advertising, both of which proved challenging to obtain in the difficult years of the Dirty Thirties. Nevertheless, a modicum of success definitely was achieved. On its first anniversary the publication went weekly, complete with a new format designed to broaden its appeal.

The working class Canadians, in particular, suffered during this period, with many of the immigrants among them anxious about their citizenship status. Several Italians left their families in Vancouver to seek work as whistle punks at logging camps or as labourers in mines located around the province. They would take on any type of employment in order to avoid the embarrassment of having to register for government relief or worse, going on the dole. Emilio Sanvido is a case in point. During a four year period he only left the mining town of Anyox to be with his wife and children once a year, at Christmas. To complicate matters there was a real fear among some unemployed foreign nationals that they could be deported. This was a valid concern, as one source indicates that upwards of 30,000 unemployed or unemployable

L'Eco Italo-Canadese fu fondato nell'ottobre del 1936. Il primo numero, che si vendeva a cinque centesimi la copia, fu presentato come L'Eco Italiana, ma cambiò titolo per conformarsi all'esatta dizione italiana. Il nuovo bisettimanale in lingua italiana coprì nella stampa un vuoto creato dall'estinguersi del primo giornale italiano circa vent'anni prima. Con i collaboratori Leo Cercarini, Louis Marino e John Trevisiol, l'editore Bruno Girardi intraprese la missione di creare una voce essenziale negli affari della comunità italiana. In questo contesto, Girardi fece un lavoro credibile. Ma per sostenere l'operazione aveva bisogno di pubblicità e di vendere un numero minimo di copie, due cose che si rivelarono problematiche da ottenere nei difficili anni Trenta. Nonostante tutto, ottenne un certo successo. Al suo primo anniversario la pubblicazione diventò settimanale, e si presentò in un nuovo formato inteso ad aumentarne l'attrattiva.

Durante questo periodo la classe operaia canadese soffrì in modo particolare, e in essa molti immigrati, in ansia riguardo allo stato della loro cittadinanza. Parecchi italiani lasciarono la famiglia a Vancouver per cercare lavoro come manodopera non qualificata nei cantieri forestali o come personale di fatica nelle miniere situate in varie parti della provincia. Essi avrebbero accettato qualunque tipo di lavoro per evitare l'imbarazzo di doversi iscrivere all'assistenza pubblica o, peggio, di restare disoccupati. Emilio Sanvido è un buon esempio; durante un periodo di quattro anni lasciò la città mineraria di Anyox per andare a trovare moglie e figli una sola volta all'anno, a Natale. Per complicare le cose, tra alcuni disoccupati di nazionalità straniera c'era il timore reale di essere deportati. Questa era una

immigrants were ordered by the Canadian Government to return to their countries of origin during the years of the Depression.

Although the newspaper contained a generous amount of non-partisan locally inspired social news, editorially it was unabashedly pro-Italy. Front page exposure of Mussolini dictates were a regular feature, likely courtesy of the Italian foreign office news service. Girardi, who was born in Vancouver, came by his pro-Italy stance honestly. The family had resided in Italy for a decade during which time Bruno received his early education. In 1930, however, he and his younger brother Attilio decided to return to Vancouver on their own.

"I had correspondents contributing news items from all over the province. The newspaper had the effect of keeping the community together. It was really a BC paper. Many of the subscribers worked at interior logging camps and mining sites. People didn't have money in those days. We were lucky to pay our expenses," stated Bruno Girardi in a 1992 interview.

At times, *L'Eco Italo-Canadese*'s editorial content was very much influenced by the Italian consul. It was through this source that Girardi obtained a steady stream of propaganda material. He would use excerpts from Italian foreign office press kits plus lead-story newspaper clippings from Canadian dailies which he often plagiarized. Brancucci, in particular, realized the value of a pro-Italy press in publicizing his pet projects. The dashing diplomat had no qualms whatsoever in "requesting" the newspaper's cooperation.

In the September 4, 1937, issue of *L'Eco Italo-Canadese*, Marino Culos departed from his normal "Sidelines" column format. Instead, he devoted more than 12 column inches to the Marconi memorial service held in Vancouver. In English, Culos wrote, "Marching with the Italian and British flags and banners draped with black crepe ribbon, members of the Sons of Italy Society, Inc. and affiliated Ladies' League: members of the Vancouver Italian Canadian Mutual Aid Society Inc. and Ladies' League Inc.; members of the Veneta Benevolent Society Inc.; members of the Fascist Party and of the Returned Men (Ex-Combattenti), entered by the turret doorway to the church which bore the mourning crepe,

preoccupazione valida, dal momento che una fonte indica che a più di 30.000 immigrati disoccupati o non impiegabili fu ordinato dal governo canadese di tornare nei paesi di provenienza durante gli anni della Depressione.

Benché il giornale contenesse una buona quantità di notizie non partigiane, ispirate a fatti locali, dal punto di vista degli editoriali era sfrontatamente filoitaliano. L'esposizione in prima pagina dei proclami di Mussolini era una cosa abituale, grazie probabilmente all'agenzia di informazioni del ministero italiano degli esteri. Girardi, che era nato a Vancouver, assunse il suo atteggiamento filoitaliano in buona fede. La famiglia aveva abitato in Italia per dieci anni, durante i quali Bruno aveva frequentato i primi anni di scuola. Nel 1930, tuttavia, lui e suo fratello più giovane Attilio decisero di tornare a Vancouver da soli.

«Avevo corrispondenti che fornivano articoli da tutta la provincia. Il giornale aveva come effetto di tenere unita la comunità: era veramente un giornale della Columbia Britannica. Molti degli abbonati lavoravano in cantieri forestali dell'interno e in luoghi dove c'erano miniere. La gente non aveva soldi, a quell'epoca: eravamo fortunati a coprire le spese», disse Bruno Girardi in un'intervista del 1992.

A volte gli editoriali de L'Eco Italo-Canadese *erano grandemente influenzati dal console italiano. Era da questa fonte che Girardi riceveva un flusso continuo di materiale propagandistico. Utilizzava brani dalle veline dell'ufficio stampa del ministero italiano degli esteri, oltre a ritagli delle notizie principali dai quotidiani canadesi che spesso copiava pari pari. Brancucci, in particolare, si rendeva conto del valore di una stampa filoitaliana nel pubblicizzare i progetti che gli stavano a cuore. L'elegante diplomatico non si faceva scrupoli di "richiedere" la collaborazione del giornale.*

Nel numero de L'Eco Italo-Canadese *del 4 settembre 1937, Marino Culos si distaccò dal suo normale elzeviro a margine. Dedicò invece più di 30 centimetri di testo alla cerimonia commemorativa in onore di Marconi tenutasi a Vancouver. In inglese, Culos scrisse: «Marciando con le bandiere italiana e inglese e gagliardetti listati a lutto, i membri della Società Figli D'Italia e della relativa Lega Femminile, della Società*

5c L'ECO ITALIANA 5c

Vol. 1. FRIDAY, OCTOBER 9, 1936 Number 1

CELEBRAZIONE COLOMBIANA

C. Piccolo Eletta Isabella con 64,925 voti

P. Pulice: 53,250 voti, M. Canal: 22,225 voti

C. PICCOLO, V.I.C.M.A.S. e S.F.

P. PULICE, S.M.S.F.I. e L.F.I.

MARY CANAL, S.V.M.S.

Il 444 mo anniversario della scoperta dell'America verra' celebrato nella Silver Slipper Hall, 828 Hastings li II e 12 del corr. mese. Le societa' italiane si sono quest'anno unite per commemorare Quel Grande che definitivamente apri' la via per il Nuovo Mondo. E' la celebrazione d'una opera importante, frutto del genio, della tenacia e del ardire di un nostro connazionale. E' nostro dovere commemorare C. Colombo, esponente alle vette alle quali puo' arrivare la nostra razza.

Nessuna occasione e' piu' bella per unirsi in gran numero e onorare Il Grande.

PROGRAMMA

Domenica 11 Ottobre alle ore 8 p.m. ci sara' il Gran Concerto (nella Silver Slipper Hall) ove sentirete i migliori artisti locali. Ammissione Gratis. Contribuzione alla porta.

CONCERTO

Berettoni .... Orchestra
Frankie Petroni .... Accordeon Solo
Leo Petroni .... Tap Dance
Patricia Pulice and Betty Dowman..... .... Songs and Tap Dance
Victor and Lawrence Cavalli ...Accodeon .... and Clarinet
Frank Iaci .... Song
Dominic Raino .... Banjo
Maria Eathorne .... Soprano
Frank Bologna .... Violin Solo
Fratelli Berettoni ... Accordeon and Violin
Mrs. Allen Egan .... Soprano
Victor Ricci .... Song and Accordeon
N. Proctor .... Tenor
Theresa Principi .... Soprano
Signora Elfie Boccini ....Pianoforte
Rose Jackson .... Coloratura Soprano
Una Sorpresa ....

Banchetto—Lunedi 12 Ott. alle 6 p.m. Biglietto $1.50, incluso il ballo.

Gran Ballo—Dalle ore 9 p.m. in poi. Estrazione dei grandi premi a mezza notte. Il primo premio e' un viaggio andata e ritorno in Italia oppure il valore in contante di $300.00, e molti altri premi saranno estratti, tutti dovrebbero acquistare dei biglietti.

Orchestra—Charles Berrettoni and His Melody Kings.

Il comitato esecutivo e' composto di:

Presidente Onorario—Il Signor Pietro Colbertaldo, Regio Vice Console d'Italia.
Direttore—Signor Mario Ghislieri, assistito dai due Presidenti Sig. W. G. Ruocco e Sig. Angelo Branca e le Pre.sse Signore Raffaela Trasolini e Enrichetta Agnolin.
Segretario di Corr.—Sig. Gregrorio Fuoco, assistito dalle Sig.ne Emma Lussin e Clorinda Piccolo.
Seg. di Finanza—Sig. Felice Cianci.
Tesoriere—Sig. Filippo Branca.
Comitato Stampa per inglese—Avvocato Angelo Branca.

Continua nella Pag. 2

L'ITALIA SVALUTA LA LIRA

Tariffe Tagliate Sulla Merce Esportata

ROMA.—Il Cabinetto Italiano ha votato di svalutare la lira, mettendo la rata a 90 lire per sterlina inglese e 19 lire per dollaro americano.

La decisione monetria fu annunziata in un bullettino ufficiale, nel quale fu anche dichiarato che il Cabinetto agira' in mode da prevenire un increscito in prezzi. Fra l'altro il bullettino leggeva: il Duce ha esaminato la dichiarazione Anglo-Francese-Americana che segui' l'aggiustamento del franco francese e ha dichiarato che il ricovero economico del mondo e' una cosa necessaria in modo che le nazioni, che vogliono pace, possano collaborare.

Inoltre il Duce ha messo in rilievo l'eventuali ripercussioni che la svalutazione puo' portare. Il Cabinetto ha specialmente dichiarato che per almeno due anni non ci sia alcuna crescita nella pigione di appartmenti, uffici ed altri edifici, ne' alcuna crescita nelle rate per elettricita', gas ed altri servizi pubblici. Il governo, fu inoltre autorizzato di cambiare le dogane e tariffe a rispetto del nuovo sistema monetario.

Un prestito nazionale che il governo ha avuto dai propretari verra' pagato in 25 anni. Le dogane di tutte le merci esportate furono generalmente tagliate di piu' di 50%. Il Cabinette ha valutato la lira a circa 5.2 soldi americani in contrasto della quota di sabato che la valutava a 7.6 soldi americani.

Un allevamento di buoi di Cesena ad Addis Abeba

ROMA.—Il Ministro delle Colonie, on. Alessandro Lessona, si e' recato oggi a Cesena ed ha affidato ad un gruppo di agricoltori una concessione agricola, presso Addis Abeba.

Nella concessione verra' istituito un vasto allevamento di bovini della pregiata razza che viene ora allevato nel territorio di Cesena.

Gli agricoltori cui e' stata assegnata la importante concessione partiranno subito alla volta dell'Africa Orientale.

Il Domerat Celebrato nell 'Etiopia

Con grandi feste gli Abissini hanno celebrato la fine delle pioggie. Circa 50,000 persone hanno celebrato il Domerat, rito che chiude le feste del Mascal.

Ad Addis Abeba si trovavano presenti il Vicere', Maresciallo Rodolfo Graziani, il Duca di Ancona, le autorita' civili e militari della citta' e i rappresentanti di tutti i centri dell' Etiopia.

Era pure presente l'Abuna Circillo col bastone di avorio e il parasole regalatogli da Graziani. Il capo della chiesa etiopica, in suo nome e in quello dell'intera popolazione, ha rinnovato il solenne atto di fedelta' verso l'Italia.

L'ECO ITALIANA

Essendo la Colonia Italiana di Vancouver ancor priva di qualsiasi periodico locale iltaliano, viveva in me, ed in parecchi amici, l'orgollo di poter dare a questa un piccolo giornale che nel suo contenuto potesse tener piu compatta ed unita la fratellanza italiana.

Non avendo nessun soggetto politico da trattare, questo giornaletto avra' l'aspetto di pura neutralita.' Il suo principale scopo sara' di tener informata la Colonia Italiana di piccoli avvenimenti di natura sociale e sportiva ed altre novita' che solo possono interessare un italiano.

Sembra gia' che questa idea abbia colto l'entusiasmo di parecchi principali membri della nostra colonia. Tutto questo certo serve ancor ad innalzare lo spirito iniziativo del nostro giornale. Voglio ringraziar di cuore quelle persone che con saggi consigli di iniziativa vogliano innoltrarci per diritta e sicura via.

Ognuno conosce a quale umigliazione sia oggetto, ogni qualtanto, l'emmigrante, a causa di preguidizi e supestizioni. Vogliamo quindi elminnare cio che fra di noi e' supestizioso e tutti uniti innalzarci in qual pedestallo che e' conforme alla razza Italiana.

L'aiuto di ogni Italiano certo servera' al progresso di questo giornale, quindi ognuno di questi e pregato di accettarlo nella propia familglia come simbolo d'italianita' e di causa italiana.

La prima copia verra' distribuita gratuitamente; dopo di questa il prezzo sara' minimo, cosicche' ogni famiglia italiana possa ottenerlo.

—EDITORE

L'Eco Italiana, inaugural edition / *L'Eco Italiana*, numero di lancio

the voice of Italy

A NEWSPAPER OF AMERICAN-ITALIAN OPINION

Dr. I. A' MANECCHIA, Editor

Vol. III. Editorial and Business Offices: 135-137 Bleecker St., New York, N. Y. Tel. GRamercy 7-1018 — New York, N. Y., May 9, 1936 — Dr. A. Iannotta Roman Correspondent Via del Tritone — Rome — 5 No. 19

"WAR IS FINISHED-ETHIOPIA IS ITALIAN" MUSSOLINI

Our peace a Roman one, Dictator says, warning world Italy will fight in defense of Victory

Soldiers Walk on Flowers Tossed from Windows in Victory Parade

AFTER THE VICTORY

The sensational Italian victory in Africa has amazed the world, not only on account of its marvelous rapidity, resistance and indomitable courage of the troops and strategic leadership, but also, and above all, because of the perfect logistic and technical organization in the face of which all human and natural difficulties have been surpassed with mathematical precision..

Italy has demonstrated her technical superiority to the world and the degree of her unconquerable will to affirm the meaning of life, to affirm her rights and the mandates of civilization, marked by her glorious destiny.

Her victory is sacred, definite and unimpeachable.

Italy has conquered the barbarisms of slavery and fanaticism in Ethiopia: at Geneva, the cowardice of invidious barterers; in London, the perfidy of a devil-may-care and insulting egotism; in Paris, the fear-inspired ambiguity of a slimy and faithless political infection; and, finally, she has conquered the entire world aligned against her with a net of falsity and intrigue which had been woven about her by the perverse, underhanded manipulations of the politicians in Downing Street.

This re-establishment of Justice, this universal recognition of the indisputable prestige of the Italian Nation upon the hearth of all civilizations, this divine recompense for the heroic sacrifices of our youth, fallen upon the field of battle with the name of Italy on their lips and in their hearts, compels Italians living in every quarter of the globe to pay a sacred homage which should not, and cannot ever, be betrayed.

Greater is the recognition, greater is the prestige, more ample are the rights, and greater and more inevitable are the responsibilities which confront the duties to perform and to respect!

The new civil conscience and the heroic sacrifice of Fascist Italy has placed our country in a position of the first rank among the civilized nations of the earth. Italians must be worthy of it, first of all, if they want to experience the joy of feeling proud of it.

And to be proud of it, once and for all, they must place a large cross of cancellation upon the past, put a definite period after it, and begin with a new chapter.

Enough of petty personal animosities and envy fraught with unbridled ambitions and selfishness, and above all, enough of this tireless Macchiavellism tainted with the slyness of the street pickpocket.

No one is immortal and no one is a superman. Il Duce is only one: his name is Mussolini, and Rome is the moral and civil capital of the world.

The Italians—scattered all over the globe—if they are not "hyphenated"—should feel the joy and the pride of fraternity, union.

They should proceed to higher summits together with a unity of purpose, with a common vision, with a single word in their hearts, a single breath in their souls: with a single will in their spirits.

Hence, the greatness, the glory of our Motherland, Italy, if she be so honored, becomes worthy of Victory!

MANECCHIA

Mussolini
Roma 4 agosto XII

Congratulations to Marsh. Badoglio

ROME, 6.—King Victory Emmanuel III telegraphed congratulations to Marshal Pietro Badoglio and his troops on their occupation of Addis Ababa.

The King's message to Badoglio said:

"I desire that an expression of my grateful heart and my delight today reach the gallant and victorious metropolitan and native troops which under your able and skilled leadership have fulfilled a glorious undertaking with high bravery and indomitable will. I convey to you my most cordial salute. Your very affectionate cousin, Victor Emmanuel."

Marshal Badoglio, as a member of the highly selective Order of the Annunciation, is accounted formally a cousin of the Italian King.

IL DUCE TELLS BADOGLIO MILLIONS ACCLAIM HIM

ROME, 6.—Premier Benito Mussolini sent Marshal Pietro Badoglio, commander in chief of the African armies, the following telegram:

"Millions and millions of Italians assembled in public squares of all Italy acclaim with the most ardent exultation the entrance of our troops into Addis Ababa and acclaim your excellency, who guided them to the great goal."

THE PLEASURE OF THE HOLY SEE

Pope Pius XI Is Satisfied That the Italo-Ethiopian Conflict Is Ended

VATICAN CITY. — News of the occupancy of Addis Ababa by the Italian troops was received with lively pleasure at the Vatican.

The Holy Father, Pope Pius XI, gave prayers of thanks when he was informed that the Head of the Italian Government, Mussolini, had announced that war in Ethiopia was ended.

Subjects at the Pontifical Court revealed that the Pope retired to his private chapel for the exclusive offertory.

In the early part of the afternoon, when a private secretary announced the capture of Addis Ababa, the Pontiff appeared highly pleased. During the African expeditionary activities, the Pope feared that the war might spread to Europe.

Although His Holiness did not listen to Mussolini's exact radio address, He was well informed of the contant of the subject matter. Pope Pius has ever displayed anxiety and has asked concerning future demobilization plans of the Italian troops.

The Voice of Italy, US pro-fascist press / *The Voice of Italy*, giornale statunitense filofascista

and the message, "In Memoriam, S.E. Senatore Guglielmo Marconi." Culos continued, "Men and women from all stages of life were there, side by side, with saddened faces. It was the first time in the history of the Colony that such a gathering of organizations responded in one unit to the call of the Italian Vice-Consul Dr. G. Brancucci."

In a front page lead story, Girardi reported the details of the late Senator Marchese Guglielmo Marconi's memorial service, held at the Hastings Auditorium and Sacred Heart Church. In part he stated, "Two Italian war veterans, Gregorio Fuoco, president of the Ex-Combattenti Section, and Secondo Faoro with two Fascists, Nino Sala and [eulogist] Erminio Ghislieri, stood on guard at the Catafalque."[7]

Marino Culos, displaying a tendency to be rather naïve and somewhat egotistical, continued to respond to Brancucci's overtures. A month after the Marconi feature, he was asked to write an article comparing Italy's Balilla with the Boy Scouts of Canada. In researching this item, Culos interviewed Pete Carotenuto, a teenager and former *capo squadra* of the Balilla. Based on this and other sources, Culos wrote that the Balilla, in which membership was compulsory, had saved many Italian boys between the ages of eight and 14 from a life of depravation in the streets. "The paramilitary movement had been formed at a time when most nations were in a chaotic state. This condition spawned harsher and more disciplined ideals, justifying the training of the Balilla in the use of small weapons. "Although the Boy Scouts were a semi-military training program, its members were not trained in the use of the rifle because when the organization was founded in 1910, the world was largely at peace," opined Culos.

In 1938 Girardi informed Culos, his business associate, that he would be divesting himself of the newspaper. In July of that year he sold *L'Eco Italo-Canadese* to Alberto Boccini, his co-editor. In due course Culos and Boccini agreed on an equal share ownership package. The

di Mutuo Soccorso Italo-Canadese di Vancouver e della relativa Lega femminile, della Società Veneta di Mutuo Soccorso, del Partito Fascista e degli Ex Combattenti, sono entrati nella chiesa dalla porta della torretta ornata di crespo nero e del messaggio "In memoriam, Sua Eccellenza Senatore Guglielmo Marconi"». Culos continuava: «Erano presenti uomini e donne di ogni età, fianco a fianco, il volto triste. Era la prima volta nella storia della colonia che un tale insieme di organizzazioni rispondeva unita all'appello del viceconsole italiano Dott. G. Brancucci».

Nel pezzo di apertura in prima pagina, Girardi riportava i dettagli della cerimonia commemorativa del senatore marchese Guglielmo Marconi, tenuta nello Hastings Auditorium della chiesa del Sacro Cuore. Tra l'altro scriveva: «Due veterani italiani, Gregorio Fuoco, presidente della sezione Ex Combattenti, e Secondo Faoro, assieme ai due fascisti Nino Sala ed Erminio Ghislieri [oratore funebre], montavano la guardia al catafalco».[7]

Marino Culos, dimostrando una tendenza all'ingenuità e alla vanagloria, continuava a dare ascolto alle proposte di Brancucci. Un mese dopo l'importante articolo su Marconi, gli fu chiesto di scriverne un altro mettendo a confronto i Balilla italiani con i Boy Scout canadesi. Nel preparare l'articolo Culos intervistò Pete Carotenuto, un adolescente che era stato caposquadra dei Balilla. Basandosi su questa e altre fonti, Culos scrisse che l'organizzazione dei Balilla, l'adesione alla quale era obbligatoria, aveva salvato molti ragazzi italiani tra gli otto e i quattordici anni da una vita sbandata di strada. «Tale organizzazione paramilitare è stata formata in un periodo in cui molte nazioni si trovavano in uno stato caotico. Questa situazione generò ideali più rigidi e disciplinati, giustificando l'addestramento dei Balilla all'uso di armi leggere. Benché i Boy Scout fossero un'organizzazione di addestramento paramilitare, i suoi membri non erano addestrati

---

[7] *The Vancouver Sun:* "It may have occurred to them [citizens of Italy] that years after Mussolini is only a name wherewith to frighten children, youth will grow up through all the earth to marvel at the miracles wrought by the man [Marconi] whose funeral Il Duce deigned to honour with his presence."

[7] *The Vancouver Sun:* «Può essere che loro [cittadini italiani] abbiano pensato che anni dopo che Mussolini sarà solo un nome con cui spaventare i bambini, i giovani cresceranno in tutta la terra meravigliandosi dei miracoli compiuti dall'uomo [Marconi] il cui funerale il Duce si degnò di onorare con la sua presenza».

La Voce, Canadian anti-fascist newspaper / *La Voce,* giornale canadese antifascista

L'Eco Italo-Canadese, Branca elected / *L'Eco Italo-Canadese,* l'elezione di Branca

agreement was duly signed, recognizing Boccini as being responsible for the editorial and news content. He would work full-time and be paid a salary. Culos, a bookkeeper and hotel waiter would maintain the financial records and continue to write his column. His compensation, however, would be limited to a share of the profits. Included in the terms of the accord was provision for a third partner if, indeed, one was deemed advisable. In that eventuality, Onofrio Fiorito, one of the newspaper's correspondents would be offered the opportunity to become a shareholder.

The Boccini-Culos partnership arrangement lasted but a few weeks. They disagreed frequently over a number of issues and clashed irrevocably over Culos' demand for a key to the office in order to audit, at will, the financial documents. In obtaining legal representation, Angelo Branca represented Boccini whereas Culos acted as his own counsel.

An argument ensued between the partners at the newspaper's 12th floor office in the Dominion Bank Building, 207 West Hastings Street. Verbal abuse escalated to push and shove. The men struggled toward an open window with Boccini falling backward onto the window sill. Draped precariously on the outside ledge, Boccini barely managed to save himself from falling to the street below. Fortunately, both men came to their senses in time to avert a certain tragedy.

With the partnership dissolved, Boccini was in full control of BC's only Italian language newspaper. The pro-fascist rhetoric took on a new and more vociferous meaning. For the first time in its three-year history, the newspaper openly aligned itself with Mussolini's aggressive policies. Concurrently, the Circolo Giulio Giordani became publicly known for the first time, as Boccini now listed the *Fascio* organization in the newspaper's *Guida Sociale* column. Also included in the social guide were listings for fascist affiliated clubs: Circolo Roma and Circolo Giovanile Cortina D'Ampezzo.

Divided Loyalties Spark Controversy

A month after Italy annexed Albania in April 1939, Mussolini's son-in-law Count Galeazzo Ciano and Hitler's representative Joachim von

all'uso di fucili perché quando venne fondata nel 1910 il mondo era in grande misura in pace», affermò Culos.

Nel 1938 Girardi informò Culos, suo socio, che intendeva cedere la sua parte del giornale. Nel luglio di quell'anno vendette L'Eco Italo-Canadese ad Alberto Boccini, suo condirettore. In seguito Culos e Boccini si accordarono di dividere in parti uguali la proprietà. L'accordo fu debitamente firmato riconoscendo al Boccini la responsabilità del contenuto editoriale e di cronaca. Avrebbe lavorato a tempo pieno e gli sarebbe stato pagato uno stipendio. Culos, contabile e cameriere d'albergo, avrebbe tenuto i conti e continuato a scrivere il suo elzeviro. Il suo compenso, tuttavia, si sarebbe limitato a una parte dei profitti. L'accordo prevedeva la possibilità di un terzo socio se davvero ciò fosse stato giudicato opportuno. In quella eventualità, a Onofrio Fiorito, uno dei corrispondenti del giornale, sarebbe stata offerta l'occasione di diventare un azionista.

La società Boccini-Culos durò soltanto poche settimane. Si trovarono in disaccordo su numerose questioni e si scontrarono irrevocabilmente sulla richiesta di Culos di avere una chiave dell'ufficio per verificare, a suo piacimento, i documenti finanziari. Passati alle vie legali, Angelo Branca difese Boccini mentre Culos si difese da solo.

I soci ebbero un litigio nell'ufficio del giornale al dodicesimo piano del Dominion Bank Building, al 207 di West Hastings Street. Dagli insulti si passò alle mani. Gli uomini si spintonarono vicino una finestra aperta, e Boccini cadde all'indietro sul davanzale. Aggrappato precariamente alla cornice esterna, Boccini riuscì a malapena a evitare di cadere nella strada sottostante. Fortunatamente entrambi gli uomini rinsavirono in tempo per evitare una sicura tragedia.

Con lo scioglimento della società a Boccini rimase il pieno controllo dell'unico giornale in lingua italiana della Columbia Britannica. La retorica filofascista assunse un nuovo e più sonoro registro. Per la prima volta nei suoi tre anni di storia, il giornale si allineò apertamente alla politica aggressiva di Mussolini. Al tempo stesso, il Circolo Giulio Giordani divenne noto per la prima volta al grande pubblico, poiché Boccini ora inserì il Fascio nella rubrica Guida Sociale *del giornale.*

B. Girardi, centre right, playing *morra* / B. Girardi, centro destra, giocando a morra, 1938

Boccini and Culos, *L'Eco partners* / Boccini e Culos, soci ne *L'Eco*

Ribbentrop signed the "Pact of Steel" in Berlin. It signalled an irrevocable commitment between the two dictatorships – Fascist Italy and Nazi Germany – to march together in any future conflict. This caused an ominous war cloud to further shroud the skies of the free world.

Locally, Alberto Boccini stepped up his pro-Italy news coverage which tended to divide the Italian community along political stripes. As a result Marino Culos, now a freelance contributor, sought opportunities to counter *L'Eco Italo-Canadese*'s alarmingly accelerated right-wing rhetoric. With a number of other society leaders, he joined Eugenio De Paola's Royal Visit Committee. Their Majesties King George VI and Queen Elizabeth arrived in Vancouver by train in May 1939. The committee's main project, largely financed by De Paola, was to build bleacher seating on the west side of Main Street at Station Avenue, across from the Canadian National Railroad Station. As the Royal entourage passed the stand, Eugene De Paola and members of his executive group stood blushingly proud amid Union Jacks and under a ten-metre banner that offered "A Sincere Tribute of Loyalty and Devotion" to the Royal couple from the Italian Community.

Later in the day, an Italian youth group, part of the Folk Festival Society's Royal Visit overall program, performed dance and song routines at Stanley Park. One of its members, Flora Culos, beaming with pride, presented a bouquet of flowers to the Queen. Her Majesty in turn pinned a commemorative medallion on the seven-year-old ballerina's regional costume, fashioned by her mother Rosina Culos.

In August 1939, amid the pastoral and tranquil atmosphere of Bowen Island, the Circolo Giulio Giordani Club held a picnic. Dr. Brancucci, his wife and two sons were among the over 150 people who attended the family-oriented *festa campestre*.[8] The attendees comprised executive members of the *Fascio*, their families and friends, many of whom had no idea of the group's political persuasion.

---

[8] Madeline De Luca Dent, a preschooler in the dust jacket picnic photo, was able to identify up to 50 of the attendees. Recently, she stated that she had no knowledge of the picnic having been sponsored by the Fascio organization. Moreover, not until she read *Vancouver's Society of Italians* (1998) did she realize that a number of the men pictured in the photo were interned in 1940.

Nella guida sociale comparivano anche i circoli affiliati: Circolo Roma e Circolo Giovanile Cortina d'Ampezzo.

Lealtà divise generano controversie

Un mese dopo l'annessione italiana dell'Albania, il genero di Mussolini conte Galeazzo Ciano e il rappresentante di Hitler Joachim von Ribbentrop firmarono il "Patto d'acciaio" a Berlino. Esso segnalava l'impegno irrevocabile tra le due dittature (Italia fascista e Germania nazista) a marciare insieme in ogni futuro conflitto. Questo addensò ulteriori nubi di guerra sui cieli del mondo libero.

Localmente, Alberto Boccini aumentò le notizie filoitaliane, il che tendeva a dividere la comunità italiana secondo preferenze politiche. Come risultato Marino Culos, ora collaboratore indipendente, cercò di contrastare l'allarmante impennata nella retorica di destra de L'Eco Italo-Canadese. *Con diversi altri esponenti importanti della società si aggregò al Comitato per la Visita Reale formato da Eugenio De Paola. Re Giorgio VI e la regina Elisabetta arrivarono a Vancouver in treno nel maggio del 1939. Il progetto principale del comitato, largamente finanziato dal De Paola, era di costruire tribune scoperte sul lato ovest di Main Street all'altezza della Station Avenue, di fronte alla stazione ferroviaria della Canadian National. Quando il gruppo dei reali passò davanti alle tribune, Eugenio De Paola e i membri del suo esecutivo stettero ritti in piedi arrossendo d'orgoglio attorniati da bandiere inglesi e sotto uno striscione di dieci metri che offriva "Un sincero tributo di lealtà e devozione" alla coppia reale da parte della comunità italiana.*

Più tardi, in quello stesso giorno, un gruppo giovanile italiano, parte del programma della Folk Festival Society per la visita reale, si esibì in danze e canti a Stanley Park. Una delle ballerine, Flora Culos, di sette anni, raggiante d'orgoglio, porse un mazzo di fiori alla regina. Sua maestà a sua volta appuntò una medaglia commemorativa sul costume regionale, confezionato dalla madre della piccola, Rosina Culos.

Nell'agosto del 1939, nella tranquilla e pastorale atmosfera di Bowen Island, il Circolo Giulio Giordani tenne un picnic. Il dott. Brancucci, sua moglie e due figli erano tra le oltre 150 persone presenti

Courtesy Hon. D. Holmes / Per gentile concessione di D. Holmes

On September 1, 1939, a virtual 20th century Armageddon was unleashed. Germany attacked Poland by land, sea and air with Blitzkrieg precision and effect. As the Western Allies reacted to Nazi Germany's aggression, they felt quite certain that it would be only a matter of time before they would be dealing with Fascist Italy as well.

Less than two months later, Fioravante (Fred) Tenisci, a regular contributor to *L'Eco Italo-Canadese*, unleashed his pro-Mussolini rhetoric. On the occasion of the 17th anniversary of the March on Rome in 1922, Tenisci, a keynote speaker, delivered an impassioned pro-Italy oratory unique among BC's fascist supporters. The following are excerpts from Tenisci's speech as reprinted in *L'Eco Italo-Canadese*.

"Comrades, tonight we commemorate the seventeenth anniversary of the March on Rome, a redemptive event, a holy event! Let me remind you of the great and very beneficial changes that this historical event have brought and shall bring forth in shaping the destiny of the world." This opening salvo is followed by a chronological documentation of Mussolini's record in office. It began with, "On 28 October, 1922, on Italian soil, the valorous Black shirts, led by our infallible Duce, initiated the battle for the redemption of the world!" With bombastic conviction he spoke of the Lateran Accord of 1929, which provided a formula for a "free and sovereign Church and free and sovereign State."

Tenisci was just warming up, as his message turned to Mussolini's fight against anti-fascist elements, "From the balcony of the Venice Palace, the Duce proclaimed: 'We forge ahead ... Peace in Rome ... against all odds and nations. Ethiopia is ours forever.' His powerful strength and his unbending will destroyed the egotistical and monopolistic coalition of Jews, Masons, and communists."

As Brancucci and other fascist officials applauded his oratory, Tenisci concluded boldly with, "COMRADES! Let us elevate our minds and our hearts in immutable devotion to his Majesty the King, who has been three times victorious as Roman Emperor [Ethiopia, Spain and Albania] ... Let us restore our spirit with vibrant and passionate faith in the *Duce Magnifico*, founder of the Empire and apostle of Christianity ... In our humble and thoughtful mind, let us remember

alla festa campestre[8] per famiglie. Gli invitati comprendevano dirigenti del Fascio, le loro famiglie e i loro amici, molti dei quali non avevano idea delle idee politiche del gruppo.

L'1 settembre 1939 si scatenò la maggiore catastrofe del ventesimo secolo. La Germania attaccò la Polonia per terra, mare e aria con la precisione e gli effetti della guerra lampo. Mentre gli alleati occidentali reagivano all'aggressione della Germania nazista, erano praticamente certi che sarebbe stata solo questione di tempo prima che dovessero avere a che fare anche con l'Italia fascista.

Meno di due mesi dopo, Fioravante (Fred) Tenisci, un regolare collaboratore de L'Eco Italo-Canadese, *si scatenò nella retorica filomussoliniana. In occasione del diciassettesimo anniversario della marcia su Roma del 1922, Tenisci, oratore di vaglia, pronunciò un veemente discorso filoitaliano, unico tra i sostenitori fascisti della Columbia Britannica. Ciò che segue sono brani del discorso di Tenisci, stampati ne* L'Eco Italo-Canadese.

«Camerati, stasera commemoriamo il diciassettesimo anniversario della Marcia su Roma, un evento che redime, un santo evento! Lasciate che vi ricordi i grandi e molto benefici cambiamenti che questo storico evento ha portato e porterà nel modellare il destino del mondo». Questa sparata iniziale fu seguita da una documentazione cronologica dei risultati ottenuti da Mussolini da quando era al potere. Cominciò così: «Il 28 ottobre 1922, sul suolo italiano, le valorose Camicie nere, guidate dal nostro infallibile Duce, hanno iniziato la lotta per il riscatto del mondo». Con enfatica convinzione parlò dei Patti Lateranensi del 1929, che avevano fornito la formula per una "libera e sovrana Chiesa in un libero e sovrano Stato".

Tenisci si stava appena riscaldando per passare a parlare della lotta di Mussolini contro gli elementi antifascisti. «Dal balcone di Palazzo Venezia il Duce ha proclamato: "Avanziamo lentamente ma

---

8 Madeline De Luca Dent, una bambina nella foto del picnic pubblicata in sovraccoperta, può identificare una cinquantina dei presenti. Di recente ha dichiarato di non avere alcuna idea che il picnic fosse stato organizzato dal Fascio. Inoltre, non sapeva che parecchi degli uomini ritratti nella foto furono internati nel 1940 sino a che non lo ha letto nel libro Vancouver's Society of Italians (1998).

Italian community leaders welcome King and Queen

I leader della comunità italiana accolgono il re e la regina

Immigration building decorated for Royal visit

Il palazzo dell'immigrazione decorato per la visita dei reali

Comitato Esecutivo Coloniale Italiano

PRO FESTEGGIAMENTI VISITA LL.MM. GIORGIO VI ED ELISABETTA D'INGHILTERRA

Pres. Comitato Esecutivo:
Eugenio De Paola.
Segretario di Corrispondenza:
Marino Culos.
Segretario di Finanza:
Gregorio Fuoco.
Tesoriere:
Luigi Giuriato.
Verificatore dei Conti:
Mario V. Ghislieri.
Comitato Decorazioni:
R. Crimeni, A. Fabri, M. V. Ghislieri, M. Culos e B. Girardi.

★

VANCOUVER, B.C.

Membri del Comitato:
F. Ferronato, P. Rosso, E. Pava
F. Comparelli, N. Di Tommas
A. Venturato, R. Caravetta,
Casorzo e Massimo Costa.

Direttori:
Eugenio Di Paola, N. Di Tomm
so, M. V. Ghislieri, W. G. Ruocc
M. Culos, C. Braga, G. Fuoco,
Spagnol; signore A. Brandali
Vicentin, Battistoni, R. Puccet
E. Benetti, M. Castricano e
gnorina C. Forti.

Egregio Connazionale:

Mi pregio notificare la S.V. che la fiorente Colonia Italiana di Vancouver, B.C., in una seduta aperta, tenuta il 26 aprile 1939, nell'Hotel Europe, No. 43 Powell street, ha unanimamente votato di celebrare con vero sentimento di patriottismo e di lealta' la prossima visita a questa nostra metropoli dei Reali d'Inghilterra, Georgio VI ed Elisabetta.

E' con piacere che le comunichiamo che fu il desiderio unanime di nominare la S.V., con altre distintissime personalita' Italiane residenti in questa Provincia, a Membro Onorario della festa, il cui scopo e' di dimostrare ai nostri concittadini ed Autorita' Canadesi che noi, figli della bella Italia, siamo devoti e leali non solo alle Costituzioni Governative di questo vasto Dominio del Canada, ove risediamo, ma anche ai Sovrani d'Inghilterra, madre del Grande Impero Britannico.

Prendiamo quindi l'occasione di renderle nota l'onorificenza assegnatale ed in pari tempo attendiamo con piacere che la S.V. voglia accettare.

La posizione assegnata alla nostra progressiva Colonia Italiana, per la memorabile Celebrazione del 29 maggio 1939, e' la parte ovest del Main street fra il National Avenue ed il Terminal Avenue, dirimpetto alla stazione ferroviaria del Canadian National Railway ove verra' modernamente costruito ed artisticamente decorato ed imbandierato il Palco Italiano, davanti al quale passera' il Corteo Reale.

Vogliamo ricordarie che sarebbe necessario per ognuno dei componenti il Comitato Onorario di trovarsi non piu' tardi dell'ora 1 p.m. alla sezione riservata per il Palco Italiano.

Ci auguriamo frattanto che la S.V. voglia accettare quest'invito, lietamente esteso per avere fra noi la Sua stimata e piacevole presenza.

COMITATO ESECUTIVO COLONIALE ITALIANO
pro festeggiamenti visita LL.MM. Giorgio VI ed
Elisabetta d'Inghilterra

EUGENIO DE PAOLA,
Presidente Comitato Esecutivo.
Coloniale Italiano.

MARINO CULOS,
Segretario di Corrispondenza.

NOTA BENE — Alla riunione di martedi' scorso, 9 maggio, il Comitato Esecutivo Coloniale Italiano pro Festeggiamenti, ha deciso di tenere un ballo coloniale per **martedi', 16 maggio 1939, all'Hastings Auditorium, 828 East Hastings street.** Il ballo, al quale suonera' l'orchestra del nostro connazionale Carlo Berrettoni, durera' dalle 8:30 p.m. alle 1:00 a.m.

Saranno pure presenti, nella sala rinfreschi, come un'attrazione speciale, gli studenti e suonatori d'armonica della ben nota Vancouver School of Accordion, diretta dal signor Giuseppe Scali.

Domandiamo la presenza di ogni connazionale a questo grande ballo, durante il quale verranno discussi dei soggetti importantissimi riguardanti la Celebrazione Italiana per la visita dei Sovrani d'Inghilterra.

Italian community celebrates Royal Visit

La comunità italiana festeggia la visita dei reali

and exalt the thousands and thousands of men who died for the Great Fascist Revolution. EIA!"[9] [A Fascist hurrah or war cry. Also heard as a response of support by Italians to the fascist salute.]

It is difficult to discern the reason why, at this juncture, the less committed fascist sympathizers didn't leave the ranks of the Circolo Giulio Giordani. The *Fascio* leadership group, however, which represented an estimated one percent of the city's Italian community, remained vocal. In fact, a number of them would cry out "Viva Mussolini" at local Italian banquets and at other semi-private functions. They were either strongly committed to the fascist ideology or simply ignorant of the likely consequences they would face should Canada go to war against Italy. What's clear, however, is that the RCMP weren't complacent or ignorant of the reality of the situation. Moreover, they were ready to unleash a definitive plan of action against suspected Italian fascists at a moment's notice.

In late April 1940, the Circolo Giulio Giordani and Circolo Roma held a *Natale di Roma* banquet at the Hotel Vancouver. The festivity's chairman was Mario Ghislieri. The club's organizing committee comprised C. Braga, G. Caldato, C. Casorzo, R. DeRico, A. Dotto, O. Facchin, O. Marino, E. Pavan and S. Pasqualini. The evening's featured speakers were Rosa Puccetti, Gregorio Fuoco, Dr. G. Brancucci and Prof. G. Bovio.

Marino Culos and his wife Phyllis, an executive member of the Lega Femminile (Women's Lodge), had been invited to attend the special dinner. However, the Culos' had a difference of opinion regarding the advisability of attending the posh social affair. Mr. Culos refused to go on two counts. Firstly, a military pact between Italy and Germany was in force, making Mussolini's entry in the war on the side of Hitler highly probable. Secondly, he knew that Angelo Branca would soon be presenting a significant pact of his own. Although minor in comparison, it had the potential of dividing the Vancouver Italian Canadian community into two diametrically opposed political camps. Already a party to the Branca manifesto, Culos did not deign to be hypocritical.

costantemente ... Pace a Roma ... contro ogni probabilità e nazione. L'Etiopia è nostra per sempre". La sua forza potente e inflessibile volontà distruggeranno l'egoistica e monopolistica coalizione degli ebrei, dei massoni e dei comunisti».

Mentre Brancucci e altri dignitari fascisti applaudivano la sua eloquenza, Tenisci concluse con un audace: «CAMERATI! Solleviamo la mente e il cuore in immutabile devozione a sua Maestà il Re, tre volte vittorioso come Imperatore Romano [Etiopia, Spagna e Albania] ... Che il nostro spirito riviva di fede vibrante e appassionata nel Duce Magnifico, fondatore dell'Impero e apostolo della Cristianità... Nella nostra umile e pensosa mente ricordiamoci ed esaltiamo le migliaia e migliaia di uomini che sono morti per la Grande Rivoluzione Fascista. EIA![9] *[Il grido fascista coniato da Gabriele D'Annunzio].*

È difficile capire la ragione per cui, a questo punto, i simpatizzanti fascisti meno convinti non abbiano lasciato il Circolo Giulio Giordani. Il gruppo direttivo del Fascio, tuttavia, che si stima rappresentasse l'un per cento della comunità italiana della città, continuò a far sentire la propria voce. Infatti un certo numero di loro gridava "Viva Mussolini" ai locali banchetti italiani e ad altri incontri semi privati. Essi erano o fortemente convinti dell'ideologia fascista o semplicemente ignoranti delle prevedibili conseguenze cui avrebbero dovuto far fronte se il Canada fosse entrato in guerra con l'Italia. Ciò che era chiaro, tuttavia, era che la RCMP non era né distratta né all'oscuro della situazione. Inoltre era pronta ad attuare in qualsiasi momento un piano d'azione contro sospetti fascisti italiani.

A fine aprile del 1940 il Circolo Giulio Giordani e il Circolo Roma tennero un banchetto per il Natale di Roma all'Hotel Vancouver. La festa era presieduta da Mario Ghislieri. Il comitato organizzatore del Circolo comprendeva C. Braga, G. Caldato, C. Casorzo, R. DeRico, A. Dotto, O. Facchin, O. Marino, E. Pavan e D. Pasqualini. Gli oratori previsti per la serata erano Rosa Puccetti, Gregorio Fuoco, il dott. G. Brancucci e il prof. G. Bovio.

[9] Excerpts of Tenisci's address from Angelo Principe's *Darkest Side of the Fascist Years*

[9] Estratti dal discorso di Tenisci dal libro *Darkest Side of the Fascist Years* di Angelo Principe.

Italo-Canadian youth
dancers perform for
Royals

Giovani ballerini
italocanadesi danzano
per i reali

Giuseppe Brancucci,
centre left, Sons of Italy
Banquet guest of honour

Giuseppe Brancucci,
centro sinistra, ospite
d'onore al banchetto dei
Figli d'Italia

Fred Tenisci delivers a forceful pro-Italy speech

Fred Tenisci tenne un discorso fortemente filoitaliano

At the Hotel Vancouver that evening, Phyllis Culos asked table guests to sign her program. One of the waiters, purportedly an RCMP officer, asked if he could have her program for a souvenir. She didn't need further confirmation that the RCMP were indeed there to record the names of suspected fascist supporters.

By May 1940, Canada had been at war with Germany for eight months. The so-called "Phony War" in Europe had given way to a new and devastating style of warfare: Blitzkrieg. As the invading German Army raced toward the French capital, the world held its breath. With a victorious Wehrmacht soon to march under the Arc de Triomphe in Paris, speculation about Mussolini's options became very much a daily topic of conversation among the Western Allies.

In Canada, national security options and contingency plans were being developed by the Royal Canadian Mounted Police. This is evidenced by an RCMP "secret" document dated May 29, 1940, which preceded Mussolini's fateful decision by 12 days. In his memorandum to the Rt. Hon. Ernest Lapointe, P.C., K.C., Minister of Justice and Attorney-General of Canada, Norman Robertson, chairman of the RCMP's Inter-Departmental Committee, identified known fascists and suspected supporters of the Italian fascist state. A list of the suspects was attached to his letter. Appendix I identified *"Important members of the Fascio, not naturalized, whose internment is recommended."* Appendix II contained the names of the *"Important members of the Fascio who are naturalized and whose internment is recommended."* And Appendix III listed *"Important members of the Fascio, naturalized, whose interrogation is recommended."*

As the Italian war machine readied for engagement, Angelo Branca convened a meeting in his law offices on Tuesday, June 4, 1940. Various representatives of the Vancouver Italian Canadian mutual aid societies were invited. Also in attendance were a number of Italian businessmen with no particular affiliation to any of the organized groups. Branca chaired the meeting attended by Pete Angelotti, W. (Bill) Berardino, Alberto Boccini, Carlo Casorzo, Marino Culos, Nick Di Tomaso, Paul Girone, Luigi Giuriato, Louis Graziano, Sam Minichiello, Joe Nadalin,

Marino Culos e la moglie Phyllis, dirigente della Lega Femminile, erano stati invitati a partecipare alla cena speciale. Tuttavia, i Culos avevano una divergenza di opinioni sull'opportunità di partecipare a quell'elegante incontro sociale. Il signor Culos rifiutò di andare per due ragioni. In primo luogo, il patto militare in vigore tra l'Italia e la Germania rendeva l'entrata in guerra di Mussolini al fianco di Hitler altamente probabile. In secondo luogo, sapeva che Angelo Branca stava per presentare un suo patto assai significativo. Benché di importanza assai minore a confronto, poteva dividere la comunità italocanadese di Vancouver in due campi contrapposti. Avendo già aderito al manifesto di Branca, Culos non volle essere ipocrita.

All'Hotel Vancouver quella sera Phyllis Culos chiese ai vicini di tavola di firmare il suo programma. Uno dei camerieri, presumibilmente un agente della RCMP, chiese se poteva avere il suo programma per ricordo. Lei non ebbe bisogno di altre prove per capire che la RCMP era davvero presente per raccogliere i nomi di sospetti sostenitori fascisti.

Nel maggio del 1940 il Canada era in guerra con la Germania da otto mesi. La cosiddetta "guerra fittizia" in Europa aveva ceduto il passo a un nuovo e devastante modo di combattere: la guerra lampo. Mentre l'esercito invasore germanico avanzava verso la capitale francese, il mondo tratteneva il respiro. Con la Wehrmacht vittoriosa che avrebbe presto marciato sotto l'Arco di Trionfo a Parigi, le discussioni sulle opzioni di Mussolini divennero l'argomento del giorno tra gli alleati occidentali.

In Canada, la Reale Polizia a Cavallo Canadese (RCMP) stava sviluppando programmi di sicurezza nazionale e piani di contingenza. Lo dimostra un documento marcato "segreto" datato 29 maggio 1940, anteriore di dodici giorni alla fatale decisione di Mussolini. Nel memorandum, indirizzato all'onorevole Ernest Lapointe, P.C., K.C., ministro della giustizia e Attorney General del Canada, Norman Robertson, presidente della Commissione Interministeriale della RCMP, identificava noti fascisti e sospetti sostenitori del regime fascista italiano. La lettera aveva allegato l'elenco dei sospetti. L'Appendice I identificava "Importanti iscritti al Fascio non naturalizzati di cui si raccomanda

Courtesy A. Principe / Per gentile concessione di A. Principe

L'Eco Italo-Canadese,
pro-fascist rhetoric

Retorica filofascista ne
L'Eco Italo-Canadese

NATALE DI ROMA

Inni Canadesi ed Italiana
Benedizione della Mensa

Chairman:
    M. V. Ghislieri

Oratori:
    Signora Rosa Puccetti
    Gregorio Fuoco
    Dr. G. Brancucci
    Prof. G. Bovio

Comitato:
    C. Braga   G. Caldato
    C. Casorzo   R. DeRico   A. Dotto
    O. Facchin   O. Marino   E. Pavan
    S. Pasqualin

Orchestra: "BOLOGNA"

GOD SAVE THE KING

Circolo Giulio Giordani declared illegal

Il Circolo Giulio Giordani venne poi
messo fuorilegge

The following is a facsimile reproduction of a document marked "Secret" and dated May 29, 1940. Its release preceded by two weeks Mussolini's declaration of war against France, Great Britain, and Canada.

In his memorandum to the Rt. Hon. Ernest Lapointe, P.C., K.C., Minister of Justice and Attorney-General for Canada, Norman Robertson, chairman of the RCMP's Inter-Departmental Committee stated:-

"I have the honour to submit herewith a report of the Committee consisting of Mr. J.F. MacNeil, K.C., Superintendent E.W. Bavin, and myself, which, under your direction, has examined the records of persons of Italian nationality and origin who might be considered capable of committing sabotage and other acts which would be detrimental to the welfare of the State in the event of war with Italy. The Committee recommends the arrest of the particular persons whose names and addresses are listed in Appendices I and II to this report.

Item 2, The Committee believe that with a view of preventing the particular persons mentioned in Appendices I and II to this report from acting in an manner prejudicial to the public safety or to the safety of the State, they should be detained immediately by authority of the powers given to the Minister of Justice in Regulation No. 21 of the Defence of Canada Regulations.

Item 3, The persons whose names and addresses are listed in Appendices I and II to this report are all residents of Canada, of Italian birth, and members of the Fascio. The persons named in Appendix I are Italian nationals and those named in Appendix II are naturalized Canadians.

Item 4, The Fascist Party in Canada is an integral part of the Italian Fascist Party (Partito Nazionale Fascista), its members subscribe to the same undertakings as members of that Party, and its officers are appointed by and work under the direction of the Italian Fascist Party which is itself an official agency of the Italian Government. Every member of this Party pledges himself to obey implicitly and without question the orders of Il Duce and of his representatives. The oath of membership taken by its members of the Fascio reads as follows (translation):

"I swear to execute without discussion the orders of il Duce and to serve with all
my strength and if necessary with my blood the cause of the Fascist Revolution."

Item 5, The Committee feel that members of the Fascio of Italian nationality are clearly "dangerous persons" who should not be left at large in the time of war. They, therefore, recommend the immediate arrest of the persons whose names and addresses are listed in Appendix I to this report.

Item 6, The position of naturalized Canadians who are members of the Fascio is anomalous in time of peace — in time of war it is inevitably suspect, for the conflict of loyalties between the oath taken on naturalization and the oath of membership in the Fascio cannot be honestly reconciled. Despite this fact the Committee, believing that many naturalized Canadians, members of the Fascio, are not at heart disloyal to this country, do not feel that it would be in the public interest to recommend their immediate arrest on the outbreak of war on the ground of their membership of the Fascio unless this prima facie evidence of disloyalty is reinforced by corroborative proof from his past conduct that the person in question is likely to act in a manner prejudicial to the public safety.

Item 7, After examining the individual records of the activities of all the most prominent members of Canadian nationality of Fascist organizations in Canada, we have decided to recommend the immediate arrest only of those persons whose names and addresses are listed in Appendix II.

Item 8, The Committee believe that the foregoing recommendations constitute a minimum list which will have to be lengthened in the light of investigations now in progress. At the same time it will be borne in mind that it is possible that some of the persons whose precautionary arrest is herewith recommended may safely be released under suitable sureties of good conduct if subsequent enquiries establish that they should no longer be regarded as "dangerous persons".

Item 9, At the same time, the Committee recommend that all other members of the Fascio of Canadian nationality be ordered to report forthwith for examination and registration by the local representatives of the R.C.M.Police. They should be asked to account for their conduct and required to submit to such restrictions on their movements, communications with other persons, etc., as may appropriately be imposed in accordance with the provisions of Regulation 21 of the Defence of Canada Regulations. Appendix III contains the names and addresses of a number of naturalized Canadians and others believed to be members of the Fascio to which such order should immediately apply.

Item 10, It is recognized that many Canadians of Italian origin may have joined the Fascio without enthusiasm and under various forms of social pressure and that such persons may in the event prove themselves to be well disposed toward Canada in wartime. The Committee feel, nevertheless, that it should be strongly impressed on such persons that their own unguarded conduct has put them in this position of probation and given their fellow citizens reasonable grounds for doubting their loyalty to this country.

Item 11, In line with the recommendation submitted in paragraph 10 of their report of the 3rd September, dealing with naturalized Canadians of German origin, the Committee venture to recommend that steps should be taken to investigate the status under the Naturalization Act of all Canadian citizens of Italian origin whose conduct since their naturalization has been such as to warrant their apprehension under Regulation 21 of the Defence of Canada Regulations. If enquiry confirms that such persons should be detained during wartime, it is felt that proceedings should be taken to revoke their naturalization with a view to effecting their deportation from Canada on the close of hostilities."

Courtesy National Archives of Canada / Archivi Nazionali del Canada

RCMP letter identifies suspected fascists / Una lettera della RCMP identifica sospetti fascisti

Charlie Penway, Louis Rosse, W.G. Ruocco, Jack Tonelli, and Luciano Zanon. After submitting a five-point proposal, Branca stated that the time had come for Italian Canadians to declare publicly their loyalty to Canada. Moreover, he asked those who were influential within the Italian Canadian mutual aid societies to ask their leaders to support the proposal and to endorse the formation of an anti-fascist organization.

Culos responded quickly by convening a meeting of the Sons of Italy executive. The Branca proposal was put forward, discussed, and approved. It became a matter of record that Vancouver's oldest mutual aid society was officially in support of the objectives of the Canadian Italian War Vigilance Association.

l'internamento"; l'Appendice II conteneva i nomi di "Importanti iscritti al Fascio naturalizzati di cui si raccomanda l'internamento"; e l'Appendice III elencava "Importanti iscritti al Fascio naturalizzati di cui si raccomanda l'interrogatorio".

Mentre la macchina da guerra italiana si preparava allo scontro, Angelo Branca convocò un incontro nel suo ufficio legale per martedì 4 giugno 1940, invitando vari rappresentanti delle società italocanadesi di mutuo soccorso di Vancouver. Era presente anche un certo numero di uomini d'affari italiani che non avevano legami particolari con alcuno dei gruppi organizzati. Branca presiedette l'incontro cui parteciparono Pete Angelotti, W. (Bill) Berardino, Alberto Boccini, Carlo Casorzo, Marino Culos, Nick Di Tomaso, Paul Girone, Luigi Giuriato, Louis Graziano, Sam Minichiello, Joe Nadalin, Charlie Penway, Louis Rosse, W.G. Ruocco, Jack Tonelli e Luciano Zanon. Dopo aver sottoposto una proposta in cinque punti, Branca dichiarò che era arrivato il momento per gli italocanadesi di dichiarare pubblicamente la loro fedeltà al Canada. Inoltre, chiese a coloro che avevano influenza all'interno delle società italocanadesi di mutuo soccorso di chiedere ai loro dirigenti di sostenere la proposta e di appoggiare la formazione di una organizzazione antifascista.

Culos rispose velocemente convocando un incontro dell'esecutivo dei Figli d'Italia. La proposta di Branca fu presentata, discussa e approvata. Fu messo agli atti che la più vecchia società di mutuo soccorso di Vancouver sosteneva ufficialmente gli obiettivi della Associazione Canadese-Italiana di Vigilanza sulla Guerra.

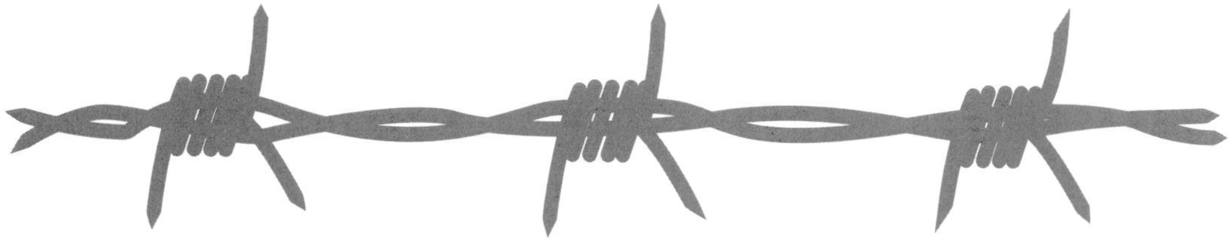

CHAPTER FOUR

Monday, June 10, 1940

CAPITOLO QUARTO

Lunedì 10 giugno 1940

Tensions mount in the senior diplomatic offices in Paris and London as their respective government's ambassador is summoned to the Chigi Palace in Rome. At precisely 4:00 p.m., M. Francois-Poncet is presented to Count Galeazzo Ciano, Italy's Foreign Minster and Mussolini's high profile son-in-law. Within minutes the French Ambassador is delivered the much-feared truth: a state of war exists between Italy and France. He is told that a public announcement will be made within two hours.

While Francois-Poncet communicates the dire news to Premier Paul Reynard, the British Ambassador is ushered into Ciano's office. Given the much anticipated news, Sir Percy Loraine, a long-serving career diplomat, quickly exits Ciano's chambers to file an official dispatch to 10 Downing Street. Winston Churchill, the recently appointed Prime Minister of the United Kingdom, sanctions a secret communiqué to be relayed to the Dominions. The Commonwealth leaders are apprised of Mussolini's declaration of war against the UK and France and given details of the impending public announcement. A flurry of security activity ensues. The weakened but still formidable force of the British Empire readies itself for the impending fray.

With the requisite complicity of His Majesty King Victor Emmanuel III of the House of Savoy regarding Italy's entry in the war on the side of Germany, Mussolini steps onto the balcony of the Palazzo Venezia in Rome. He is greeted by the adulatory and deafening cheers of thousands of supporters lining the streets below. Driven by ego, self-aggrandizement and opportunism, Il Duce addresses his people. With hands firmly gripped to the waist belt of his military uniform and with

La tensione sale negli uffici della diplomazia a Parigi e Londra quando i rispettivi ambasciatori vengono convocati a Roma, a Palazzo Chigi. Alle 16:00 in punto Francois-Poncet incontra il conte Galeazzo Ciano, ministro degli Esteri italiano e potente genero di Mussolini. In cinque minuti all'ambasciatore francese viene comunicata la tanto temuta verità: tra Italia e Francia esiste uno stato di guerra. Gli viene detto che due ore più tardi ne sarà dato pubblico annuncio. Mentre Francois-Poncet riporta al suo primo ministro Paul Reynard la disastrosa notizia, l'ambasciatore britannico viene fatto entrare nell'ufficio di Ciano. Ricevuta la notizia a lungo attesa, Sir Percy Loraine, diplomatico con anni di servizio alle spalle, lascia rapidamente le stanze di Ciano per inoltrare un dispaccio ufficiale a Downing Street. Winston Churchill, nominato da poco primo ministro del Regno Unito, autorizza un comunicato segreto da trasmettere ai dominion. I leader del Commonwealth vengono informati della dichiarazione di guerra di Mussolini contro Gran Bretagna e Francia e dei dettagli del suo imminente annuncio pubblico. Subito scatta un turbine di misure di sicurezza. L'impero britannico raccoglie le sue forze, indebolite ma pur sempre possenti, preparandosi alla lotta.

Con il necessario consenso di re Vittorio Emanuele III di Savoia all'entrata in guerra dell'Italia a fianco della Germania, Mussolini esce sul terrazzo di Palazzo Venezia. Lo salutano acclamazioni adulatorie e assordanti di migliaia di sostenitori che riempiono le strade sottostanti. Ego, autocelebrazione e opportunismo guidano il duce mentre si rivolge alla sua gente. Con le mani saldamente agganciate al cinturone dell'uniforme militare e il mento proteso, Mussolini inizia

chin firmly raised, Mussolini begins his harangue, "Soldiers, sailors, and aviators! Black shirts and legions of the revolution! Men and women of Italy, of the Empire, and of the kingdom of Albania! Pay heed! An hour appointed by destiny has struck in the heavens of our fatherland."

He continues by announcing that a declaration of war has been communicated to Great Britain and France. To shouts of *"Duce, Duce, Duce,"* he vilifies Italy's former allies by referring to them as "the plutocratic and reactionary democracies of the west that have hindered the advance and often endangered the very existence of the Italian people."

Gesticulating in almost comic fashion, Mussolini enjoins the cheering and captivated crowd with, "People of Italy! Rush to arms and show your tenacity, your courage, your valour!"

It is 6 p.m. in Rome, 12 noon in Ottawa and 9 a.m. in Vancouver, as the impact of the infamous pronouncement begins to resonate around the globe. In Canada, squads of RCMP officers are dispatched with military precision simultaneously in major centres throughout the country. Their mission: to apprehend and render incommunicado all known Italian fascist sympathizers.

In Prime Minister William Lyon Mackenzie King's retaliatory speech, he states in part, "The Minister of Justice has authorized the Royal Canadian Mounted Police to take steps to intern all residents of Italian origin whose activities have given grounds for the belief or reasonable suspicion that they might in time of war endanger the safety of the State or engage in activities prejudicial to the prosecution of the war." He also referred to Canada's state of preparedness by saying, "The preparation for these and other necessary steps had been made well in advance of the declaration of war."

Other world leaders also condemned Mussolini's pronouncement which, as it happened, was delivered the day Norway surrendered to Germany. Franklin Delano Roosevelt, President of neutral United States of America during his commencement address at the University of Virginia, uttered his now famous remarks. In condemning Mussolini for his cowardly action, the President's words were emphatic, "On this

la sua arringa: «Combattenti di terra, di mare e dell'aria. Camicie nere della rivoluzione e delle legioni. Uomini e donne d'Italia, dell'Impero e del Regno d'Albania. Ascoltate! Un'ora segnata dal destino batte nel cielo della nostra patria».

Annuncia quindi che la dichiarazione di guerra è stata comunicata a Francia e Gran Bretagna. Mentre risuonano acclamazioni di «Duce, Duce, Duce» diffama i vecchi alleati, definendoli «le democrazie plutocratiche e reazionarie dell'Occidente, che, in ogni tempo, hanno ostacolato la marcia, e spesso insidiato l'esistenza medesima del popolo italiano».

Quasi comico mentre gesticola, Mussolini esorta la folla rapita ed esultante: «Popolo italiano! Corri alle armi, e dimostra la tua tenacia, il tuo coraggio, il tuo valore!».

A Roma sono le sei del pomeriggio, a Ottawa mezzogiorno, a Vancouver le nove di mattina quando l'impatto del famigerato discorso inizia a risuonare in tutto il mondo. In Canada, agenti della RCMP entrano simultaneamente in azione con precisione militare nei maggiori centri del paese. Il loro mandato è di arrestare e isolare tutti gli italiani simpatizzanti fascisti.

Nel suo discorso di risposta, il primo ministro William Lyon Mackenzie King afferma: «Il ministro della Giustizia ha autorizzato la Reale Polizia a Cavallo del Canada a procedere all'internamento di tutti i residenti di origini italiane le cui attività facciano ritenere o ragionevolmente sospettare che, in caso di guerra, possano mettere a rischio la sicurezza dello Stato o prendere parte ad attività pregiudizievoli per la prosecuzione della guerra». Fa riferimento anche allo stato di allerta del Canada: «I preparativi per questo e altri passi necessari sono stati fatti ben prima della dichiarazione di guerra».

Anche altri leader mondiali condannarono la dichiarazione di Mussolini, che coincise proprio con il giorno in cui la Norvegia si arrese alla Germania. Franklin Delano Roosevelt, presidente dei neutrali Stati Uniti, tenne un discorso ormai storico all'Università della Virginia in occasione della cerimonia di consegna dei diplomi. Scelse parole forti per condannare la vigliaccheria di Mussolini: «In questo

Brancucci orders files incinerated

Brancucci ordinò di distruggere gli archivi

Mussolini declares war on France and Britain / Mussolini dichiarò guerra a Francia e Gran Bretagna

tenth day of June 1940, the hand that held the dagger has struck it into the back of its neighbour."

In the early hours of Monday, June 10th, scores of RCMP officers swooped down on a number of unsuspecting BC Italians at their homes or places of work. With dramatic and lightening precision they rendered the suspected *Fascio* "enemy aliens" into custody. The RCMP also made contact with Marino Culos in his capacity as president of the Sons of Italy Society. Culos was required to forfeit the Society's official minute books, membership lists and other club documents. In addition, the police instructed him to inform the society's membership that no large organized gatherings, meetings or festivities were to take place while a state of war existed between Canada and Italy. Culos complied fully with these dictates.

Cav. Dott. Giuseppe Brancucci, Royal Vice-Consul, was late in arriving at his office that morning – indeed a rare occurrence. He had heard of Mussolini's declaration of war through diplomatic sources in Ottawa. Bursting into the office and with his face inflamed with rage, he exclaimed to a startled staff, *"Siamo in guerra!"*

"We are at war," sounded a bit odd to Nellie Pitton, Brancucci's 20-year-old secretary. "Of course, we were at war ... with Germany," she recalled thinking at the time. As Brancucci shouted orders, Nellie instantly understood the gravity of the situation in which she found herself. Although a Canadian Italian loyal to her adopted country, there appeared no escape from the dilemma now being foisted upon her.

Excitedly shouting instructions to his employees, Brancucci began systematically to cull personal papers from folders in his filing cabinet. Grace Fabri, an office clerk, went about collecting the documents he wanted destroyed. She was assisted in this endeavour by Cleofe Forti, who gathered diplomatic papers, *Fascio* membership lists and other consular files. The staff worked feverishly, transporting cartons of sensitive papers via the elevators to the sub-floor furnace room of the Marine Building, 355 Burrard Street. The copious files which were fed into the furnace burned furiously. This absolutely astonishing and

10 giugno 1940, la mano che teneva il pugnale ha colpito alla schiena il proprio vicino».

Nelle prime ore di lunedì 10 giugno, decine di agenti della RCMP piombarono su ignari canadesi di origine italiana, nelle loro case o sul posto di lavoro. Con precisione fulminea presero in custodia i sospetti nemici fascisti. La RCMP si mise anche in contatto con Marino Culos, presidente della Società dei Figli d'Italia. A Culos fu intimata la consegna di tutti i verbali della Società, degli elenchi degli iscritti e di altri documenti sociali. Inoltre la polizia gli ordinò di informare i membri che nessuna assemblea, incontro o festeggiamento organizzati dovevano aver luogo mentre esisteva uno stato di guerra tra Canada e Italia. Culos si attenne scrupolosamente agli ordini.

Il viceconsole Giuseppe Brancucci quel mattino arrivò tardi in ufficio, fatto piuttosto insolito. Aveva saputo della dichiarazione di guerra di Mussolini tramite fonti diplomatiche di Ottawa. Piombò in ufficio con il volto paonazzo di rabbia ed esclamò ai dipendenti allibiti: «Siamo in guerra!»

«Siamo in guerra» suonava strano alle orecchie di Nellie Pitton, la segretaria ventenne di Brancucci. «Certo che eravamo in guerra... con la Germania», ricorda di aver pensato all'epoca. Mentre Brancucci impartiva ordini, Nellie comprese all'istante la gravità della situazione in cui lei si trovava. Benché fosse un'italocanadese fedele al suo paese d'adozione, sembrava che non ci fosse via d'uscita al dilemma che ora le si presentava.

Mentre sbraitava istruzioni al personale, Brancucci iniziò a selezionare sistematicamente i documenti personali dalle cartelle del suo archivio. Grace Fabri, impiegata, raccoglieva tutti i documenti che dovevano essere distrutti. Cleofe Forti la assisteva nell'impresa, raccogliendo incartamenti diplomatici, elenchi di iscritti al Fascio e altri documenti consolari. I dipendenti lavoravano febbrilmente per trasportare con l'ascensore cartoni di dati sensibili fino alla stanza del bruciatore nell'interrato del Marine Building, al 355 di Burrard Street. I numerosi documenti avvampavano furiosamente nel bruciatore.

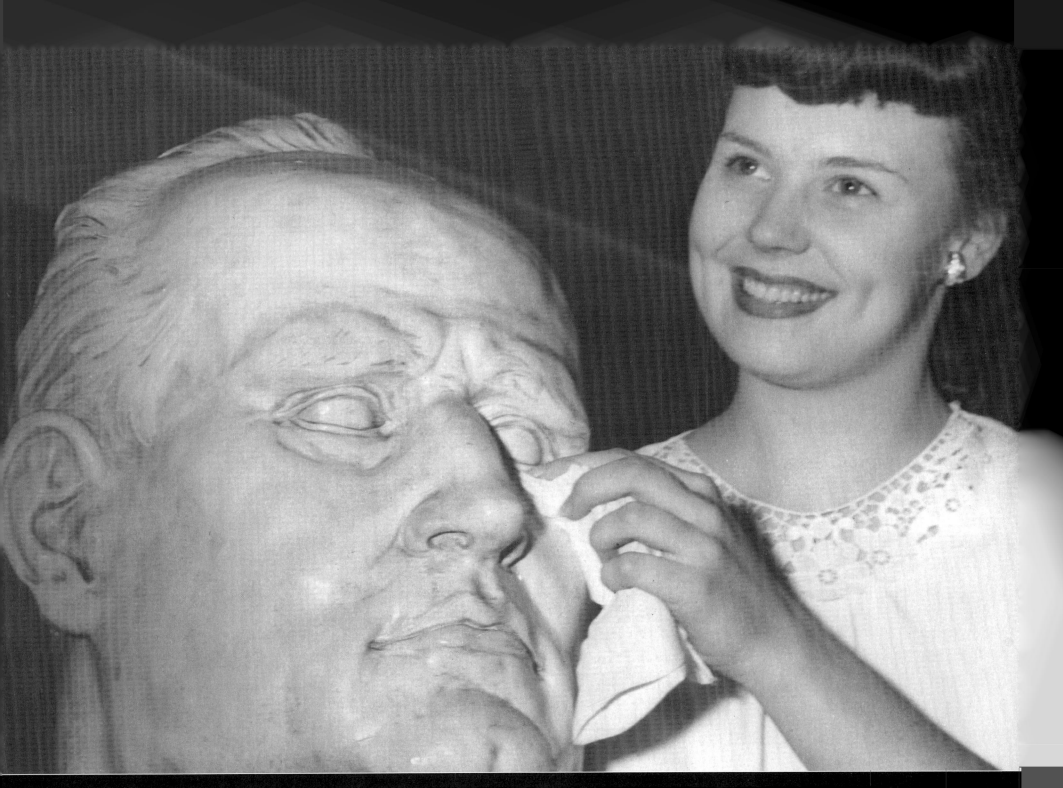

(rega)

bizarre activity continued until the RCMP arrived and confiscated the remainder of the documents.[10]

"We kept going down in the elevator from our 17th floor office," recalled Nellie Cavell. "I was mortified. Trip after trip with all these boxes of papers, putting them into the furnace. I recall very well being in the Marine Building and we burnt as much as we could until the RCMP came. They impounded everything, and I had had my eye on the Olivetti electric typewriter which was the first of its kind. And during the time of the fuss, all I could think of was the typewriter. I don't know where it went, but it was the first Olivetti electric typewriter here in Vancouver."

Just after the dinner hour that night, an estimated 300 Canadian Italians started to assemble in the grand hall of the Silver Slipper Hall a.k.a. Hastings Auditorium, 824 East Hastings Street. They had been invited by the executive committee of the Canadian-Italian Vigilance Association whose table officers included Angelo Branca, Marino Culos, Charles Penway and Louis Rosse. The timing of this meeting, which would prove to be an important historic occasion for Vancouver's Italian community, was completely coincidental to Italy's declaration of war.

Angelo Branca, the Association's founder and interim-president, delivered a stirring keynote speech. He was followed by Culos, who made an impassioned plea for unity. Branca's remarks were reported in the press as follows: "Today an event, that shocked the world by the depths of its perfidious cowardice, happened – the declaration of war on the part of an arch-coward and his blind and senseless followers against our country," declared Mr. Branca. "He has, against the advice of the Holy Father, the Pope, cast the lot of a homogeneously Catholic people with the lot of one who has forbidden them their freedom of worship, denied them their God and repudiated Christian teaching. He has desecrated the memory of those hundreds of thousands of Italians

Quell'attività incredibile e bizzarra continuò fino all'arrivo della RCMP che confiscò le restanti carte.[10]

«Dal 17° piano era un continuo viavai in ascensore. Ero mortificata» ricorda Nellie Cavell. «Viaggio dopo viaggio con gli scatoloni di carte da buttare nel bruciatore. Ricordo bene quel giorno al Marine Building, bruciammo quanto più possibile finché non arrivò la RCMP. Confiscarono tutto e io tenevo d'occhio l'Olivetti elettrica, la primissima di quel tipo. In tutto quel trambusto riuscivo a pensare solo alla macchina da scrivere. Non so che fine abbia fatto, era la prima Olivetti elettrica qui a Vancouver».

Quella sera stessa, dopo l'ora di cena, circa trecento italo-canadesi iniziarono a riunirsi nella grande sala della Silver Slipper, nota anche come Hastings Auditorium, all'824 di East Hastings Street. Erano stati invitati dal comitato esecutivo dell'Associazione di vigilanza italocanadese che annoverava tra i funzionari Angelo Branca, Marino Culos, Charles Penway e Louis Rosse. Per puro caso l'incontro, che acquistò importanza storica per la comunità italiana di Vancouver, coincise con la dichiarazione di guerra.

Angelo Branca, fondatore dell'associazione e presidente ad interim, tenne una relazione appassionata, seguita da un veemente appello di Culos a restare uniti. Le parole di Branca vennero riportate dai giornali: «Oggi è accaduto un evento che ha scosso il mondo per gli abissi della sua perfida viltà: la dichiarazione di guerra contro il nostro paese da parte di un arcicodardo e dei suoi seguaci ciechi e stolti», dichiarò Branca.

«Contro l'avviso del Santo Padre, il Papa, ha legato la sorte di un popolo cattolico con quella di uno che ha proibito la libertà di culto, rinnegato il suo Dio e ripudiato gli insegnamenti cristiani. Ha profanato la memoria di centinaia di migliaia di italiani che, nell'ultima guerra, hanno combattuto fianco a fianco con inglesi e francesi».

---

[10] Also impounded was a bust of Mussolini fashioned by Charles Marega, which is now in the Vancouver Public Library collection.

[10] Fu prelevato anche un busto di Mussolini modellato da Charles Marega che ora appartiene alla collezione della Vancouver Public Library.

Italians required to surrender guns / Italiani cui furono sequestrate le armi

ITALO - CANADESI

La colonia Italo Canadese e' invitata di partecipare ad un adunanza stabilita per Lunedi serra Giugno 10 all Hastings Auditorium alle ore 8 p.m. ·· scoppo di affermare la fedelta del Italo Canadese all Empero Britannico.

Avv. Angelo Branca,
Chairman Pro Tem

Marino Culos
Segretario Pro Tem

Canadian Italian War Vigilance constitution

Atto costitutivo della Canadian Italian War Vigilance Association

Canadian-Italians to pledge allegiance to British Empire

Gli italocanadesi riaffermano la fedeltà all'Impero Britannico

---

JUNE 10th, 1940

(CONSTITUTION)

1. The name of the association shall be:

   CANADIAN-ITALIAN WAR VIGILANCE ASSOCIATION, VANCOUVER, B.C.

2. THAT aims and objects of the association shall be, namely:--

   a. THAT irrespective of the attitude of any possible action of the Italian nation they are solemnly and unequivocally and unchange-ably behind the war efforts of the Canadian and British govern-ments and the Allied cause, and have only one allegiance, and that is to the land of their birth and their adoption--CANADA and the BRITISH EMPIRE.

   b. The said group will endeavour in due course and after proper organization, to give all possible assistance to the authorities with reference to any so-called "fifth column" or other subersive element that may exist against the interests of the Allied cause.

   c. That they will make, or cause to be made, to local authorities full disclosure of organizations existing in the Canadian- Italian colony, the origin and objects and operations of such organizations, the length of time during which they have existed and any other useful information.

   d. The said group will arrange, with or without official supervision if desirable, a city-wide system of registration of Canadian-Italian citizens by birth, naturalization or otherwise, and also of non-naturalized Italians, voluntarily.

3. THERE shall be in the association the following named officers:

   PRESIDENT - chairman, whose duties will be, generally speaking those attributable to a presiding officer at any meeting.
   VICE PRESIDENT - chairman, whose duties it will be to act in the absence of the President, during his illness or his inability to act.
   SECRETARY - whose dutues it will be to keep minutes and records of the meetings, books, records and correspondence.
   TRESURER - whose duties it shall be to take care of all financial transactions in which the association may be involved.
   PUBLICITY COMMITTEE -- Composed of three members whose duty it shall be to give due publicity to all acts of the association.
   MEMBERSHIP COMMITTEE - whose duty it shall be to see that only Canadians of Italian origin who are sincerely desirous of affirming their solemn loyalty to CANADA and the BRITISH EMPIRE be admitted to membership in the association.
   VIGILANTE COMMITTEE - composed of three members whose duty it shall be to search for reasonable reports concerning any anti-British or Anti-Canadian or pro-Facist or pro-Italian elements that may be subersive or inimical to the best interests of Canada, the British Empire or the Allied war efforts of our country and that if con-ditions warrant to make reports to the proper authorities concern-ing these matters.
   WAYS AND MEANS COMMITTEE - whose duties it shall be to develop ways and means to further the aims and objects of the association and particularly to developing ways and means of giving material aid and assistance to the Canadian authorities with reference to the prosecution of the war effort.
   EXECUTIVE COMMITTEE: - the officers and committees aforesaid shall compose the executive committee of the Association whose duty it shall be to make representations touching the acts of the associ-ation generally and to perform the duties assigned to them, and whose lawful duty it shall be to change or modify any regulation herein contained or extend same when notice of any such intention has been placed before the membership and a three-quarter majority of votes shall be sufficient for that purpose.

who, during the last war, fought side by side with the British and French. We beg of Divine Providence, and we hope and trust and believe that Great Britain and France will triumph," concluded Mr. Branca.

Resounding applause followed his address, and it was several minutes before Branca could continue and read communications received for the occasion. The first note was from the Veneta Benevolent Society and another from the Ex-Combattenti – Italian War Veterans' Association. Both messages expressed loyalty to the Crown and accord with the aims and objectives of the Association of Vancouver Canadian-Italian Vigilance. Interestingly, on June 12th the Government of Canada declared the veterans' association illegal.

Following Branca's remarks, the 265 voting members declared unanimously that: "Irrespective of any possible action to be taken by the Italian nation in the present conflict, the Canadian Italians are unequivocally behind the war efforts of the British and Canadian Governments and have sworn allegiance to His Majesty King George VI; that they will endeavour to give all possible assistance to the authorities with reference to any so-called Fifth Column or other subversive elements; that they will make to local authorities full disclosure of any so-called Fifth Column or other subversive elements; that they will arrange a system of registration of Canadian Italians who are British citizens by birth or naturalization and also of non-naturalized Italians, voluntarily; that they will approach the authorities to ascertain all possible ways wherein they may assist federal, provincial and municipal governments." Copies of the resolutions were forwarded to Prime Minister Mackenzie King, BC Premier Duff Pattullo and Vancouver Mayor Lyle Telford.

Branca's Vigilance group had literally rallied around the Canadian flag. In addition to the affirmation of loyalty to King and country, a substantial amount of cash was received. The donations received that night subsequently were given to the Red Cross in support of Canada's war effort.

That same evening, Brancucci and family were closeted incommunicado and under house arrest. At one point, the desperate diplomat telephoned Nellie Pitton at her east-end home on the 300-block of

Invochiamo la Divina Provvidenza e speriamo e confidiamo e crediamo che Gran Bretagna e Francia trionferanno», concluse Branca.

Il discorso fu accolto da applausi fragorosi e solo diversi minuti dopo Branca riuscì a continuare a leggere le comunicazioni ricevute per l'occasione. La prima nota arrivava dalla Società Veneta di Mutuo Soccorso e un'altra dagli Ex Combattenti, l'associazione dei veterani di guerra italiani. Entrambi i messaggi esprimevano fedeltà alla Corona e accordo con gli obiettivi dell' Associazione di vigilanza italo-canadese di Vancouver. Merita notare che il 12 giugno il governo canadese dichiarava illegale l'associazione dei veterani.

Dopo le parole di Branca i 265 membri votanti dichiararono all'unanimità che: «Indipendentemente da ogni possibile azione intrapresa dalla nazione italiana nel presente conflitto, gli italocanadesi sostengono senza esitazioni lo sforzo bellico dei governi inglese e canadese e hanno giurato fedeltà a Sua Maestà Re Giorgio VI; essi faranno tutto il possibile per dare la massima assistenza alle autorità in riferimento ad ogni cosiddetta Quinta Colonna o altri elementi sovversivi; essi forniranno alle autorità locali informazioni su ogni Quinta Colonna o altri elementi sovversivi; essi organizzeranno un sistema di registrazione volontaria degli italocanadesi, cittadini britannici naturalizzati o per nascita, e anche degli italiani non naturalizzati; essi si rivolgeranno alle autorità per accertare tutte le modalità possibili con cui assistere le autorità federali, provinciali e municipali». Copie delle risoluzioni furono inoltrate al primo ministro Mackenzie King, al premier della British Columbia Duff Pattullo e al sindaco di Vancouver Lyle Telford.

Il gruppo di vigilanza di Branca si era letteralmente stretto attorno alla bandiera canadese. Oltre alla dichiarazione di fedeltà al re e al paese, fu raccolta anche una cospicua somma di denaro. Le donazioni ricevute quella sera vennero poi date alla Croce Rossa a supporto dello sforzo bellico canadese.

Quella sera stessa Brancucci e la sua famiglia furono messi in regime di isolamento e agli arresti domiciliari. A un certo punto, disperato, il diplomatico telefonò a casa di Nellie Pitton in Union Street,

Canadian Italian War Vigilance Committee
L. Rosse, J. Branca, A. Branca, C. Penway, unidentified, M. Culos, T. Trasolini

Comitato esecutivo della Canadian Italian War Vigilance Association
L. Rosse, J. Branca, A. Branca, C. Penway, sconosciuto, M. Culos, T. Trasolini

Pledge of Loyalty newspaper advertisement

Inserzione con l'impegno di fedeltà

Canadian Italian War Vigilance Association

EXECUTIVE

CHAIRMAN
A. E. BRANCA

VICE PRESIDENT
LOUIS ROSSE

SECRETARY
MARINO CULOS

TREASURER
CHARLES PENWAY

VANCOUVER
British Columbia

Sept. 7,1940

Dear Member:

JOHN BARBIROLLI, director of the New York Philharmonic Symphony Orchestra, will conduct the Vancouver Symphony Orchestra at the Orpheum Threstre on Sunday, September 15th in the evening.

The services of the famous Conductor and those of the artists have been donated and proceeds from this Concert will be given to the Canadian Red Cross.

The Canadian Italian War Vigilance Association has purchased 100 tickets for the members who wish to hear the Artist's Donation Concert. The tickets will be given free to the first 100 members who call at our office, Suite 402 16 Hastings Street East, on or before Friday, September 13th 1940.

There will be no other obligation expected of our members. The Association has for its aim the support of all or any War Effort. The Association's purchase of the 100 tickets is made possible through its fund. The whole amount will go to the Canadian Red Cross.

Each member is advised to call as soon as possible to get their ticket as the first 100 members to call shall receive same.

The office will be open from 9 a.m. to 5 p.m.

The members are advised also that September dues are payable on the 15th.

Yours truly,

M. CULOS,

Secretary

A. E. BRANCA,
President.

TT

ADDRESS ALL CORRESPONDENCE TO SECRETARY, SUITE 402 HOLDEN BUILDING, 16 E. HASTINGS ST. VANCOUVER, B.C.

Branca's war effort fund raiser letter

Lettera di Branca per la raccolta fondi per lo sforzo bellico

Union Street. He asked that her father Antonio, a cook of some repute, prepare and deliver a meal for his family of four. Brancucci, whose diplomatic status was in tatters, had called Sammy Valente, a partner in the Empress Taxi Company, to arrange for the delivery of the food to his upscale home in Vancouver's prestigious Shaughnessy district. Notwithstanding the dressing down he had been given by the vice-consul two years before, Pitton complied with the request, perhaps in consideration of his daughter Nellie's predisposition toward the Brancuccis. A few days later they secretly made their way to New York. Forti, the director of the Italian language school, eventually turned up in Argentina via the US prior to returning to Italy. However, Brancucci wasn't as fortunate. In October 1942, he was arrested at Yonkers, N.Y., and detained by agents of the FBI.

nell'East End. Chiese al padre Antonio, cuoco di una certa fama, di preparare e consegnare un pasto per la sua famiglia. Brancucci, il cui status diplomatico era ormai in frantumi, aveva chiamato Sammy Valente, un socio della Empress Taxi Company, per organizzare la consegna del cibo presso la sua esclusiva residenza nel distretto di Shaughnessy a Vancouver. Nonostante la ramanzina ricevuta dallo stesso viceconsole due anni prima, Pitton soddisfece la richiesta, forse in considerazione della simpatia della figlia Nellie nei confronti dei Brancucci. Qualche giorno dopo le personae non gratae si recarono clandestinamente a New York. Benché la signora Brancucci avesse parenti a Yonkers, lei, il marito e i due figli cercarono immediatamente rifugio negli uffici consolari italiani. Forti, direttrice della scuola italiana, via Stati Uniti arrivò in Argentina prima di far ritorno in Italia. Tuttavia Brancucci non ebbe altrettanta fortuna. Nell'ottobre del 1942 fu arrestato a Yonkers, nello stato di New York, e trattenuto dall'FBI.

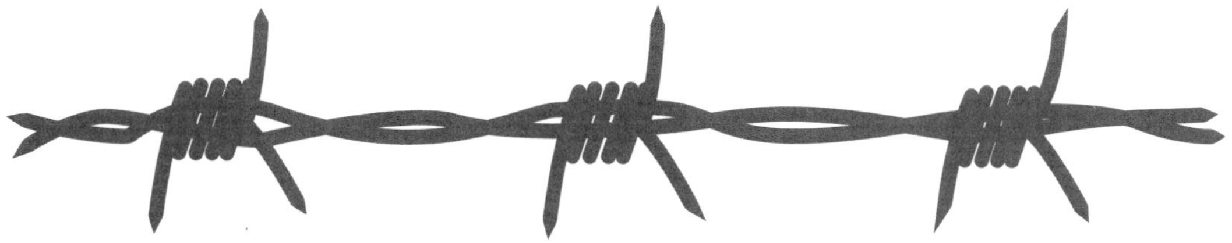

CHAPTER FIVE

Enemy Aliens Apprehended

The Vancouver Italians arrested and detained by the RCMP in the summer of 1940 were alleged members of the Circolo Giulio Giordani. However, included among them were a number of Italian war veterans, nationals and/or immigrants who arrived in Canada during Mussolini's tenure in office. Interestingly, an anomaly existed in the case of Bruno and Attilio Girardi. Although born in Canada, the brothers were known to the RCMP as important members of the *Fascio*. As a result, they were accosted, arrested, denied counsel, and rendered prisoners of war.

Another set of brothers suspected of being *Fascio* members were the Marinos. Giacinto (George) Marino worked at the Vancouver Harbour's Board. As he stepped out of his house on his way to work, he was arrested by the RCMP and whisked away with dispatch. His brother Olivio (Oliver), a foundry worker, had been picked up a few weeks earlier. They were the sons of *Cav.* Carmine Marino and as a result may well have been considered prominent fascists by the police. This rationale appears to have led to a police team decision to conduct a search at the family's East Vancouver home.

In the early light of day on June 10th Mrs. Antonietta Marino, Oliver's wife, stood before the laundry room window separating clothes for the Monday wash. As she momentarily glanced away from her activities, she noticed through the window that three strangers were briskly making their way up to the front entrance of her house. Mrs. Marino scampered down the stairs and promptly opened the door concerned by the unknown. She immediately drew back as one of the men, pressing forward, entered the house demanding to know where her husband's

CAPITOLO QUINTO

L'arresto degli stranieri nemici

Gli italiani di Vancouver arrestati e trattenuti dalla RCMP nell'estate del 1940 erano presunti iscritti al Circolo Giulio Giordani. Tuttavia, tra di loro c'erano veterani di guerra italiani, nativi o immigrati giunti in Canada durante il regime di Mussolini. Anomalo fu il caso di Bruno e Attilio Girardi. Benché nati in Canada, i fratelli erano noti alla RCMP come membri di spicco del Fascio. Furono perciò fermati e arrestati, tenuti privi di assistenza legale e dichiarati prigionieri di guerra.

Altri fratelli sospettati di essere iscritti al Fascio erano i Marino. Giacinto (George) Marino lavorara all'Ente Porto di Vancouver. Fu arrestato e portato via dalla RCMP mentre usciva di casa per andare al lavoro. Il fratello Olivio (Oliver), fonditore, era stato preso qualche settimana prima. I fratelli erano figli del cavalier Carmine Marino e di conseguenza ben potevano essere considerati dalla polizia fascisti di spicco. Fu questa logica, sembra, a portare la polizia alla perquisizione della casa di famiglia nella zona est di Vancouver.

Alle prime luci del giorno di quel 10 giugno, Antonietta Marino, la moglie di Oliver, si trovava di fronte alla finestra della lavanderia per separare i panni per il bucato del lunedì. Alzando gli occhi per un istante vide dalla finestra che tre estranei si dirigevano rapidamente verso l'ingresso di casa sua. La signora Marino si precipitò per le scale e aprì subito la porta, inquieta per quel mistero. Dovette fare un passo indietro quando uno degli uomini si fece strada ed entrò in casa chiedendo dove fosse la scrivania di suo marito. «Tutto qua. "Che scrivania?" chiesi. "Io non ho nessuna scrivania"», ricordò sgomenta la signora Marino.

desk was located. "Just like this. 'What desk?' I say. 'I don't have no desk,'" recalled the startled Mrs. Marino.

Over her protests, another of the still unidentified intruders rummaged through her purse while his two partners searched the house; first the upstairs, then the main floor and finally the basement. Finding no incriminating evidence, they prepared to leave. At the door, one of the policemen stopped and said to Mrs. Marino, "Your husband is a fascist. You won't be seeing him again for a very long time." His words proved prophetic, as it was 22 months before she would see her husband again.

Vincenzo Ricci was also arrested on that fateful Monday. His nephew and namesake Jimmy Ricci, a 12-year-old youngster at the time, has vivid memories of learning of the news. "I was on my way into the house when I realized that my mother was crying as she came down the stairs. 'They've taken Uncle Vincenzo away,' she sobbed. The RCMP arrested my uncle at his home at 531 Victoria Drive. But before being taken away by the police, he left a key to his shoe repair shop for Benny Thomas, who worked for him."

Jimmy Ricci continued, "My uncle was taken away because he was an alien. That's what they said. He could become a problem because he belonged to the Italian society. They didn't come out and say, 'fascist' but they said the Italian society. My uncle was a shoemaker and was happy to be Italian. The only thing he seemed to be guilty of was that he was an Italian Army veteran of World War l, and he came to Canada around 1926. Patsy Valente, who was my uncle's close friend and another veteran, also was sent away. Santo Pasqualini lost his bakery; Leonardo D'Alfonzo was all broken up. He had no family here except his brother. He was just an innocent little guy."

RCMP officers arrived at Santo Pasqualini's home, 834 East Georgia Street, at 2 p.m., exactly five hours after Italy's declaration of war was announced. Upon entering the property they spoke to a young 12-year-old boy sitting on the porch steps. "Where is Mr. Pasqualini?" they asked. The youngster, son of renters living at the Pasqualini residence, took the officers into the house and into the bedroom where Pasqualini lay

Alle sue rimostranze, un altro degli intrusi, che ancora non si erano qualificati, si mise a rovistarle nella borsetta mentre gli altri due perquisivano la casa; prima di sopra, poi il piano terra e infine il seminterrato. Non avendo trovato prove incriminanti si preparavano ad andarsene. Sulla porta uno dei poliziotti si fermò e disse alla signora Marino: «Suo marito è un fascista. Non lo vedrà per un bel po' di tempo». Furono parole profetiche poiché trascorsero ventidue mesi prima che potesse rivedere il marito.

Quel fatale lunedì fu arrestato anche Vincenzo Ricci. Nei ricordi del nipote Jimmy Ricci, all'epoca dodicenne, è ancora vivido il momento in cui apprese la notizia. «Stavo entrando in casa quando mi resi conto che mia madre scendeva le scale piangendo. "Hanno portato via zio Vincenzo"», singhiozzava. La RCMP arrestò mio zio a casa sua, al 531 di Victoria Drive. Ma prima che la polizia lo portasse con sé lasciò una chiave della sua calzoleria da dare a Benny Thomas, che lavorava per lui».

«Mio zio fu portato via perché era uno straniero. Così dissero. Poteva diventare un problema perché faceva parte della società italiana. Non dissero che era un fascista, parlarono solo della società italiana. Mio zio faceva il calzolaio ed era contento di essere italiano. L'unica sua colpa sembrava il fatto di essere un veterano italiano della prima guerra mondiale ed essere arrivato in Canada nel 1926. Anche Patsy Valente, amico intimo di mio zio e veterano come lui, fu portato via. Santo Pasqualini perse il suo panificio; Leonardo D'Alfonzo fu distrutto. Non aveva famiglia qui, solo suo fratello. Era soltanto un innocente qualsiasi».

Gli agenti della RCMP arrivarono a casa di Santo Pasqualini, all'834 di East Georgia Street, alle due del pomeriggio, cinque ore dopo l'annuncio dell'entrata in guerra dell'Italia. Arrivati a casa sua si rivolsero a un ragazzino di dodici anni seduto sui gradini del portico. «Dov'è il signor Pasqualini?» chiesero. Il ragazzo, figlio di inquilini della casa di Pasqualini, fece entrare in casa gli agenti fino alla stanza in cui dormiva Pasqualini. Era rimasto là fin da quando era rientrato dal turno di notte nel suo panificio, a pochi passi da casa.

Cirillo Braga

Antonio Cianci

Frank Comparelli

Alemando Fabri

E. Victor Fabri

Gregorio Fuoco

Mario Ghislieri

Bruno Girardi

W.G. (Willie) Ruocco

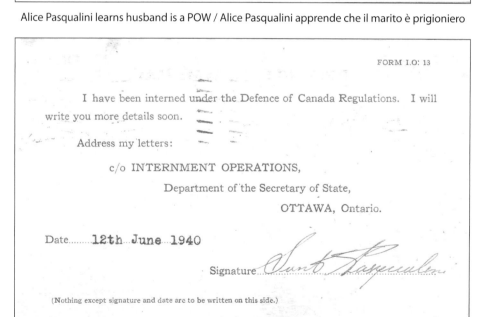

PRISONER OF WAR MAIL

FREE

(THIS SIDE FOR ADDRESS ONLY)

JUN 13
8 PM
1940
B.C.

Mrs. Alice Pasqualini

834 East Geogia Street

Vancouver

British Columbia

FOR DELIVERY IN CANADA ONLY

Alice Pasqualini learns husband is a POW / Alice Pasqualini apprende che il marito è prigioniero

FORM I.O: 13

I have been interned under the Defence of Canada Regulations. I will write you more details soon.

Address my letters:

c/o INTERNMENT OPERATIONS,

Department of the Secretary of State,

OTTAWA, Ontario.

Date......12th June 1940

Signature......

(Nothing except signature and date are to be written on this side.)

POW status sent by open postcard / Le informazioni sulla prigionia arrivano via cartolina postale

asleep. He had been there since returning from his night-shift at the bakery he owned, located within walking distance of his home.

That day, as was her regular routine, Alice Pasqualini had gone down to the Paris Bakery after her husband's shift to handle retail sales until closing time. When Santo failed to pick her up, she became anxious and hurried home on her own. When she got there she was greeted at the door by Louisa, her boarder, who informed her that Santo had been arrested and taken away. With no relatives in Canada other than her own family, and with limited English, Alice became distraught. In desperation, she literally ran the two block distance to the home of Marino and Phyllis Culos. The Culos' realized that Alice was confused, emotional and desperate; they consoled and counselled her while assuring her that they would do what they could to help.

Fortunately, Pasqualini had been allowed to send a form-letter postcard to his wife. It was dated June 12th, and simply stated that he would write to her soon. Actually, he and his associates had been incarcerated in cells situated on the upper floor of the Canadian Immigration Building located behind the Marine Building. Once Culos understood this, he systematically began the process of petitioning Canadian authorities in an effort to gain information about Santo's status.

At first opportunity, Alice and her two children set out for the Canadian Immigration Building. Alice and six-year-old Lina walked the four kilometres, while three-year-old Lino rode his tricycle alongside. En route they were joined by four or five Italian women with the same purpose and destination in mind.

Standing on the platform across from the Immigration Building, Alice caught a glimpse of her husband. Santo waved to his wife and children from behind a second-floor window. Emotion overwhelmed young Lina. Waving and calling to her father she darted to the building's entrance in an attempt to reach him. But she was prevented from doing so by a rifle-toting security guard. The tears which streamed down this innocent child's face were symptomatic of a tragedy which would forever haunt her dreams.

Quel giorno, come al solito, Alice Pasqualini era andata al panificio Paris dopo il turno del marito per gestire la vendita al dettaglio fino alla chiusura. Quando Santo non passò a prenderla corse preoccupata verso casa. Là fu accolta da Louisa, l'inquilina, che la informò dell'arresto di Santo. Senza neanche un parente in Canada a parte la sua stessa famiglia e con una conoscenza molto limitata dell'inglese, Alice ne fu sconvolta. In preda al panico fece di corsa i due isolati che la separavano dalla casa di Marino e Phyllis Culos. I Culos si resero conto che Alice era disorientata, agitata e disperata; la consolarono e le diedero qualche consiglio, assicurandole che avrebbero fatto tutto il possibile per aiutarla.

Per fortuna a Pasqualini fu concesso di inviare una cartolina prestampata alla moglie. Portava la data del 12 giugno e diceva solo che le avrebbe scritto presto. In realtà, lui e gli altri erano stati incarcerati nelle celle al piano superiore del Canadian Immigration Building, dietro al Marine Building. Non appena Culos se ne rese conto, avviò sistematicamente la pratica per ottenere dalle autorità canadesi informazioni sulla posizione di Santo.

Alla prima occasione Alice e i suoi due figli si avviarono verso il Canadian Immigration Building. Alice e Lina, la figlia di sei anni, fecero quattro chilometri a piedi mentre Lino, tre anni, le seguiva sul triciclo. Strada facendo si unirono a loro quattro o cinque altre donne italiane con in mente lo stesso obiettivo e la stessa destinazione.

In piedi sul marciapiede opposto all'Immigration Building, Alice intravide suo marito. Santo salutò la moglie e i figli da una finestra del secondo piano. L'emozione si impadronì della piccola Lina. Salutò e chiamò suo padre lanciandosi verso l'ingresso dell'edificio per cercare di raggiungerlo, ma una guardia armata di fucile glielo impedì. Le lacrime che bagnavano il viso di quell'innocente erano il sintomo di una tragedia che avrebbe per sempre abitato i suoi sogni.

La fugace apparizione del padre che la salutava da dietro le sbarre della finestra fu l'ultima per venticinque mesi. Santo e gli altri uomini catturati nell'ondata iniziale di arresti rimasero in cella per settimane. Il sovraffollamento obbligava alcuni, tra cui Santo, a fare i turni per

Lina and Lino Pasqualini sent this photo to their dad in Kananaskis, Christmas 1940

Lina e Lino Pasqualini inviarono questa foto al loro papà a Kananaskis nel Natale del 1940

Alice & Santo Pasqualini

The brief glimpse of her father waving from behind the bars of the window was the last she would see of him for 25 months. Santo and the other men rounded up in the initial wave of arrests remained incarcerated in their cells for weeks. Overcrowded conditions required that some of the men, including Santo, take turns sleeping on the floor. Once expansion of facilities at the Kananaskis Internment Camp was complete, those in custody were transferred.

In the meantime, Alice became increasingly agitated. Her inexperience in business contributed to the bankruptcy of the Paris Bakery. It also signalled the end of the family's only source of income. Desperate and disillusioned, she suffered a nervous breakdown and was hospitalized.

The Zanon family, who lived around the corner from Alice, rushed to her aid. Others did so as well, including the Luigi Moretto and John Scodeller families of Woodfibre, BC. Deprived of both parents, Lina and Lino were taken in by friends who cared for them during the interim.

Culos worked assiduously in an attempt to convince authorities that Santo's place was with his wife and children. His appeal to the Minister of Justice requesting Santo's release failed to impress. In conjunction with this endeavour, he collaborated with Angelo Branca, Dr. Paul Ragona and Rev. Fr. Gioacchino Bortignon in protesting Alice's hospital care, as the poor woman had been strapped to a bed in the hospital's psychiatric ward. In addition, Culos continued his efforts to negotiate with a number of creditors vying for the remaining business assets of the once thriving Paris Bakery.

One of 23 letters written by Culos relative to Pasqualini's internment status and business problems is dated June 8, 1942. It is addressed to the Deputy Minister of Justice in Ottawa and reads as follows:

> Re: Santo Pasqualini (40-257). Once again, I wish to ask of you a favour. This time my reason is to avert probable serious consequences in the home of Mr. Pasqualini.

dormire sul pavimento. Quando l'allargamento degli impianti al campo di prigionia di Kananaskis fu completo, i detenuti furono trasferiti.

Nel frattempo Alice era sempre più preda del panico. La sua mancanza di esperienza negli affari contribuì alla bancarotta del panificio Paris, il che segnò la fine dell'unica fonte di reddito della famiglia. Disperata e delusa, ebbe un esaurimento nervoso e fu ricoverata in ospedale.

La famiglia Zanon, che viveva praticamente dietro l'angolo, corse in suo aiuto. Anche altri si prestarono, tra cui le famiglie di Luigi Moretto e di John Scodeller da Woodfibre, nella Columbia Britannica. Privati di entrambi i genitori, Lina e Lino in quel periodo furono accolti da amici che si presero cura di loro.

Culos lavorò assiduamente nel tentativo di convincere le autorità che il posto di Santo era con moglie e figli. Il suo appello al ministero di giustizia per richiedere il rilascio di Santo non produsse alcun esito. Oltre ai suoi sforzi personali in merito, collaborò anche con Angelo Branca, col dottor Paul Ragona e con padre Gioacchino Bortignon per protestare contro il trattamento riservato ad Alice, legata al letto nel reparto psichiatrico dell'ospedale. Inoltre Culos continuò a trattare coi creditori che si contendevano quel che restava dei beni di quella che un tempo era il florido panificio Paris.

Una delle ventitré lettere scritte da Culos riguardo alla detenzione e ai problemi finanziari di Pasqualini porta la data dell'8 giugno 1942. È indirizzata al viceministro della giustizia di Ottawa e recita:

> *Con riferiemnto a Santo Pasqualini. Sono di nuovo a chiedervi una cortesia. Questa volta il motivo è evitare possibili gravi conseguenze in casa del Sig. Pasqualini».*
>
> *Martedì 28 aprile, la commissione consultiva ha ascoltato le testimonianze in favore del Sig. Pasqualini. Finora, la Sig.ra Pasqualini non ha saputo nulla dalla commissione».*
>
> *Il Sig. Pasqualini è panettiere di professione e il suo reddito proviene dalla gestione di un panificio a Vancouver. Quando le autorità l'hanno arrestato e poi internato, la Sig.ra Pasqualini*

On Tuesday, April 28, the Advisory Committee heard testimonies in favour of Mr. Pasqualini. To this date, Mrs. Pasqualini has not heard anything from the Committee.

Mr. Pasqualini is a baker by trade and made his living by operating a bakery in Vancouver. When the authorities placed him under custody and later when interned, Mrs. Pasqualini did her best to carry on the business. It soon got the best of her and her health broke down. The business was closed. She has been under the doctor's care almost continually since then. A few days ago she suffered a relapse. The worry and nervous strain caused by the detention of her husband and the fact that she knows that the majority of internees have been released has created a most difficult mental depression as well as physical suffering. The enclosed Doctor's certificate will bear witness to her condition.

She is taking care of two small children. What has to be done with them if she should be taken to the hospital is a very serious problem. How long she will take to snap out of it and get well is something difficult to determine. No relatives live here."

Culos continued by expressing the view that if Santo could be home to assist with the care of his wife and children, Mrs. Pasqualini's health would surely improve. He concluded with: "Sir, I do not know exactly what Mr. Pasqualini has done, however, this much I can assure you of - he is an honest, hard worker who loves his wife and children. What more can I honestly say!

"I beg of you to recommend the speedy consideration of his case to the Advisory Committee which heard the testimonies from seven persons in Vancouver and to forward a letter so that it may help to further show that his release will be a Godsend and that it may save Mrs. Pasqualini from a most complicated and grievous situation."

ha fatto del suo meglio per portare avanti l'azienda, che ben presto ha avuto la meglio su di lei e le ha rovinato la salute. L'azienda ha chiuso. Da allora è stata quasi continuamente in cura. Qualche giorno fa ha sofferto di una ricaduta. Le preoccupazioni e la tensione nervosa causate dalla reclusione del marito e dall'essere a conoscenza che la maggior parte degli internati è tornata libera le hanno causato una forte depressione accompagnata da sofferenza fisica. Il certificato medico accluso testimonia delle sue condizioni».

Si occupa di due bambini piccoli. Cosa fare di loro se dovesse essere ricoverata in ospedale è un problema serio. Quanto tempo occorrerà perché ne esca e si riprenda è difficile da determinare. Nessun parente vive qui».

Culos continuò esprimendo il parere che se Santo fosse tornato a casa a prendersi cura di moglie e figli, la salute della sig.ra Pasqualini sarebbe sicuramente migliorata. Concluse così: «Signore, non so esattamente cosa abbia fatto il sig. Pasqualini, tuttavia le posso assicurare una cosa: è un lavoratore onesto e instancabile che ama la moglie e i figli. In tutta sincerità, cosa posso dire di più?».

«Vi prego di raccomandare un rapido esame del suo caso alla commissione consultiva che ha ascoltato sette testimoni a Vancouver, e di inoltrare la presente per mostrare come il suo rilascio sarebbe un dono del cielo che potrebbe salvare la sig.ra Pasqualini da una situazione molto complicata e penosa».

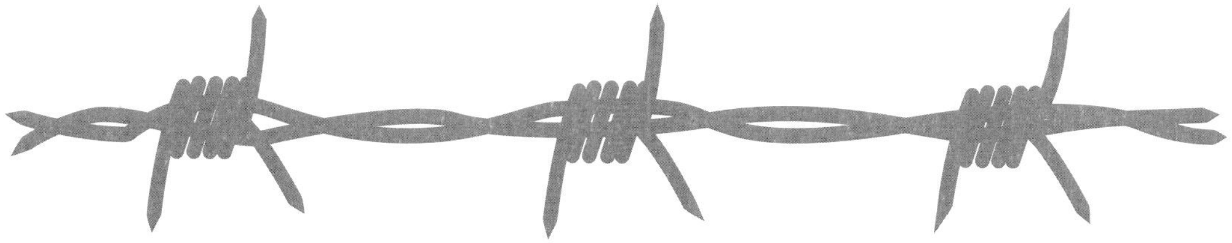

CHAPTER SIX

Second Group of Internees to Kananaskis

The second wave of internees included 27 year-old Erminio (Herman) Ghislieri. He and his brother Fred were among 18 men ushered aboard a special CPR train on a warm summer's night in 1940. The group, transferred from the Immigration Building in Vancouver, also was destined for the interment camp located near Banff, Alberta.

Like the enemy aliens who had made the journey less than two months earlier, Ghislieri and his associates were confined to specific Pullman cars and fettered to their seats for part of the trip. In spite of their anger and frustration, an air of guarded optimism prevailed. As the whistle signalled departure, the train chugged slowly through the rail yards and along the southern exposure of Vancouver's Burrard Inlet. Ghislieri made a concerted effort to clear his mind of the events surrounding this most bizarre experience. His thoughts turned to the exciting prospect of how he and his brother soon would be reunited with their father already behind barbed wire at the POW camp.

The stop at Seebe, Alberta, was a brief one. In chain-gang formation, the men stepped off the train and climbed onto waiting military trucks. Although the 11-kilometre ride to the camp was uneventful, Herman felt a sense of exhilaration at seeing the nearby hills on which he had often skied during the time he was employed at the Banff Hotel.

It was 10 a.m. as they approached the gates to their forced exile in the majestic mountainous expanse of the Rockies. The detention facility presented quite an imposing site: high barbed wire fences, search lights, armed guards. The high level of anxiety felt by the new inmates was somewhat diminished, as the army vehicles neared the gates. They were

CAPITOLO SESTO

Il secondo gruppo di internati a Kananaskis

Della seconda ondata di internati faceva parte anche il ventisettenne Erminio Ghislieri. Lui e suo fratello Fred erano tra i 18 uomini fatti salire a bordo di un treno speciale delle ferrovie Canadian Pacific una calda sera d'estate del 1940. Anche questo gruppo, in trasferimento dall'Immigration Building di Vancouver, era destinato al campo d'internamento vicino a Banff, in Alberta.

Come gli stranieri nemici che avevano fatto lo stesso viaggio meno di due mesi prima, Ghislieri e gli altri vennero confinati in particolari carrozze Pullman e incatenati ai sedili per parte del tragitto. Nonostante la rabbia e la frustrazione, prevaleva un'atmosfera di cauto ottimismo. Al fischio della partenza, mentre il treno si avviava lentamente attraverso lo scalo ferroviario e lungo la riva meridionale del Burrard Inlet di Vancouver, Ghislieri si sforzò di schiarirsi la mente dagli avvenimenti circostanti questa bizzarra esperienza. Il pensiero gli si rivolse all'eccitante prospettiva dell'incontro col padre, già dietro il filo spinato del campo di prigionia.

La sosta a Seebe, in Alberta, fu breve. Incatenati in fila indiana, gli uomini smontarono dal treno e salirono a bordo di camion militari in attesa. Sebbene il percorso di 11 chilometri fino al campo scorresse senza intoppi, Erminio provò un senso di esaltazione nel vedere le vicine colline sulle quali era andato spesso a sciare nel periodo in cui aveva lavorato presso l'Hotel Banff.

Verso le 10 del mattino arrivarono ai cancelli del loro soggiorno forzoso nel maestoso scenario delle Montagne Rocciose. Il centro di detenzione presentava un aspetto intimidatorio: alte recinzioni di fino spinato, fotoelettriche, guardie armate. La notevole ansia che i

met with a chorus of rousing cheers from the German internees! The Nazis had orchestrated a demonstration in honour of their Axis partners. The Germans bellowed patriotic songs while giving the Nazi salute in defiance of the armed guards whose attention had been diverted by the arrival of the new prisoners of war. The Italians were incredulous.

Once in the triangular compound and past the commandant's quarters, the Italians were marched to the quartermaster's building. This was conducted under the surveillance of armed guards, including those manning the observation towers. After turning over their personal effects, each of the internees was searched and then given a uniform. The government issue garb comprised a pair of blue denim jeans, shirt, underwear and socks plus a jacket. On the back of the jacket was sewn a 13" red circular image simulating a target.

"Fred and I had our reunion with dad and our friends, then we were issued identification disks. Mine was number 538," Herman Ghislieri stated nostalgically. "Next morning, the new recruits marshalled on the parade grounds, answered roll call, and had a look around the complex," he continued. "The camp was built as a triangle. The prisoners' barracks started from the north and came south in rows. In the western part of the compound there was a kitchen, ablution huts and latrines. In the southern tip of the triangle was located an office for the camp prisoners' spokesman and a guard room. In the south-eastern corner there was the isolation hut called the 'cooler.' In reality it was a jail inside the wire fence for those who broke camp regulations," Herman recalled.

"The camp's population of 795 prisoners comprised 25 Ukrainians and other Communists, 47 Italians, with the balance being made up of Germans. Integrated among the German-Canadians was a crew of 50 or more nationals from a captured German merchant ship. A similar comparative percentage mix was reflected in the nationals assigned to each hut.

"In my hut we were 12 men. There was Ennio Fabri, the lawyer, and his father, Alemando, the sculptor and Piero Orsatti, the singer. Also with us was Santo Pasqualini, the baker, and Angelo Ruocco, the tailor, along with Fred Lenzi from Summerland, and Carlo Casorzo, Fred and

nuovi reclusi provavano si ridusse un po' quando i veicoli dell'esercito si avvicinarono ai cancelli. I tedeschi internati li salutarono con un coro di applausi! I nazisti avevano inscenato una dimostrazione in onore dei loro alleati dell'Asse. I tedeschi cantarono canzoni patriottiche facendo il saluto nazista, sfidando le guardie armate la cui attenzione era stata distratta dall'arrivo dei nuovi prigionieri di guerra. Gli italiani erano increduli.

Una volta all'interno del complesso triangolare e oltrepassati gli alloggi del comandante, gli italiani vennero condotti alla palazzina del casermaggio. La marcia avvenne sotto la sorveglianza di guardie armate, comprese quelle di servizio sulle torri di osservazione. Dopo aver consegnato i propri effetti personali, ciascuno degli internati fu perquisito e a ciascuno fu data un'uniforme. La tenuta consisteva di un paio di jeans, camicia, biancheria, calzini e una giacca. Sul retro della giacca era cucito un motivo circolare del diametro di circa 35 centimetri simile a un bersaglio.

«Fred e io ci incontrammo con papà e coi nostri amici, poi ci vennero consegnati dei dischetti di identità. Il mio portava il numero 538», ricordò Erminio Ghislieri con un po' di nostalgia. La mattina dopo, i nuovi arrivati furono radunati sul campo di parata, risposero all'appello e poterono dare un'occhiata al complesso», continuò. «Il campo era fatto a triangolo», ricordò Erminio. «Le baracche dei prigionieri partivano dal lato nord e si susseguivano una fila dopo l'altra. Nella parte occidentale del complesso si trovavano le cucine, i lavatoi e le latrine. La punta sud del triangolo ospitava un ufficio per il portavoce dei prigionieri e un corpo di guardia. Nell'angolo a sud-est c'era la baracca d'isolamento chiamata "la ghiacciaia". In realtà si trattava di una guardina all'interno dei reticolati per chi violava il regolamento del campo».

«La popolazione complessiva del campo era di 795 prigionieri, tra i quali c'erano 25 ucraini e altri comunisti, 47 italiani, e il resto tedeschi. Assieme ai tedescocanadesi c'era una cinquantina o più di uomini dell'equipaggio di un mercantile tedesco catturato. Più o meno

94

In POW camp, left to right, standing / Nel campo di prigionieri di guerra, da sinistra a destra, in piedi: Fred Tenisci, Zerillo, Mario Lattoni, Gino Tiezzi (Ottawa); sitting / seduti: Enrico Sbragia (Vancouver), Alboini (Hamilton), Nicklas (Windsor)

Fred Tenisci, POW clarinettist and choir master

Fred Tenisci, clarinettista e direttore del coro degli internati (circa 1930)

Rebaudengo, alleged fascio organizer, sitting second from left, at Kananaskis

Rebaudengo, organizzatore del fascio, seduto secondo a sinistra, a Kananaskis

POW musicians at Kananaskis

La banda musicale degli internati a Kananaskis

me from Vancouver. Oh, yes Frank Federici, who was released within a very short time, was with us, too. Most of the rest were Germans.

"Max Bode, a congenial German from Saskatchewan, was the prisoners' senior camp leader with Ennio Fabri representing the Italians. These leaders communicated the commander's orders, directives, and general information to the individual hut leaders who in turn briefed the others."

Herman went on to say that conditions at the camps were not difficult for young men. "At times it was very much like a picnic, especially when we got to play soccer. We had our huts - bare, but with cots, army cots - and blankets. We used to maintain the units ourselves. At one time we were, I would say, about 18 to 20 per hut. The facility was run like a military camp. There was morning inspection, you know, when the commandant came in to expect. Your bed had to be made just so but it was no hardship."

In describing the various chores and assignments that were required of each internee, Herman stated, "If you started on sanitation, it would be for one month. You then would go on kitchen duty for a month. This would be followed by a month's stint on the cleaning detail. You could also volunteer for the work gang assigned to detail in the adjacent wooded area, but only if you so wished. This assignment would take you out of the camp enclosure right into the forest to trim trees, etc. It was like a regular forestry camp's clean-up detail.

"The hut leader, a position which alternated every six months, assigned me to fetch wood for the hut's two drum stoves. I also was required to remove and clean the latrine pails kept inside each hut for emergency use, and to serve on the clean-up detail. The prisoners were in complete charge of the maintenance, kitchen, work schedules, and social activity planning," he explained.

No Italians attempted to escape Kananaskis. However, a lone German gained his freedom briefly by exiting through a tunnel under the kitchen to the outside fence. "He was a baron, very arrogant and a real Nazi. I think he acted out of some sense of bravado because he was highly regarded by his fellow Germans," stated Ghislieri. In three days the baron was back.

la stessa composizione percentuale si rifletteva nelle nazionalità dei prigionieri assegnati a ciascuna baracca».

«Nella mia baracca eravamo in 12. C'erano l'avvocato Ennio Fabri e suo padre Alemando, scultore, e il cantante Piero Orsatti. Con noi c'erano anche Santo Pasqualini, fornaio, e Angelo Ruocco, sarto, oltre a Fred Lenzi da Summerland, e Carlo Casorzo, Fred e io da Vancouver. Oh, sì, con noi c'era anche Frank Federici che fu rilasciato dopo pochissimo. Gli altri erano quasi tutti tedeschi».

«Max Bode, un gioviale tedesco dal Saskatchewan, era il capocampo anziano, ed Ennio Fabri rappresentava gli italiani. Questi leader passavano gli ordini, le direttive e altre informazioni dal comandante ai capibaracca che a loro volta le spiegavano agli altri».

Erminio spiegò che le condizioni di vita al campo non erano difficili per dei giovanotti. «A volte era quasi come essere a un picnic, specialmente quando potevano giocare a calcio. Avevamo le nostre baracche; spoglie, ma con brande militari, e coperte. Tenevamo noi in ordine le baracche. A un certo punto eravamo, direi, circa 18 o 20 per baracca. Il campo era gestito come un accampamento militare. C'era l'ispezione del mattino, sa, quando il comandante passava a controllare. Il letto doveva essere rifatto in quel certo modo, ma non era niente di arduo».

Nel descrivere i vari lavori e corvée che ogni internato doveva svolgere, Erminio disse: «Se si facevano le latrine, si andava avanti per un mese. Poi si faceva servizio in cucina per un mese. Poi un mese con la squadra delle pulizie. Ci si poteva anche offrire volontari per la squadra assegnata al bosco vicino, ma solo se si voleva. Quella corvée si svolgeva fuori dai recinti del campo, nella foresta a potare alberi e cose del genere. Era proprio come la squadra di lavoro di un normale campo forestale».

«Il capobaracca, che cambiava ogni sei mesi, mi assegnò a raccogliere legna per le due stufe della baracca. Dovevo anche svuotare e lavare i secchi tenuti nella baracca per essere usati come latrine d'emergenza, e prestare servizio con la squadra di pulizia. I prigionieri avevano il completo controllo di manutenzione, cucina, tabelle di lavoro e pianificazione delle attività sociali», ha spiegato.

Courtesy A. Girardi / Per gentile concessione di A. Girardi

HUT 32

H. Mayer	34
F. Holler	54
H. Wurm	120
K. Neumeyer	123
F. Straubinger	127
D. Dott	128
F. Smole	132
W. Neumeyer	133
P. Neumeyer	134
D. Girardi	334
M. Kaiser	412
A. Girardi	337

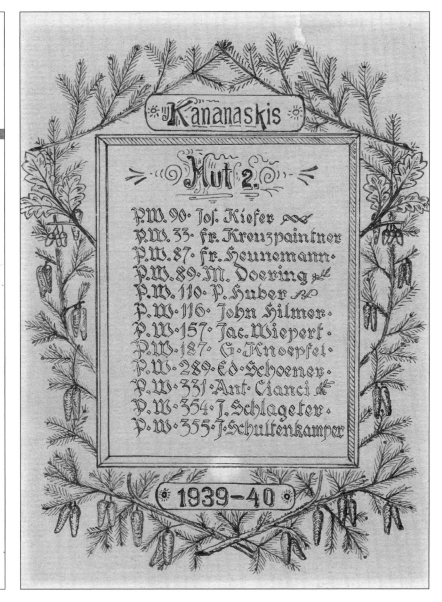

Kananaskis Hut 32 roster

Elenco degli internati della Baracca 32 di Kananaskis

Kananaskis Hut 2 roster

Elenco degli internati della Baracca 2 di Kananaskis

The guards serving at Kananaskis were of the Canadian Home Guard. Many of them had served in World War I. The guards as a group were relatively easy going and enjoyed playing cards and drinking wine with the gregarious Italians. There was a medical officer, however, who was "a prejudiced son-of-a-bitch." Allegedly Dr. Gillespie, who had a serious altercation with Bruno Girardi, so infuriated some of the Germans that one night when walking to the camp infirmary he was accosted, grabbed and beaten. In fact, a number of the Germans from Calgary apparently threatened him by saying, "If not this year, next year. We'll get you!" The commandant's reaction to the alleged attack on one of his officers was swift but only mildly punitive. He ordered that the normal 11 o'clock curfew be withdrawn in favour of confining all inmates to their huts every evening for two weeks.

The day began with a gong at 0630 hours precisely. After making their beds to military standards and visiting the ablution huts, the men would assemble in the dining room at 0700. After the first of four daily parades and inspections, duties were assigned and the prisoners went to work until 1130 hours. The duties included clearing the wooded areas adjacent the compound, trimming trees and working in the forestry camp. These assignments represented no physical hardship to the prisoners who were paid 20 cents a day in compensation. They were issued yellow paper chits which they could use to purchase items in the camp commissary. Lunch was at noon and dinner at 1750 hours.

The evenings and Sunday were free for recreational activities, handicraft workshops or for writing correspondence. Each person was permitted to write four letters and four postcards every month but the length and content of each was subject to rigid rules and censorship. Pasqualini made beautiful small furniture items including jewellery boxes. Once back home, he and others including Nino Sala proudly displayed their artistic creations.

Not everyone, however, was of the same mind. For example, Fred Ghislieri stored his items in a duffle bag and placed it in the attic of his home. It was years later before the items were shown to his children. Oliver Marino, too, did not want to be reminded of those days when

Nessun italiano cercò di fuggire da Kananaskis. Un tedesco, però, riguadagnò temporaneamente la libertà uscendo da un tunnel scavato da sotto la cucina al recinto esterno. «Era un barone, molto arrogante, un vero nazista. Penso che lo abbia fatto come gesto di spacconeria, perché gli altri tedeschi lo tenevano in alta considerazione» disse Ghislieri. Tre giorni dopo il barone era di ritorno.

Le guardie in servizio a Kananaskis appartenevano alla Home Guard canadese. Molti di loro avevano prestato servizio nella prima guerra mondiale. Le guardie erano in generale relativamente cordiali e giocavano a carte e bevevano vino con gli italiani. C'era però un ufficiale medico che era "un figlio d'un cane pieno di pregiudizi". A quanto pare, il dottor Gillespie, che ebbe un serio alterco con Bruno Girardi, fece talmente infuriare alcuni tedeschi che una notte, mentre si dirigeva verso l'infermeria del campo, venne avvicinato, afferrato e pestato. Sembra che alcuni tedeschi da Calgary lo abbiano minacciato dicendogli: «Se non è quest'anno è l'anno venturo. Vedrai se non te la facciamo pagare!». La reazione del comandante alla presunta aggressione ai danni di uno dei suoi ufficiali fu rapida ma blanda. Ordinò che per due settimane il normale coprifuoco delle 23 fosse sostituito dal confinamento serale dei detenuti nelle loro baracche.

La giornata cominciava col suono di un gong alle 06:30 in punto. Dopo aver rifatto i letti alla maniera militare ed essere andati ai lavatoi, alle 07:00 gli uomini si radunavano in sala mensa. Dopo la prima delle quattro adunate e ispezioni giornaliere, venivano assegnati i compiti e i prigionieri lavoravano fino alle 11:30. Tra i compiti c'era lo sgombero delle zone boschive adiacenti al complesso, la potatura degli alberi e il lavoro nel campo esterno. Lavori del genere non costituivano certo un problema per i prigionieri ai quali veniva anche pagato un soldo di 20 centesimi al giorno. Ricevevano tagliandi di carta gialla che potevano usare per fare acquisti presso il commissariato del campo. Si pranzava a mezzogiorno e si cenava alle 17:50.

Le sere e le domeniche erano a disposizione per le attività ricreative, i lavoretti d'artigianato o la corrispondenza. Ognuno aveva diritto a scrivere quattro lettere e quattro cartoline al mese, ma

A work detail of internees is escorted by military guards back to the Petawawa POW Camp / Un gruppo di internati è scortato da guardie militari al campo di Petawawa dopo il lavoro

his freedom had been denied. While at camp, he made himself a suitcase. It remained in the attic of the family home undisturbed until his wife Nellie died in 1982. His daughters Gloria and Elain subsequently discovered that the suitcase contained some old dental plates and two receipts. One was given to him for the nine dollars that he had in his possession at the time of his arrest. The other was issued for five dollars, his pay for working out in the bush at twenty cents per day.

Fred Tenisci, an accomplished musician, was among the POWs from Trail. While in the camps he met and befriended Antonio Rebaudengo, who allegedly was associated with those who founded the *Fascio* club in Venice, Alberta, in 1925. Before being arrested for allegedly being a member of the Circolo Giulio Giordani, Tenisci worked at COMINCO. He also operated a shop for religious items in his off hours. According to his son Leonard, Fioravante (Fred) had been tipped off about the RCMP coming to arrest him. This heads up information gave Fred sufficient time to contact his pastor and friend Fr. Settimo Balo to whom he entrusted the store's inventory.

Tony Cianci, 60 when detained, later likened life at Kananaskis with being on a grand vacation. Food was in abundance and Italian groceries, ordered by family members, often would become menu items. Cianci, the hut's barber, loved to eat the delicious Italian meals prepared by Nino Sala and Emilio Muzzatti and devoured more than his share of Santo Pasqualini's pastry specialties. After light duties, he would play cards or a game of bocce with some of his older friends.

"Cianci used to cut my hair in the concentration camp [sic]," recalled Bruno Girardi. "He was a number-one guy, eh, number-one funny guy. I told him, you and I are going to decorate the camp around. I put you in charge, I said, I am your assistant. We approached the guard and I said, my partner and I have to go out and get a [Christmas] tree. Good idea. The Bow River was here, so we sat down, had a drink, smoked cigarettes, and slept," reminisced a smiling Girardi.

Girardi also regarded his stay in the camps as being a holiday, but only when compared to the hardship experienced by the wives and children left grieving at home. While he was in Kananaskis, his wife

lunghezza e contenuti erano soggetti a regole rigide e sottoposti a censura. Pasqualini faceva bei soprammobili, compresi dei portagioie. Una volta tornati a casa, lui e altri, tra i quali Nino Sala, mostrarono con orgoglio le loro creazioni artistiche.

Non tutti, però, furono dello stesso avviso. Per esempio, Fred Ghislieri mise tutto in una sacca nell'attico di casa sua. Ci vollero anni prima che mostrasse quegli oggetti ai figli. Neanche Oliver Marino gradiva ripensare ai giorni della prigionia. Mentre era al campo, si costruì una valigetta che restò indisturbata nell'attico di casa fino alla morte di sua moglie Nellie nel 1982. Le figlie Gloria ed Elain scoprirono che la valigetta conteneva delle vecchie dentiere e due ricevute. Una si riferiva ai nove dollari che aveva con sé al momento dell'arresto. L'altra ai cinque dollari di paga per il lavoro svolto a venti centesimi al giorno.

Fred Tenisci, un bravo musicista, era uno dei prigionieri di guerra da Trail. Nei campi conobbe e fece amicizia con Antonio Rebaudengo, che si diceva legato ai fondatori del Fascio di Venice, in Alberta, costituito nel 1925. Prima di essere arrestato per essere stato socio del Circolo Giulio Giordani, Tenisci lavorava alla COMINCO. Dopo il lavoro gestiva anche un negozio di articoli religiosi. Secondo il figlio Leonard, Fioravante (Fred) era stato avvisato che la RCMP stava venendo ad arrestarlo. Questa dritta diede a Fred il tempo di contattare il suo amico parroco, padre Settimo Balo, per affidargli il negozio.

In seguito Tony Cianci, che aveva 60 anni al momento della detenzione, paragonò la vita a Kananaskis a una lunga vacanza. Il cibo era abbondante, e spesso arrivavano in tavola pietanze italiane, fornite dai parenti. Cianci, il barbiere della baracca, adorava gli squisiti pasti all'italiana preparati da Nino Sala ed Emilio Muzzatti, e divorava più della sua porzione dei dolci di Santo Pasqualini. Dopo qualche lavoretto leggero, giocava a carte o faceva una partita a bocce con alcuni vecchi amici.

«Cianci mi tagliava i capelli in campo di concentramento [sic]» ricordò Bruno Girardi. «Era un grande, eh, proprio spiritoso. Una volta gli dissi, tu e io adesso decoriamo il campo. Tu sei il capo, gli dissi, e io ti faccio da assistente. Andammo da una guardia e io gli dissi,

Greetings from Hut 32 by German artist

Saluti dalla baracca 32, di artista tedesco

Kananaskis cartoon spoofing medical check-up

Vignetta che dileggia i controlli medici a Kananaskis

Kananaskis art points to target on jackets

Disegno che ritrae i bersagli sui giubbetti degli internati

Cartoons by German POW Otto Ellmaurer

Disegni del progioniero di guerra tedesco Otto Ellmaurer

Emma had been refused health-care attention. The medical doctor in question obviously was acting on his own when he dismissed her right to medical service. Apparently he objected to the fact that she was the wife of an enemy alien.

Dora Ruocco had been an executive member of the Italian Ladies' League or Lega for 12 years. She was shocked and mortified that the society for which her husband Willie Ruocco had laboured so unselfishly for so many years should suspend his membership because he had been interned. In an apparent retaliatory move, she resigned her position as the Lega's secretary of finance. Her husband, miffed, puzzled and terribly hurt by the Sons of Italy Society's precipitous actions, arranged for his son Andy to return items to the society which had been held in safekeeping at his Europe Hotel offices. The items included furniture and an old piano which originally was purchased for use by the society's Italian Language School, circa 1930. A month later, the piano was sold to the Sacred Heart Parish for the nominal amount of $35.

A few weeks before the RCMP arrested Ruocco, Angelo Calori died. The 80-year-old owner of the Europe Hotel had been a much revered pioneer leader of the Italian community. Ruocco, as executor of his former father-in-law's estate, attempted to administer the provisions of Calori's will from Kananaskis. This proved to be a difficult assignment. He managed, however, with the help of Ennio Fabri, who provided legal advice and handled much of the estate's correspondence. Fabri also had a vested interest in the disposition of the assets of this will as his mother-in-law Rosa was Calori's step-daughter. Calori's other daughter Lina, who predeceased him, had been married to W.G. Ruocco.

Santo Pasqualini also benefitted from Fabri's generous cooperation. In this case, the former baker was confronted simultaneously with a bankrupt business, agitating creditors, and most importantly with a critical situation at home. During this highly stressful period, Fabri's professional counsel and assistance proved extremely beneficial.

Speaking in sympathetic tones, Herman Ghislieri recalled part of the Pasqualini family's crisis: "I was very close to Santo because I used to write some of his letters when we were in the camps. Yes, and he was

il mio socio e io dobbiamo andare a prendere un albero [di Natale]. Buona idea. Il fiume Bow era lì, così ci sedemmo, bevemmo qualcosa, fumammo e ci facemmo un pisolino» ricordò Girardi sorridendo.

Anche Girardi considerava la permanenza al campo come una specie di vacanza, ma solo in confronto ai problemi delle mogli e dei figli rimasti a casa. Mentre lui era a Kananaskis, a sua moglie Emma era stata rifiutata l'assistenza medica. Il dottore in questione agiva chiaramente di propria iniziativa nel negarle il diritto alle cure. A quanto pare non gradiva il fatto che lei fosse la moglie di uno straniero nemico.

Dora Ruocco era dirigente della Lega Femminile Italiana da 12 anni. La sconvolse e umiliò che la società per la quale il marito Willie Ruocco aveva lavorato altruisticamente per tanti anni lo sospendesse a causa dell'internamento. In risposta, di dimise da segretaria finanziaria della Lega. Suo marito, stupefatto, indignato e terribilmente ferito dalla precipitosa condotta dell'Ordine dei Figli d'Italia, disse al figlio Andy di restituire all'associazione quanto gli era stato affidato perché lo custodisse nei propri uffici dell'Hotel Europe. Tra le altre cose vi era del mobilio e un vecchio pianoforte originariamente acquistato per l'uso da parte della scuola d'italiano dell'associazione, attorno al 1930. Un mese più tardi, il piano fu venduto alla parrocchia del Sacro Cuore per la cifra nominale di $35.

Qualche settimana prima che la RCMP arrestasse Ruocco, era morto Angelo Calori. L'ottantenne proprietario dell'Hotel Europe era stato un pioniere molto stimato nella comunità italiana. Ruocco, esecutore testamentario del suocero, tentò di adempiere alle disposizioni del testamento di Calori da Kananaskis. La cosa si dimostrò assai difficile, ma vi riuscì con l'aiuto di Ennio Fabri che fornì assistenza legale e si occupò di buona parte della corrispondenza relativa al patrimonio. Fabri era anche personalmente interessato alla successione testamentaria, in quanto sua suocera Rosa era la figliastra di Calori. Lina, l'altra figlia di Calori, morta prima di lui, aveva sposato W.G. Ruocco.

Anche Santo Pasqualini approfittò della generosa collaborazione di Fabri. In questo caso, l'ex fornaio si trovava di fronte simultaneamente a una ditta in fallimento, creditori irrequieti, e peggio di tutto

Sketches of internees at Petawawa by Montreal artist and sculptor, and fellow internee, Guido Casini

Ritratti di internati a Petawawa dall'artista e scultore, e co-internato, Guido Casini

Fred Ghislieri

Herman Ghislieri

Guido Caldato

Santo Pasqualini

Courtesy R. Caldato / Per gentile concessione di R. Caldato

quite a good friend, being an *ex-combattente*. He would do anything for dad, you see. Santo used to come to our house, sometimes being accompanied by Alice. So, before I was released [from Petawawa], I promised Santo I would go and see his wife. He worried about Alice because she was sick and at that time a patient in the old Vancouver General Hospital. When I saw her, I was amazed to see her in that condition. So, I spoke to Father Bortignon and said, what can be done because that's no place to keep this woman. She needs better care than that."

Life in the internment camp also had its exciting moments. Rivalry existed between the Italians and Germans, but basically it was friendly in nature, especially in those early months of the war. When the Germans challenged the Italians to a game of soccer, a team was quickly formed.

"Bruno and Attilio Girardi, Fred and I and a couple of others could really play soccer," Herman stated. "The team was made up of eight because the field wasn't big enough for 11 players on each side. Anyway we beat them. They couldn't swallow that Germans had been beaten by the Italians, you know. They never asked us to play again.

"In fact, the relationship between our two groups deteriorated in the following months. The Nazis at Kananaskis no longer could abide Italians. This was because Italy's armed forces would not fight for Hitler, particularly in Greece where they were beaten, and in Albania and Africa," he concluded.

In 1941, Kananaskis became an exclusive German prisoner-of-war camp. As a result, all non-German POWs were transported by rail to Petawawa near the Canadian military base of the same name. The camp was located about 160 kilometres north of Ottawa, on the Ottawa River between Pembroke and Chalk River.

The Italians from Western Canada immediately sensed a difference in attitude between themselves and their *paesani* from Quebec and Ontario. Among their new compatriots were high-profile professional people accustomed to getting their own way. Although basically a good element, it appeared to Herman Ghislieri to be tinged with "a little bit of the Mafia." A few of the rich Italians had become camp work-foremen

una situazione critica a casa. In quel periodo tanto stressante, l'assistenza professionale di Fabri si dimostrò estremamente utile.

Parlando con tono di partecipazione, Erminio Ghislieri ricordò la crisi familiare dei Pasqualini: «Ero molto vicino a Santo perché quando stavamo nei campi scrivevo qualche lettera per lui. Sì, era un buon amico, un ex combattente che avrebbe fatto qualsiasi cosa per papà, capisce. Santo veniva spesso a casa nostra, qualche volta accompagnato da Alice. Quindi, prima del mio rilascio [da Petawawa], promisi a Santo che sarei passato a vedere sua moglie. Si preoccupava di Alice perché lei era malata e in quel periodo era ricoverata al vecchio ospedale generale di Vancouver. Quando la vidi mi meravigliai delle sue condizioni. Parlai con padre Bortignon e chiesi cosa si poteva fare, perché quello non era posto dove tenere quella donna. Le servivano cure migliori».

La vita al campo d'internamento aveva anche momenti d'eccitazione. C'era rivalità tra italiani e tedeschi, ma in sostanza nei primi mesi di guerra era di natura amichevole. Quando i tedeschi sfidarono gli italiani a una partita di calcio, si formò subito una squadra.

«Bruno e Attilio Girardi, Fred e io e un paio d'altri eravamo bravi a calcio» disse Erminio. «Le squadre erano da otto perché il campo non era grande abbastanza per giocare in 11 per parte. Ad ogni modo, li battemmo. Non gli andò giù di aver perso contro gli italiani, sa. Non ci chiesero più di giocare».

«Di fatto, i rapporti tra i due gruppi si deteriorarono nei mesi successivi. I nazisti di Kananaskis non sopportavano più gli italiani. Le forze armate italiane non combattevano per Hitler, specialmente in Grecia dove erano state sconfitte, e in Albania e in Africa» concluse.

Nel 1941, Kananaskis divenne un campo per soli prigionieri di guerra tedeschi. Di conseguenza, tutti i detenuti non tedeschi vennero trasferiti per ferrovia a Petawawa, vicino all'omonima base militare canadese. Il campo si trovava a circa 160 chilometri a nord di Ottawa, sul fiume Ottawa tra Pembroke e Chalk River.

Gli italiani del Canada occidentale si accorsero immediatamente di una diversità di atteggiamento tra loro stessi e i paesani del Quebec

Wood carvings by Italian POWs

Incisioni su legno creati da prigionieri italiani

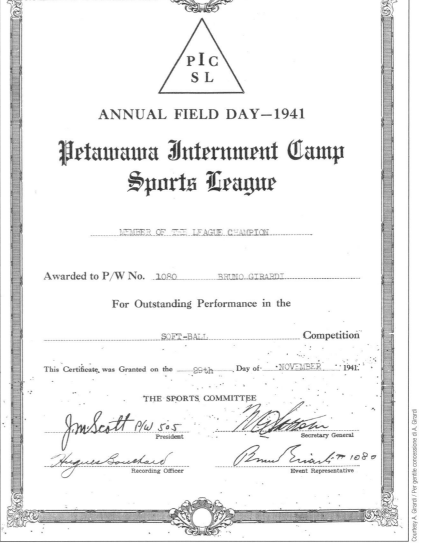

Cigar box made by an internee

Portasigarette costruito da un internato

Petawawa Sports League award to Bruno Girardi

Premio conferito a Bruno Girardi dalla Petawawa Sports League

Courtesy A. Girardi / Per gentile concessione di A. Girardi

and actually hired people to do their bidding. These underlings would shave them, cook and serve their meals, and do their camp chores. The authorities seemed oblivious to this arrangement or at least turned a blind eye to it.

This situation and atmosphere proved quite a change for the group from Kananaskis. They had come to appreciate the solitude and ambience of the Rocky Mountain forests. Moreover, they soon missed the laid-back manageable arrangement which existed between themselves and the guards. Petawawa represented more bustle and, in terms of sheer numbers, it was akin to the difference between the quiet of a village and the fast pace of a city. The prevailing structure of the Petawawa camp, influenced by Italians who enjoyed special status and privilege, wasn't of their choosing.

In *Dangerous Patriots,* authors William Repka and Kathleen M. Repka provide quite an insight to this social contrast. They quote Bruce Magnuson, a former prisoner at Petawawa, as saying, "There were also Italian Fascists from Montreal and Toronto. It was interesting when we were on work parties, people like the millionaire Franceschini, the Montreal industrialist, and Masciola, the big construction millionaire from Timmins, were the foremen. The wealthy Italians were also able to get certain privileges. They could pay people to do their chores in the camp."

However, there were certain amenities at Petawawa which represented an improvement for those relocating from Alberta. For example, the camp boasted a hospital staffed by eight doctors, some of whom were drawn from among the 600 to 650 Italian internees. In addition, accommodation afforded more privacy, with bathrooms attached to each hut. These larger facilities accommodated 50 men instead of only 12, which was the case in Kananaskis.

Bruno Girardi provided this take on the origin of internment camps as well as outlining his perception of the differences in facilities at the two POW camps. "English people, as good as they are, are the rotten bastards of the world. Let's be honest about it. Internment camps were invented by the British.

e dell'Ontario. Tra i loro compatrioti vi erano professionisti di fama, abituati a fare le cose a modo loro. Anche se in fondo erano buoni elementi, a Erminio Ghislieri parevano avere «un che di mafioso». Alcuni degli italiani più ricchi erano diventati capisquadra e avevano addirittura preso altre persone al loro servizio. Questi dipendenti li radevano, cucinavano e servivano i loro pasti, e svolgevano i loro lavori per il campo. Le autorità parevano ignare di questa faccenda, o almeno chiudevano un occhio.

Questa situazione e questa atmosfera furono un grande cambiamento per il gruppo proveniente da Kananaskis. Avevano imparato ad apprezzare la solitudine e il silenzio delle foreste delle montagne Rocciose. Inoltre, ben presto sentirono la mancanza dei rapporti rilassati e tranquilli tra prigionieri e guardie. Petawawa era più caotico, e anche in termini di numeri era simile alla differenza tra la quiete di un paesino e il ritmo frenetico di una grande città. La struttura del campo di Petawawa, influenzata da alcuni italiani che godevano di condizioni speciali e privilegi, non faceva per loro.

Nel libro Dangerous Patriots, *gli autori William Repka e Kathleen M. Repka illustrarono bene questo contrasto sociale. Citarono Bruce Magnuson, ex prigioniero a Petawawa, che disse: «C'erano anche fascisti italiani da Montreal e Toronto. Era interessante che quando si formavano le squadre di lavoro gente come il milionario Franceschini, industriale di Montreal, e Masciola, il milionario dell'edilizia di Timmins, erano i capisquadra. Gli italiani ricchi riuscivano anche ad avere certi privilegi. Potevano pagare altri per fare i loro lavori nel campo».*

A Petawawa c'erano però anche alcuni servizi che rappresentavano un miglioramento per chi era stato trasferito dall'Alberta. Per esempio, il campo vantava un ospedale con otto medici, alcuni dei quali provenivano dai ranghi dei 600 a 650 internati italiani. Inoltre, le sistemazioni offrivano maggiore privacy, con bagni adiacenti a ciascuna baracca. Queste ospitavano 50 uomini ciascuna anziché i 12 delle baracche di Kananaskis.

Bruno Girardi aveva una sua opinione sulle origini dei campi d'internamento e delle differenze nei servizi tra i due campi. «Gli

Guards at Kananaskis camp

Guardie in servizio al campo d'internamento di Kananaskis

Winter scene at camp Petawawa

Scena invernale al campo di Petawawa

View of Kananaskis POW barracks

Veduta delle baracche degli internati a Kananaskis

Italians win internee soccer match over Germans

Gli italiani battono i tedeschi a calcio

"At Petawawa we had less privacy because of the size of the bathrooms. Each comprised 10 toilets that were attached to the individual huts. This is because we were about a thousand people - maybe 10 sections of 10-hole toilets - all sitting down together. We were in full view of one another and could discuss the issues of the day as we went about our business. It wasn't a problem; you get used to it. At the camp we were able to see doctors, dentists and everything. It was better than a university. Anything you wanted to learn, you could go and talk to someone.

"We were about 650 Italians and maybe a hundred Germans. Most of the rest were French Canadians, including Camillien Houde, the former mayor of Montreal. His problem was he was against conscription."

Friction between the Italians and Germans continued as the war progressed. This included arguments and fights over which group, for example, would have the dominant influence in the kitchen. The resulting frustration occasionally was mitigated in the boxing ring. A few Italians tended to take on all comers, winning their share of the matches. Notwithstanding, there were a couple of memorable losses to the German side. One in particular involved a fellow by the name of Clark who finally vanquished the Italian champ.

Herman Ghislieri gave this account of the fight. "Among the Italians housed in another hut was a young swarthy boxer with broad shoulders whose name I don't recall. However, he was of the Graziano type: a brawler. He could fight, let me tell you. But maybe he was out of shape when he challenged this Clark who was about 20 pounds lighter. They put up a ring outside. It was in the afternoon. For the first couple of rounds this Clark, all he could do was just to stand up, see, because this [Italian] guy was a tough fighter. He was strong but later in the rounds he started to weaken. And this Clark, he was a smart boxer, started to pummel him. They went ten rounds and this guy was nothing but pulp. The German really gave him a beating."

inglesi, per buoni che siano, sono i peggiori bastardi del mondo. Siamo onesti: i campi d'internamento li hanno inventati gli inglesi».

«A Petawawa avevamo meno privacy per via delle dimensioni dei bagni. Ognuna aveva 10 latrine adiacenti alle singole baracche. Il fatto è che eravamo in un migliaio di persone; c'erano forse dieci bagni da 10 latrine ciascuno, dove tutti sedevano assieme. Ci vedevamo tutti e potevamo discutere le questioni del giorno intanto che facevamo le cose nostre. Non era un problema; ci si abitua. Al campo potevamo andare dal dottore, dal dentista e tutto. Era meglio di un'università. Qualunque cosa uno volesse imparare, bastava parlare con qualcun altro».

«Saremo stati 650 italiani e forse un centinaio di tedeschi. La maggior parte degli altri era composta da francocanadesi tra i quali Camillien Houde, ex sindaco di Montreal. Il suo problema era che era contrario alla leva».

Le frizioni tra italiani e tedeschi continuarono col progredire della guerra. Per esempio, c'erano discussioni e risse su quale gruppo avrebbe maggiormente influenzato la cucina. La frustrazione che ne risultava di quando in quando trovava sfogo sul ring. Alcuni italiani tendevano ad affrontare chiunque, vincendo un bel po' di match. Vi fu però un paio di memorabili sconfitte a favore dei tedeschi. Una, in particolare, vide un tizio di nome Clark che riuscì finalmente a battere il campione italiano.

Erminio Ghislieri raccontò il combattimento. «Tra gli italiani alloggiati in un'altra baracca c'era un giovane pugile dalle spalle larghe di cui non ricordo il nome. Era un tipo alla Graziano: un picchiatore. Mi lasci dire che sapeva battersi. Ma forse era giù di forma quando sfidò questo Clark, che avrà pesato una decina di chili in meno. Misero su il ring all'aperto. Era di pomeriggio. Per il primo paio di riprese, Clark riuscì solo a restare in piedi, perché questo tizio [l'italiano] era un combattente tosto. Era forte, ma col progredire delle riprese iniziò a indebolirsi. Questo Clark era un pugile furbo, cominciò a pestarlo. Combatterono per dieci riprese e fece polpette di questo tizio. Il tedesco lo pestò come un tamburo».

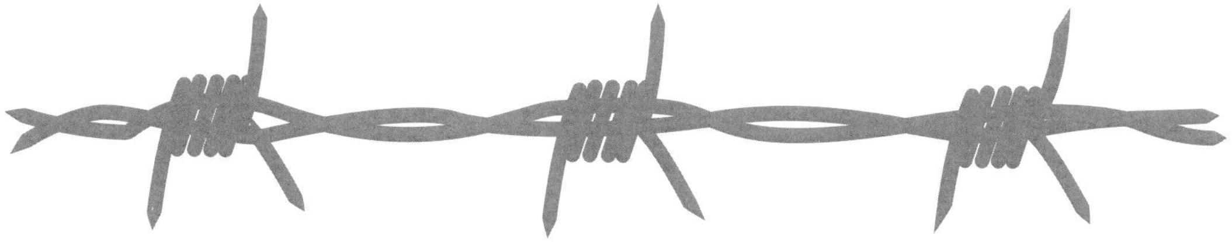

CHAPTER SEVEN

Tribunals and Release of the Internees

CAPITOLO SETTIMO

I tribunali e il rilascio degli internati

The Department of Justice set up a commission to hear the complaints of the internees regarding their detention as enemy aliens and possible threats to the safety of the State. It was chaired respectively by Commissioners Hyndman (1940), Cameron (1941-42) and Miller (1943). Although no formal charges were ever laid against the Italians, the authorities regarded the internees as suspect, especially those who had signed the Circolo Giulio Giordani *tessera*, the party membership card.

"The reason why some were detained for about a year or a year and a half, and so on, is because the authorities had no case against them. They had to prepare everything. And when I went - when they called me in 1942 to appear in front of the commissioners - I was there for three minutes. They asked me my name and asked if I had ever been a member of the Fascist Party. I answered, no, not in the sense of being a member of the fascists. I told them that I was a member because I used to teach gymnastics, and so on. And as it was - I said - it was supposed to be a cultural club. We never had any direct political connection with Italy. And that was it. That was my case! Two weeks later I was released," declared Ghislieri.

Of the three Ghislieris, Fred was the first to be released. The next to go home was Herman. Within two weeks of his release, Herman received his conscription call-up orders to report for military service. On being inducted into the army, Ghislieri recalls being told that his incarceration in the internment camps had been classified as a "mistake." Subsequently, and due to a back injury sustained during training, he was discharged from the Canadian Army. His father wasn't as fortunate.

Il Ministero della Giustizia costituì una commissione che valutasse gli appelli degli internati in merito alla propria detenzione come stranieri nemici e possibili minacce alla sicurezza dello stato. Venne presieduta rispettivamente dai Commissari Hyndman (1940), Cameron (1941-42) e Miller (1943). Sebbene non venissero mai formalizzati capi d'imputazione contro gli italiani, le autorità consideravano sospetti gli internati, in particolare quelli che avevano preso la tessera del Circolo Giulio Giordani del partito [fascista].

«Il motivo per cui alcuni furono detenuti per un anno o un anno e mezzo, e così via, è che le autorità non avevano niente contro di loro. Dovevano preparare tutto. Quando toccò a me, quando nel 1942 mi chiamarono davanti alla commissione, ci restai per tre minuti. Mi chiesero come mi chiamavo e se ero stato iscritto al partito fascista. Risposi di no, che non ero stato fascista. Dissi che ero iscritto perché insegnavo ginnastica e così via. E perché, gli dissi, doveva essere un circolo culturale. Non avevamo nessun contatto politico diretto con l'Italia. Tutto lì. Questa fu la mia difesa! Due settimane dopo fui rilasciato», dichiarò Ghislieri.

Dei tre Ghislieri, Fred fu rilasciato per primo. Poi toccò a Erminio. Entro due settimane dal rilascio, Erminio ricevette la chiamata alle armi. Ghislieri ricordò che quando si presentò in caserma gli dissero che la sua detenzione in campo d'internamento era stata classificata come "erronea". Successivamente, a causa di un infortunio alla schiena sostenuto in addestramento, fu congedato dall'esercito canadese. Suo padre non fu altrettanto fortunato. Mario Ghislieri passò in totale tre anni in prigionia. Fu trasferito da Petawawa a Fredericton con sette

Mario Ghislieri spent a total of three years in detention. He was transferred from Petawawa to Fredericton with seven or eight other BC Italians, all of whom had been identified as former leaders of important Italian organizations. On his return to Vancouver, the senior Ghislieri declined to resume an active role in the affairs of the Vancouver Italian Canadian Society.

Bruno Girardi believed he had been interned because of his activities as publisher of the local Italian-language newspaper. Appearing before the tribunal, he was informed that some of the articles in his newspaper had been found to be offensive to the national interest. In spite of the fact that the commissioners had two bound volumes of the newspapers as exhibits which supported their contention, Girardi's defence was that he lifted all of his news items from the local dailies.

"Cameron, Taschereau and White were the three commissioners inquiring about our activities," Girardi began. "So, I said to them nice and plain, look, I am surprised to be standing here by myself between two RCMPs. I should have on this side the editor of *The Vancouver Sun* and on that side the editor of *The Vancouver Daily Province.* I say this because whatever I wrote in my newspaper was nothing but a translation from the daily newspapers. I am sorry Sir, but you are not here to see if I am guilty or not - you are here to be sure I am proven guilty. This is so because I was interned without cause, without any reason. I was not even given an opportunity to debate my guilt or innocence.

"As far as I am concerned, you are nothing but a kangaroo court. Hey, I tell you, White turned whiter; Cameron, impassive and Taschereau reacted. 'Wait a minute now, that is not true.'"

Girardi later qualified his editorial stance somewhat by saying, "When you were talking about Italy in those days, you talked about Mussolini and the fascists, as that was what Italy was all about. So what I wrote in the newspaper - good or bad - was always about one thing. When writing about Italy, all you could do was to write about the fascists, the Fascist Party."

Before being dismissed, Girardi was asked by one of the commissioners if he would get his wife to obtain letters of reference to help

od otto altri italiani dalla Columbia Britannica, tutti ex dirigenti di importanti organizzazioni italiane. Al suo ritorno a Vancouver, Ghislieri senior rifiutò di riprendere un ruolo attivo negli affari della Società Italocanadese di Vancouver.

Bruno Girardi pensava di essere stato internato a causa della sua attività di editore del giornale italiano locale. Comparendo innanzi al tribunale, fu informato del fatto che alcuni articoli del giornale erano stati ritenuti lesivi degli interessi del paese. Nonostante la commissione avesse due volumi rilegati di copie del giornale a sostegno dell'accusa, la difesa di Girardi fu che aveva tratto tutte le notizie dai quotidiani locali.

«Cameron, Taschereau e White erano i tre commissari che indagavano sulle nostre attività» iniziò Girardi. «Così dissi loro, papale papale: guardate, sono sorpreso di ritrovarmi qui in mezzo a due giubbe rosse. Dovrei avere da un lato il direttore del The Vancouver Sun *e dall'altro il direttore del* The Vancouver Daily Province. *Dico questo perché tutto quel che ho scritto sul mio giornale non era altro che la traduzione dei quotidiani. Mi spiace, signori, ma voi non siete qui per vedere se sono colpevole o meno; voi siete qui per assicurarvi che io venga dichiarato colpevole. Perché sono stato internato senza una ragione, senza alcun motivo. Non mi è stata data nemmeno un'occasione per discutere la mia colpevolezza o innocenza. Per quel che mi riguarda non siete altro che un tribunale addomesticato. Devo dire che White impallidì, Cameron restò impassibile e Taschereau reagì, dicendo: "Un momento, questo non è vero"».*

Girardi in seguito chiarì meglio la sua condotta editoriale, dicendo: «In quei giorni, quando si parlava d'Italia *si parlava di Mussolini e dei fascisti, perché quella era l'Italia. Quindi ciò che scrivevo sul giornale, buono o cattivo che fosse, era sempre su quello. Scrivendo dell'Italia si poteva solo scrivere dei fascisti, del Partito Fascista».*

Prima della fine dell'udienza, uno dei commissari chiese a Girardi se voleva scrivere alla moglie per procurarsi lettere di referenza a proprio favore. «Spiacente, signore, *ma non scriverò a mia moglie chiedendole una cosa del genere; se lo facessi, sarebbe un'ammissione di colpa.*

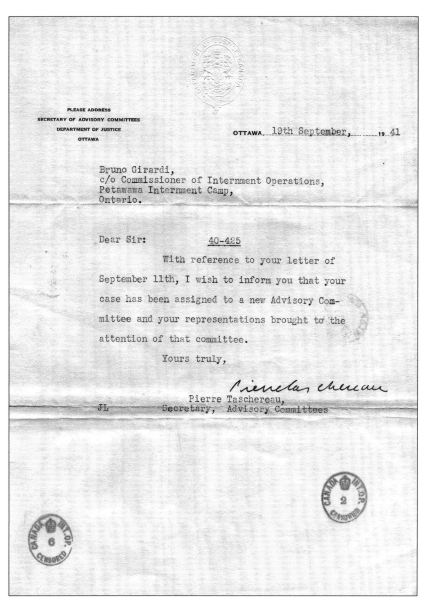

THE DEPUTY MINISTER OF JUSTICE
OTTAWA

OTTAWA 19th August, 19 40

WRJ/LB

Dear Sir,-

I have been directed by the Committee appointed by the Minister of Justice to deal with your objection to your detention to advise you that your detention has been deemed necessary in the interest of the state because representations have been made that you:-

    (a)   are a member of the Fascist Party;

    (b)   are Pro-German;

and in view of the above, you would appear to be disloyal to Canada.

Unless you make some representation with regard to the date of hearing, you will be heard by the Committee at Kananaskis on or after the 29th day of August, and I would suggest that you be ready to present your case by that day.

Yours truly,

W. R. Jackett

for the Advisory Committee
on Orders of Restriction and Detention.

Bruno Girardi, Esq.,
Kananaskis Internment Camp,
c/o Director of Internment Operations,
O t t a w a .

PLEASE ADDRESS
SECRETARY OF ADVISORY COMMITTEES
DEPARTMENT OF JUSTICE
OTTAWA

OTTAWA 19th September, 19 41

Bruno Girardi,
c/o Commissioner of Internment Operations,
Petawawa Internment Camp,
Ontario.

Dear Sir: 40-425

With reference to your letter of September 11th, I wish to inform you that your case has been assigned to a new Advisory Committee and your representations brought to the attention of that committee.

Yours truly,

Pierre Taschereau

JL   Pierre Taschereau,
    Secretary, Advisory Committees

Courtesy A. Girardi set of 9 letters / Tutte le 9 lettere appaiono per gentile concessione di A. Girardi

Reason for Bruno Girardi incarceration explained

Spiegazione delle motivazioni per la detenzione di Bruno Girardi

Girardi assigned to new Advisory Committee

Girardi è assegnato alla nuova Commissione Consultiva

his case. "I am sorry Sir, I will not write to my wife and ask her to do that - because if I did, I would be admitting that I am guilty. And I am not. I am here on a holiday. A week later I was released. I was released on December 14, 1941, a week after Pearl Harbor," recalled Girardi.

"They did me a favour. I went into the internment camp weighing 140 lbs and came out at 175 lbs, solid as a rock at age 28. The only trouble I had was in knowing that my wife was by herself with our young son.

"Within six months of being released, I was called for military service. I went to the Wartime Board [Recruitment Office] on Seymour Street. I asked the officer in charge - am I a Canadian or an Enemy Alien? He answered yes, you are a Canadian, but we have letters from the Minister of Justice identifying you as a Nazi and Fascist sympathizer. This is the reason he gave me for being interned.

"I reported to the Little Mountain office for a medical. I was classified 'E', which meant that I was not fit for service. I caught the bus for home, and along the way I couldn't be sure if I had been rejected because something was wrong with me physically or not. Maybe I was sick. After three days I spoke to Guido Stefani, a clerk in the Little Mountain office who did some checking. Reading from a letter from Judge Manson, Stefani said that I had been classified unfit for service because I was not "callable" [suitable] for service for political reasons. No matter, I would not have wanted to volunteer for military service. I had 18 months behind barbed wire, which would take a very long time to forget."

Giacinto (George) Marino also regained his freedom in late 1941. He had been a detainee for 16 months, leaving the camp as he arrived, with only his work clothes. George's story, however, has an ironic twist to it. Shortly after being arrested, his 23-year-old son Renaldo - then the sole family wage earner - received notice to report for duty with the Canadian Army. This turn of events caused further financial hardship for Nellie Marino and her daughters Gloria and Elain, ages 14 and 15 respectively. As a result, both girls were forced to leave school to seek employment to support the family.

E io non sono colpevole. Sono qua in vacanza. Una settimana dopo mi rilasciarono. Venni liberato il 14 dicembre 1941, una settimana dopo Pearl Harbor», ricordò Girardi.

«Mi fecero un favore. Entrai in campo d'internamento che pesavo 140 libbre [63 chili] e ne uscii che ne pesavo 175 [78 chili], solido come una roccia a 28 anni. L'unico problema che avevo era sapere che mia moglie era sola col nostro figlioletto.

«Nel giro di sei mesi dal rilascio venni chiamato alle armi. Mi presentai al Wartime Board [ufficio reclutamento] di Seymour Street. Chiesi all'ufficiale in servizio: sono canadese o sono uno straniero nemico? Mi rispose che sì, ero canadese, ma loro avevano lettere dal ministro della Giustizia che mi indicavano come simpatizzante nazifascista. Quella fu la motivazione che mi diede per il mio internamento».

«Mi presentai all'ufficio di Little Mountain per la visita medica. Mi classificarono "E", che voleva dire inabile al servizio. Presi l'autobus per tornare a casa e lungo il percorso non riuscivo a decidere se ero stato scartato per difetti fisici o no. Forse ero malato. Tre giorni dopo parlai con Guido Stefani, impiegato presso l'ufficio di Little Mountain, che fece qualche verifica. Leggendo una lettera del giudice Manson, Stefani disse che ero stato giudicato inabile al servizio in quanto non richiamabile per ragioni politiche. Pazienza, certo non sarei partito volontario. Avevo 18 mesi dietro il filo spinato che ci avrei messo un pezzo a dimenticare».

Anche Giacinto Marino riguadagnò la libertà verso la fine del 1941. Era stato detenuto per 16 mesi, lasciando il campo come ci era arrivato, coi soli abiti da lavoro. La storia di Giacinto ha però un risvolto ironico. Poco dopo l'arresto, suo figlio Renaldo, di 23 anni (a quel punto unico sostegno economico della famiglia) ricevette l'avviso di presentarsi per prendere servizio con l'esercito canadese. Questo avvenimento causò ulteriori problemi finanziari per Nellie Marino e le figlie Gloria ed Elain, rispettivamente di 14 e 15 anni. Di conseguenza entrambe le ragazze dovettero abbandonare gli studi per trovare lavoro e sostenere la famiglia.

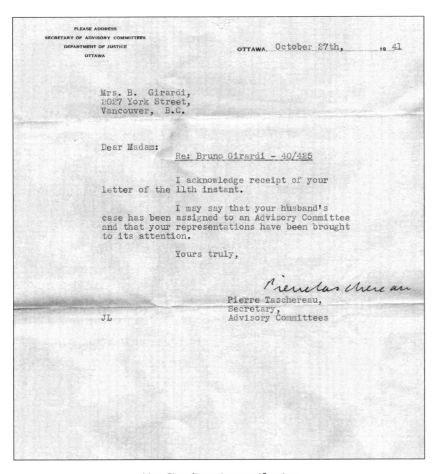

OTTAWA, October 27th, 19 41

Mrs. B. Girardi,
2027 York Street,
Vancouver, B.C.

Dear Madam:

    Re: Bruno Girardi - 40/425

    I acknowledge receipt of your
letter of the 11th instant.

    I may say that your husband's
case has been assigned to an Advisory Committee
and that your representations have been brought
to its attention.

    Yours truly,

Pierre Taschereau,
Secretary,
Advisory Committees

JL

Mrs. Girardi receives notification

La signora Girardi riceve notifica

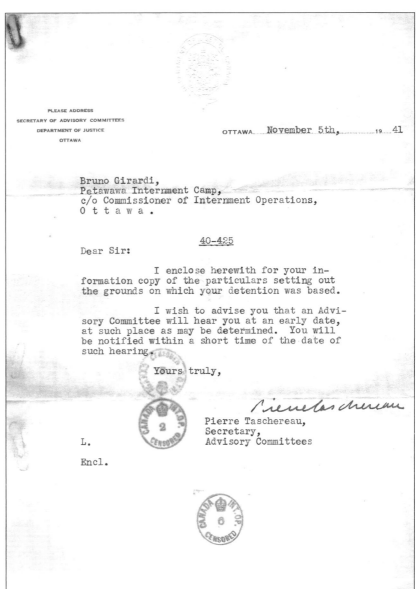

PLEASE ADDRESS
SECRETARY OF ADVISORY COMMITTEES
DEPARTMENT OF JUSTICE
OTTAWA

OTTAWA, November 5th, 19 41

Bruno Girardi,
Petawawa Internment Camp,
c/o Commissioner of Internment Operations,
O t t a w a .

    40-425

Dear Sir:

    I enclose herewith for your in-
formation copy of the particulars setting out
the grounds on which your detention was based.

    I wish to advise you that an Advi-
sory Committee will hear you at an early date,
at such place as may be determined. You will
be notified within a short time of the date of
such hearing.

    Yours truly,

Pierre Taschereau,
Secretary,
Advisory Committees

L.

Encl.

Pierre Taschereau explains reasons for detention

Pierre Taschereau spiega i motivi della detenzione

<u>P A R T I C U L A R S</u>

In the matter of

Detenu Bruno GIRARDI,
2027 York Street,
Vancouver, B.C.

Pursuant to the provisions of Section
8 of Regulation 22 of the Defence of Canada Regulations,
you are hereby informed of the grounds on which the Order
for your detention was made under Regulation 21 of the
Aforementioned Regulations:

The Authorities have reason to
believe that you were a member of the Italian
Fascio Abroad, which Organization was declared
illegal in Canada by Order-in-Council P.C. 2527
dated June 12, 1940, and you have, therefore,
been detained to prevent you from acting in any
manner prejudicial to the welfare of the State.

Particulars for Reason for Detention.

(1)   That you were a member of the Italian
Fascio Abroad, and in particular the
"Circolo Giulio Giordano" Fascio of
Vancouver, B.C.

(2)   That you took part in the activities of
the Organization heretofore mentioned,
which Organization was declared illegal
in Canada by Order-in-Council dated
June 12, 1940.

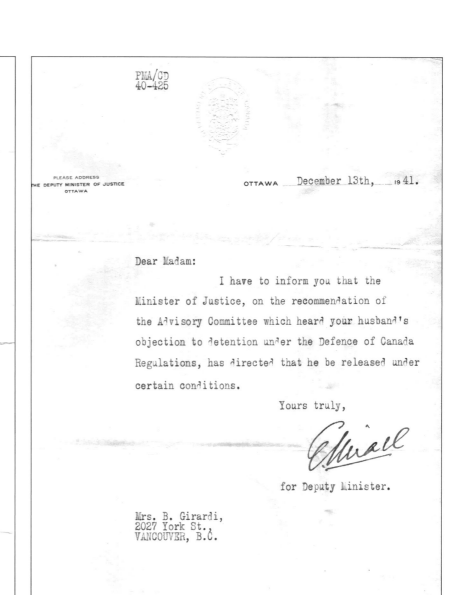

PMA/CD
40-425

PLEASE ADDRESS
THE DEPUTY MINISTER OF JUSTICE
OTTAWA

OTTAWA   December 13th,   1941.

Dear Madam:

I have to inform you that the
Minister of Justice, on the recommendation of
the Advisory Committee which heard your husband's
objection to detention under the Defence of Canada
Regulations, has directed that he be released under
certain conditions.

Yours truly,

for Deputy Minister.

Mrs. B. Girardi,
2027 York St.,
VANCOUVER, B.C.

Girardi accused of being a member of the *fascio*

Girardi è accusato di essere iscritto al Fascio

Girardi to be released from Petawawa

Girardi sarà rilasciato da Petawawa

I.O.Pwa. 4 - 21

Petawawa, Ontario,
13th December 1941.

To Bruno GIRARDI

1. The Commandant of this camp has received
authority to release you from internment,
conditionally upon your subscribing to the
Undertaking set out in regulation 24 of the
Defence of Canada Regulations. You have subscribed to this Undertaking. Another condition
of your release from detention is that you
report once a month to the Officer Commanding,
theRoyal Canadian Mounted Police, Vancouver,
B.C.

2. You will be furnished with a railway ticket
to Vancouver, B.C. You will leave the Petawawa
C.P,R. Station at 1.12 a.m. (S.T.) 13th December
1941.

3. Immediately upon your arrival in Vancouver, B.C.
you are required to report to the Royal Canadian
Mounted Police where the matter of your registration
and parole will be dealt with.

4. After you have fulfilled the requirement out-
lined in para. 3 you are required to report at
once to the nearest Post Office and register in
accordance with the National Registration Act.

(W.H. Roe), Capt.,
Adjutant,
for Commandant,
Petawawa Internment Camp.

Mrs. Girardi learns husband soon to be freed

La signora Girardi apprende che il marito tornerà presto libero

ROYAL CANADIAN MOUNTED POLICE
ENEMY ALIENS OFFICE.

IN REPLY PLEASE QUOTE

DIV. FILE No. 40-E-269-734   16th.December 1941

H. Q. FILE No. 40-D-269-4-I-42   10.

Bruno GIRARDI,
2627 York St,
Vancouver B.C.

In accordance with terms of Parole
when released from detention you are required to report
to the R.C.M.Police office at Shaughnessy Barracks
once monthly.

BRING THIS MEMORANDUM WITH YOU EACH

TIME.

DEC 16 1941	
JAN 8 1942	
FEB 18 1942	
MAR 11 1942	
APR 15 1942	
MAY 13 1942	
JUN 17 1942	
JUL 8 1942	
AUG 19 1942	
SEP 23 1942	
OCT 13 1942	
NOV 16 1942	
DEC 16 1942	
JAN 27 1943	
FEB 12 1943	
MAR 5 1943	
MAY 25 1943	
JUN 21 1943	
JUL 26 1943	

(E.C.P.Salt.)   Supt.
Officer Commanding "E"Div.   for

Girardi's RCMP reporting schedule

L'obbligo mensile di firma di Girardi presso la RCMP

Rino Baesso was another one of the internees released in December 1941. In a memorandum to the Acting Minister of Justice, Commissioner S.T. Wood of the RCMP wrote:

1. The undersigned has the honour to report that Rino BAESSO of Vancouver, BC, is an Italian National, who arrived in Canada about 17 years ago. He is a Shoemaker by trade, is married, and has two children who are at the present time in Italy and unable to return to Canada.

2. In July last year this man was interned by order of the Registrar General of Enemy Aliens on the recommendation of the Inter-Departmental Committee, after they had studied BAESSO's file in connection with his alleged pro-Fascist and pro-German beliefs.

3. At the time, the Government was being pressured by the Public to take very stringent action against all Enemy Aliens, who were not known to be absolutely loyal to the British Empire.

4. A review of this case has now been completed, and in view of the fact that organized Fascism is non-existent in Vancouver, and as we have no definite proof that this man ever engaged in any subversive activities, the undersigned is satisfied that the release on parole of BAESSO would not be detrimental to the best interests of the State, and it is therefore, recommended that this Subject be conditionally released from internment."

The 632 Italian internees – from across Canada – spent an average of 15½ months in POW camps located at Kananaskis, AB, Petawawa, ON, and Fredericton, NB. Yet, not a single one of the BC internees was charged with acting in any way prejudicial to the welfare of the State.

Rino Baesso era un altro degli internati rilasciati nel dicembre del 1941. In un memorandum indirizzato al ministro della Giustizia, il Commissario S.T. Wood della RCMP scrisse:

1. Il sottoscritto ha l'onore di riferire che Rino BAESSO di Vancouver, BC, è un cittadino italiano giunto in Canada circa 17 anni fa. Lavora come calzolaio, è coniugato e ha due figli che si trovano al momento in Italia e non possono rientrare in Canada.

2. Nel luglio dell'anno scorso costui fu internato per ordine dell'Ufficiale Generale per la Registrazione degli Stranieri Nemici su raccomandazione della Commissione Interministeriale, previo esame del fascicolo del BAESSO in relazione alle sue presunte simpatie filofasciste e filotedesche.

3. All'epoca, il governo era soggetto a pressioni da parte del pubblico affinché avviasse azioni molto decise contro tutti gli stranieri di paesi ostili i quali non fossero notoriamente fedeli sudditi dell'Impero Britannico.

4. Il caso è stato riesaminato, e alla luce del fatto che il fascismo organizzato è inesistente a Vancouver, e che non abbiamo alcuna prova certa che costui si sia mai impegnato in attività sovversive, il sottoscritto è convinto che il rilascio in libertà sulla parola del BAESSO non sarebbe lesivo degli interessi dello Stato, e si raccomanda pertanto che costui sia rilasciato dall'internamento in via condizionale».

I 632 internati italiani, da tutto il Canada, trascorsero in media 15 mesi e mezzo nei campi di prigionia situati a Kananaskis, in Alberta, Petawawa, in Ontario, e Fredericton, in Nuovo Brunswick. Eppure, non uno degli internati dalla Columbia Britannica fu mai accusato di condotte comunque lesive del bene dello Stato.

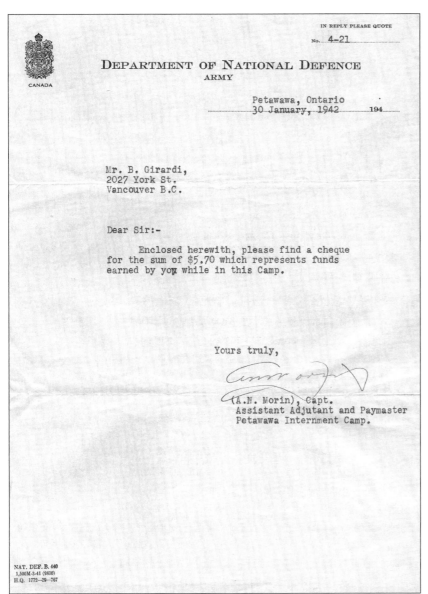

IN REPLY PLEASE QUOTE

No. 4-21

DEPARTMENT OF NATIONAL DEFENCE
ARMY

CANADA

Petawawa, Ontario
30 January, 1942 194

Mr. B. Girardi,
2027 York St.
Vancouver B.C.

Dear Sir:-

Enclosed herewith, please find a cheque
for the sum of $5.70 which represents funds
earned by you while in this Camp.

Yours truly,

(A.N. Morin), Capt.
Assistant Adjutant and Paymaster
Petawawa Internment Camp.

NAT. DEF. B. 440
1,500M-3-41 (9830)
H.Q. 1772—29—767

PLEASE ADDRESS
SECRETARY OF ADVISORY COMMITTEES
DEPARTMENT OF JUSTICE
OTTAWA

OTTAWA, June 16, 19 42

M. Cukos, Esq.,
748 Union Street,
Vancouver,
B.C.

Dear Sir:

Re: Santo Pasqualini 40/257

I have been directed to acknowled-
ge receipt of your letter of June 5th to the Deputy
Minister of Justice.

I may say that your representations
on behalf of Mrs. Pasqualini have been brought to
the attention of the Advisory Committee which heard
evidence on behalf of Pasqualini at Vancouver recently.

Yours truly,

Pierre Taschereau,
Secretary,
Advisory Committees.

L

Girardi earned $5.70 as Petawawa POW

Come internato a Petawawa, Girardi ha guadagnato $5.70

Advisory Committee acknowledges letter on behalf of Santo Pasqualini

La commissione consultiva riconosce la lettera a nome di Santo Pasqualini

ALL CORRESPONDENCE TO BE
ADDRESSED:—
THE COMMISSIONER,
R.C.M. POLICE,
OTTAWA

ROYAL CANADIAN MOUNTED POLICE
HEADQUARTERS

L.H. 2

SECRET

IN REPLY PLEASE QUOTE

FILE No. C.11-19-2-3.

OTTAWA,
CANADA

July 25, 1940.

The Rt. Hon. E. Lapointe, P.C., K.C.,
Minister of Justice and Attorney
General for Canada,
OTTAWA, Ontario.

Sir:

The Inter-Departmental Committee appointed for the purpose of reviewing the information and evidence contained in the files of the R.C.M. Police in connection with alien enemies and persons suspected of treasonable or seditious purposes, has deemed it advisable to recommend the UNCONDITIONAL RELEASE FROM INTERNMENT of

Pietro RUOCCO, Vancouver, B.C.

2. This man, who attained citizenship in Canada prior to 1929, was recommended for internment and was interned as a result of information and evidence mistakenly attributed to him.

3. Recent investigation reveals that this man has had no connection with subversive groups or activities since 1932 and has been thoroughly Canadian and British in viewpoint.

4. Pietro RUOCCO was arrested on June 10, 1940, and is presently held in the internment camp at Kananaskis, Alberta.

5. In view of the circumstances developed by recent investigation, it is recommended that this man be released unconditionally from internment forthwith.

6. Your approval of this recommendation is respectfully requested.

I have the honour to be,
Sir,
Your obedient servant,

APPROVED:

A/Minister of Justice.

(N. A. Robertson),
Chairman.

/CD

PLEASE ADDRESS
THE DEPUTY MINISTER OF JUSTICE
OTTAWA

OTTAWA November 14th, 19 41.

40-368

Re: Anthony Cianci

Dear Sir:

The Minister of Justice, acting on the recommendation of the Advisory Committee which heard this man's objection to detention under the Defence of Canada Regulations, has directed that he be released under certain conditions.

Yours truly,

for Deputy Minister.

B. L. Halstead, Esq.,
2218 West 8th Ave.,
VANCOUVER, B.C.

Peter Ruocco, unjustly interned, is released

Peter Ruocco, internato ingiustamente, viene rilasciato

Antonio Cianci gains release from Petawawa

Antonio Cianci ottiene il rilascio da Petawawa

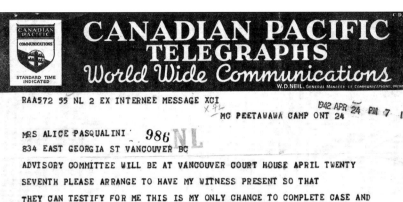

RAA572 55 NL 2 EX INTERNEE MESSAGE XGI

MC PEETAWAWA CAMP ONT 24   1942 APR 24 PM 7

MRS ALICE PASQUALINI   986 NL

834 EAST GEORGIA ST VANCOUVER BC

ADVISORY COMMITTEE WILL BE AT VANCOUVER COURT HOUSE APRIL TWENTY

SEVENTH PLEASE ARRANGE TO HAVE MY WITNESS PRESENT SO THAT

THEY CAN TESTIFY FOR ME THIS IS MY ONLY CHANCE TO COMPLETE CASE AND

DEPEND UPON YOU AND FRIENDS TO HELP ME OUT ADVISE JACK MCJANNET TO

COOPERATE WITH YOU AM WELL LOVE

        P W 1047 SANTO PASQUALINI

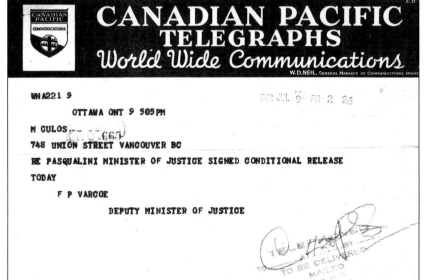

WN A221 9

        OTTAWA ONT 9 505PM   1942 JUL 9 PM 2 26

M CULOS   665

748 UNION STREET VANCOUVER BC

RE PASQUALINI MINISTER OF JUSTICE SIGNED CONDITIONAL RELEASE

TODAY

        F P VARCOE

                DEPUTY MINISTER OF JUSTICE

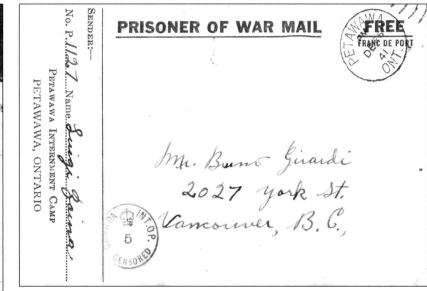

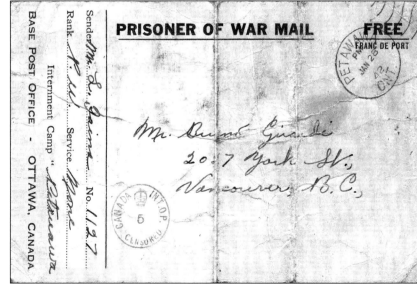

Character witness testifies; Pasqualini released

I testimoni vengono ascoltati e Pasqualini viene rilasciato

POW friends keep in touch with Girardi

Gli amici internati si tengono in contatto con Girardi

Internee POW mail for Bruno Girardi

Posta militare per Bruno Girardi

Correspondence from Petawawa pals

Corrispondenza dagli amici di Petawawa

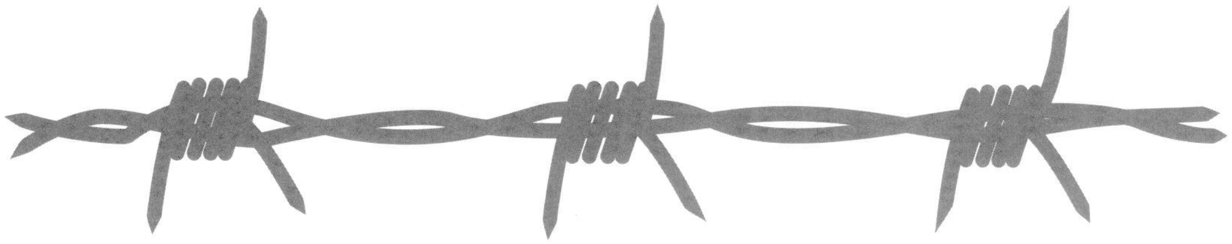

CHAPTER EIGHT

Enemy Aliens Report to RCMP

CAPITOLO OTTAVO

Gli stranieri nemici si presentino alla RCMP

Thousands of immigrants who had arrived in Canada from Italy during Mussolini's years in office, especially those who remained Italian nationals, were required to report monthly to the RCMP. In Vancouver, as many as 1,300 enemy aliens did so by trekking up to Division E Headquarters at 33rd Avenue and Heather Street, a short distance from the city's picturesque Little Mountain district. Later, the location of the monthly sign-in was transferred to an office at the main post office building in downtown Vancouver. In Trail, the Provincial Police administration office was in the Strand Block Building. Many of those polled felt that being compelled to report each month to the RCMP constituted an indignity and personal embarrassment. Other respondents regarded this dictum a travesty of justice and denial of a person's basic rights.

Lilly Albo. "My parents Mary and Gregory Castricano reported monthly to the RCMP just because my mother belonged to the Italian Women's Lodge. When war was declared by Mussolini, the people in our community were scared because they [RCMP] were rounding up Italians. They were scared and asking, 'What did we do?' Only thing that they might have done was to have given gold rings for the Ethiopian campaign."

Cyril Battistoni. "My wife Josie Paolella - who was born in Agassiz, BC - had to register with the RCMP. I came from Italy in 1910 when I was four. I went up to the RCMP detachment a couple of times, but after that I didn't bother to go back."

A migliaia di immigrati giunti in Canada dall'Italia durante il regime di Mussolini, in particolare a quelli che avevano mantenuto la cittadinanza italiana, fu imposto di presentarsi ogni mese alla RCMP. A Vancouver, per 1300 stranieri nemici questo volle dire recarsi al comando della Divisione E all'incrocio della 33ma Avenue con Heather Street, a breve distanza dal pittoresco quartiere cittadino di Little Mountain. In seguito, l'obbligo di firma mensile fu trasferito in un locale presso l'ufficio postale centrale nel centro di Vancouver. A Trail l'ufficio dell'amministrazione della polizia provinciale si trovava nell'edificio dello Strand Block. Molti di coloro che dovettero presentarsi pensarono che l'obbligo di presentazione mensile alla RCMP costituisse un'indegnità e una vergogna. Altri considerarono l'obbligo un travisamento della giustizia e una violazione dei propri diritti fondamentali.

Lilly Albo. «I miei genitori, Mary e Gregory Castricano, dovettero firmare ogni mese presso la RCMP solo perché mia madre apparteneva alla Loggia Femminile Italiana. Quando Mussolini entrò in guerra i membri della nostra comunità erano spaventati perché loro [la RCMP] stavano arrestando gli italiani. Erano spaventati e si chiedevano: "Cosa abbiamo fatto?" L'unica cosa che potevano aver fatto era di aver donato le fedi d'oro per la guerra d'Etiopia».

Cyril Battistoni. «Mia moglie Josie Paolella, nata ad Agassiz, in Columbia Britannica, dovette registrarsi dalla RCMP. Io ero arrivato dall'Italia nel 1910, quando avevo quattro anni. Andai al distaccamento della RCMP un paio di volte ma poi smisi di tornarci».

Gina Benetti. "My mother also had to register. I remember going up Oak Street and walking up Oak to the RCMP. To this day, I can remember. And there we were, four of us little kids. Four... I don't know how we did it. My mother dragged us with her. Can you imagine? In 1940 I must have been 12. But it was really something. It was a very traumatic experience. She was a lady with four kids having to drag them along with her to report to the RCMP. And we had all been born here. I really think that that was a travesty for which the government should apologize."

Laura Bianchin. "My parents had to report. In fact the family name Micieli was changed to Mitchell because of the war. And to think my brother was in the RCAF."

Nellie Cavell. "We went up to 33rd and Heather to the RCMP building. All you had to do was to march in, sign the book, and march out. No one said anything to you, no one asked any questions. And I was a Canadian citizen [British subject]. I remember having to sneak out of work at lunch time, going up because you had to do it once a month. If you didn't, you would be in trouble. You just sneaked out because you wouldn't want to have to tell your friends about it. And I always remember doing that by taking a number 16 streetcar and then taking the Oak Street car, after which I would walk up the hill to the RCMP building, across from St. Vincent's Hospital."

Gabriele Iacobucci. "I arrived in Canada in 1923 and became a citizen in 1930. When Mussolini declared war on the Allies, I had been working at the Vancouver Airport for 16 years. That very day the foreman came over to me and said, 'Iacobucci, that's it!' And I was fired because Canada was at war with Italy. My wife and I reported to the RCMP. I only went three times but she continued to go for some time, reporting to the office at the downtown Post Office."

Margherita McPherson. "My parents and my siblings lived in Powell River. When mother became ill, dad took her to Italy for medical treatment. That was in 1920. While in Italy, I was born - April 1920. We returned to Canada when I was four months old. As a result of having

Gina Benetti. «Anche mia madre dovette registrarsi. Ricordo la strada su per Oak Street fino alla RCMP. Me la ricordo ancora oggi. Eravamo in quattro, noi bambini. Quattro... Non so come ce la facemmo. Mia madre ci portava con sé. Se lo immagina? Nel 1940 devo aver avuto 11 anni. Fu una cosa grossa. Un'esperienza davvero traumatica. Questa signora con quattro bambini doveva trascinarseli dietro per andare alla RCMP. Ed eravamo tutti nati qui. Penso proprio che sia stata un'ingiustizia per la quale il governo dovrebbe scusarsi».

Laura Bianchin. «I miei genitori dovettero presentarsi. Difatti si cambiarono il cognome da Micieli a Mitchell a causa della guerra. E pensare che mio fratello era nella RCAF».

Nellie Cavell. «Andavamo al palazzo della RCMP sulla 33ma e Heather. Tutto quel che bisognava fare era entrare, firmare il registro e uscire. Nessuno ti diceva niente, nessuno ti chiedeva niente. E io ero cittadina canadese [suddita britannica]. Ricordo che uscivo dal lavoro di soppiatto nella pausa pranzo, per andare su una volta al mese. Se non lo facevi eri nei guai. Uscivo di soppiatto perché non volevo parlarne con le amiche. E mi ricordo che prendevo il tram numero 16 e poi quello di Oak Street, poi salivo a piedi la collina che portava all'edificio della RCMP, di fronte all'ospedale St. Vincent».

Gabriele Iacobucci. «Arrivai in Canada nel 1923 e presi la cittadinanza nel 1930. Quando Mussolini entrò in guerra contro gli Alleati, lavoravo all'aeroporto di Vancouver da 16 anni. Quel giorno stesso il capoccia venne da me e mi disse: "Iacobucci, basta così!" Fui licenziato perché il Canada era in guerra con l'Italia. Mia moglie e io dovevamo firmare dalla RCMP. Io andai tre volte, ma lei continuò ad andarci per un po', presentandosi all'ufficio postale in centro».

Margherita McPherson. «I miei genitori, fratelli e sorelle vivevano a Powell River. Quando mamma si ammalò papà la portò a curarsi in Italia. Questo successo nel 1920. Mentre erano in Italia nacqui io, in aprile del 1920. Ritornammo in Canada quando avevo quattro mesi. Dato che ero nata in Italia, dovetti presentarmi alla RCMP, così come mio padre, Paul Girone, che venne naturalizzato nel 1928».

Vancouver Public Library / Biblioteca Pública di Vancouver

Vancouver's enemy aliens reported to RCMP-HQ / Gli stranieri nemici di Vancouver firmavano presso il comando della RCMP

been born in Italy, I had to report to the RCMP as did my father Paul Girone, who became a naturalized citizen in 1928.

"We had to be careful. I had to carry a paper [Registration Certificate] and couldn't leave Vancouver without their permission [RCMP]. If I wanted to go to Victoria I had to tell them I was going. And when I got to Victoria, I had to phone the HQ there and declare myself. And every day I had to report while I was gone, which was terrible. And I had to go every month to the RCMP at 33rd and Heather. We would have to be there at a specific time. In other words, you could go any evening you wanted, but you had to be there between certain hours. We used to go with the streetcar across the Oak Street bridge. I was late a couple of times because my husband Jack's uncle was living with us and he was working over at the shipyards. So, I had a war-worker in the house and couldn't always get away when I needed to. I can remember that if you didn't report and it came up that you hadn't been there for your stamp - I believe that they stamped every time I went - they would pick you up. One night I got there late. They had just closed the office for five minutes. And I said look, 'I can't come back, I've got a war-worker in the house and I have to go home.' They said, 'You will come back or else we will pick you up.' I said, 'So pick me up.' And I walked out. And Mr. Fraser - I've forgotten his title - was the one who phoned me and said, 'We will let you get away with it this time, but don't do it again. I'm doing this this one time because of your father.' So I know I was certainly being called on the carpet for it. And I made a remark to one of the fellows one day. I said 'I probably have been in Canada longer than you.' And this was directed to the RCMP fellow with all of us there. And he made some caustic remark, you know, 'WOP, WOP, whatever' to which I took offense. I said, 'For gosh sakes; you would think I was going to blow up the darn water works.' I was told afterwards that I should never have made a remark like that. If somebody chose to do just that, and I had been heard making that remark, I could have been held responsible."

«Dovevamo fare attenzione. Dovevo portare con me un documento [il Certificato di Registrazione] e non potevo lasciare Vancouver senza autorizzazione [della RCMP]. Se volevo andare a Victoria dovevo farglielo sapere. Quando arrivavo a Victoria dovevo chiamare il loro comando locale e dichiararmi. Ogni giorno che restavo fuori dovevo presentarmi, una cosa terribile. Ogni mese, poi, dovevo andare alla RCMP alla 33ma e Heather. Dovevamo stare lì a un'ora precisa. In altre parole, si poteva andare la sera che si preferiva ma bisognava essere lì in determinati orari. Andavamo col tram passando sul ponte di Oak Street. Un paio di volte feci tardi perché lo zio di mio marito Jack viveva con noi e lavorava ai cantieri navali. Con un operaio dell'industria bellica in casa non potevo sempre uscire quando volevo. Ricordo che se non ti presentavi e saltava fuori che non avevi il timbro (mi pare mettessero un timbro ogni volta che andavi) ti venivano a prendere a casa. Una sera arrivai tardi. Avevano appena chiuso l'ufficio da cinque minuti. Io dissi: "Ascoltate, non posso tornare, ho un operaio bellico in casa e devo stare a casa". Mi risposero: "O lei torna qui o noi la veniamo a prendere". "E allora venitemi a prendere" risposi, e uscii. Un certo Mr. Fraser (non mi ricordo la carica) mi telefonò e mi disse: "Stavolta lasciamo correre, ma non lo rifaccia. Questa volta la tratto così per via di suo padre". Quindi so che ti controllavano. Un giorno dissi una cosa a uno di questi tizi. Gli dissi: "Probabilmente sono in Canada da più tempo di lei". Lo dissi a uno della RCMP che era lì con tutti noialtri. Lui mi diede una rispostaccia, sa: "Sì, una WOP, figuriamoci" e io mi offesi. Gli dissi: "Ma per la miseria, neanche volessi far saltare in aria il maledetto acquedotto!" Poi mi dissero che non avrei dovuto dire una cosa del genere. Se qualcuno lo avesse fatto davvero, e qualcuno me lo avesse sentito dire, avrei potuto venire considerata responsabile».

Emma Lussin Maffei. «Mio padre e mia madre dovettero presentarsi, cosa che secondo me era sbagliata perché erano cittadini canadesi. Non li ho mai sentiti parlare dei fascisti o di roba simile».

Heavy water from Trail used in Manhattan Project

Acqua pesante di Trail per il Progetto Manhattan

Wartime National ID card

Carta d'identità del tempo di guerra

Assunta Padula's National ID card

Carta d'identità di Assunta Padula

Emma Lussin Maffei. "My father and mother had to report, which I think was wrong, as they were Canadian citizens. And I never heard them talk about fascists or any of that stuff."

Mary Pettovello. "I was born in Vancouver in 1912 and married my husband Louie in 1938. Although he was in the process of getting his citizenship, his application was put on hold when the war with Italy broke out. As he was an Italian national, I assumed his nationality. Such were the rules in those days. So, I had to report monthly to the RCMP, be fingerprinted and classified as an enemy alien. How ridiculous was that!"

Enemy Aliens Removed from BC's Coast

At the time when Italians voluntarily surrendered their firearms to the police, others were ordered to leave the Protected [Pacific] Coast Area. Unfortunately, there are no figures available regarding the number forced to relocate beyond the 100-mile restricted area. It is presumed, however, that they had been exempted from confinement because of extenuating circumstances. Fortunately the documented experiences of the Carotenuto, Negrin and Sanvido families serve as examples of this forced exodus.

Elisa Negrin. "Government regulations required that my husband not remain on the coast while Canada was at war with Italy. It had something to do with his citizenship status. Therefore, Bert and I, with our infant son Nino, moved to Michel-Natal in the Kootenays. Gina Benetti's father, Emilio Sanvido, left his family in Vancouver for the same reason. He was looking for work in Calgary but when he heard that I was going to Michel-Natal, he decided to do the same. When we were settled, he and others would come over to our place regularly to visit or to have meals with us."

Gina Benetti. "I can recall that during the desperate thirties my father Emilio Sanvido left Vancouver to work in the mines at Anyox a year at a time." One of 12 children, Sanvido was born in 1900 and served in the Italian Army during World War I. He was instructed to leave Vancouver in 1940. Experienced as a heavy construction worker, he first

Mary Pettovello. «Nacqui a Vancouver nel 1912 e sposai Louie nel 1938. Anche se stava ottenendo la cittadinanza, la sua domanda fu congelata allo scoppio della guerra con l'Italia. Dato che era cittadino italiano, io presi la sua nazionalità. Così funzionava in quei giorni. Perciò dovetti presentarmi ogni mese alla RCMP, farmi prendere le impronte digitali e venire classificata come straniera nemica. Ma sarà una cosa ridicola!»

Gli stranieri nemici allontanati dalla costa della Columbia Britannica

All'epoca in cui gli italiani consegnarono volontariamente le armi da fuoco alla polizia, ad altri fu ordinato di abbandonare la Zona Costiera [del Pacifico] Protetta. Sfortunatamente mancano dati sul numero di persone costrette a trasferirsi al di là della zona costiera ampia 160 chilometri. Si presume, tuttavia, che siano stati esentati dall'internamento per circostanze attenuanti. Fortunatamente le esperienze documentate delle famiglie Carotenuto, Negrin e Sanvido possono servire da esempi di questo esodo forzoso.

Elisa Negrin. «Le disposizioni del governo imponevano che mio marito si allontanasse dalla costa fintantoché il Canada era in guerra con l'Italia. Aveva qualcosa a che fare con la sua cittadinanza. Allora Bert e io, con nostro figlio Nino ancora piccolo, ci trasferimmo a Michel-Natal nei Kootenays. Il padre di Gina Benetti, Emilio Sanvido, lasciò la famiglia a Vancouver per la stessa ragione. Stava cercando lavoro a Calgary, ma quando seppe che io andavo a stare a Michel-Natal decise di fare lo stesso. Una volta sistemati, lui e altri venivano regolarmente da noi in visita o a pranzo».

Gina Benetti. «Ricordo che nei disperati anni Trenta mio padre, Emilio Sanvido, lasciava Vancouver per andare a lavorare in miniera ad Anyox a un anno alla volta». Sanvido era nato nel 1900 in una famiglia di 12 figli e aveva prestato servizio nelle file dell'esercito italiano nella prima guerra mondiale. Nel 1940 gli fu ordinato di lasciare Vancouver. Edile esperto, dapprima andò a Calgary in cerca di lavoro. Non trovando un impiego adatto, Sanvido andò a Michel,

Courtesy City of Trail / Per gentile concessione della Città di Trail

Enemy aliens report to Police at Trail's Strand Building / Gli stranieri nemici firmano presso lo Strand Building a Trail

went to Calgary looking for a job. Unable to find suitable employment, Sanvido went to Michel, BC, obtaining accommodation near Bert and Elisa Negrin's temporary quarters.

"My father never belonged to any Italian society, but was an *Ex-Combattente*. While he was away, the family's financial situation deteriorated. That's when my mother asked me to quit school. Although I was only 16 and respected my parents, I protested. I had always dreamed of finishing school and becoming a teacher, which eventually I succeeded in doing. A compromise was set when I continued to work at two part time jobs. I would go with her to the RCMP to report. In fact it was my mom, my three siblings and me. To this day when I go to church which is located at 33rd and Cambie just east of where the RCMP HQ had been located during the war, I am reminded of that embarrassing experience."

Nino Negrin. "At the time of the Japanese attack on Pearl Harbor, we were living in Port Alberni where my dad was employed by Alberni Pacific Lumber Company Limited. Late one night provincial police knocked on our door. They came to inform my father, whom they referred to as a parolee, that he had 24 hours to pack up and leave the Protected Coast Area. Friends recommended that dad go to the twin mining towns of Michel-Natal because coal was essential to the war effort and jobs were available there. And so that we would all be together, mom readily chose that we go with him."

Pete Carotenuto. "During the war, a number of Italians were not permitted to live within 300 miles of British Columbia's Pacific Coast. Although dad was a Canadian citizen, he had to leave Vancouver because Canada was at war with Italy. I had been shining shoes for 10 cents a shine at the BCER Interurban Tram Station, Carrall and Hastings. I wasn't getting much, just 50 cents a day and tips, so I decided to leave with my father."

After an unsuccessful attempt at finding work in Toronto, the father-son team decided to try their luck in Calgary. "Dad got a job shining shoes at a barber shop owned by an Italian named Pace and I was hired on at a foundry picking up scrap and taking it to the industrial

in Columbia Britannica, trovando alloggio vicino alla sistemazione temporanea di Bert ed Elisa Negrin.

«Mio padre non aveva mai fatto parte di alcuna associazione italiana, ma era un ex combattente. Mentre era via, le finanze di famiglia peggiorarono. Fu allora che mia madre mi chiese di lasciare la scuola. Anche se avevo solo 16 anni e rispettavo i miei genitori, protestai. Avevo sempre sognato di finire le scuole e diventare insegnante, cosa che poi mi riuscì. Raggiungemmo un compromesso per cui io continuai a lavorare in due lavori a tempo parziale. Andavo con lei a firmare alla RCMP. Eravamo mia mamma, i miei tre fratellini e io. Ancora oggi, quando vado alla chiesa che sta all'incrocio della 33ma e Cambie, subito a est di dove si trovava il comando della RCMP durante la guerra, mi torna in mente quell'imbarazzante esperienza».

Nino Negrin. «Nel giugno del 1940, vivevamo a Port Alberni dove papà lavorava per la Alberni Pacific Lumber Company Limited. Una sera tardi si presentò alla porta la polizia provinciale. Erano venuti a dire a mio padre, che dicevano era in libertà sulla parola, che aveva 24 ore per fare le valigie e allontanarsi dalla Zona Costiera Protetta. Gli amici raccomandarono a papà di andare nelle cittadine minerarie gemelle di Michel-Natal perché il carbone era essenziale per lo sforzo bellico e lì si trovava da lavorare. Per restare tutti assieme, la mamma decise di andare con lui».

Pete Carotenuto. «Durante la guerra a un certo numero di italiani fu proibito di risiedere entro 500 chilometri dalla costa del pacifico della Columbia Britannica. Anche se papà era cittadino canadese, dovette lasciare Vancouver perché il Canada era in guerra con l'Italia. Facevo il lustrascarpe a 10 centesimi la lustrata alla stazione tramviaria interurbana della BCER, all'incrocio di Carrall e Hastings. Non facevo gran che, appena 50 centesimi al giorno più le mance, quindi decisi di seguire mio padre».

Dopo un tentativo fallito di trovare lavoro a Toronto, padre e figlio decisero di tentare la fortuna a Calgary. «Papà trovò lavoro come lustrascarpe in un negozio di barbiere di proprietà di un italiano, un

Alberni Pacific Lumber Company Limited

MANUFACTURERS OF
LUMBER LATH AND SHINGLES
FOR CARGO AND RAIL SHIPMENT

Port Alberni, B.C.

<u>CAMP #1</u>   March 19th. 1943.

Mr. Gilberto Negrin,
Box 284,
Natal, B. C.

Dear Sir,-
          Referring to your letter of March
10th. in which you indicate you would be permitted
to return to the Coast providing you could show
the Police authorities that you had a job to go to.
          In this connection you can assure the
authorities that we would be pleased to employ you
just as soon as they can release you to return.

          Yours truly,

          ALBERNI PACIFIC LUMBER COMPANY, LTD. .

          D. McColl,
          Logging Superintendent.

U. I. C.
RECEIVED
APR 27 1943
CRANBROOK, B. C.

"E" Division.

L. H. 3A

ROYAL CANADIAN MOUNTED POLICE
C.I.B.

IN REPLY PLEASE QUOTE

DIV. FILE No. <u>MJ 21-10-3</u>   Vancouver, B.C.,
                                                        March 18, 1943.

H. Q. FILE No._____

Mr. Gilberto Negrin,
Box 284, NATAL, B.C.

Dear Sir:

          This will acknowledge receipt of your
communication dated the 11th instant wherein you
request permission to return to this Coast. For
your information, please be advised that Italian
Nationals are no longer excluded from living in the
Protected Areas of this Province, provided they secure
a Certificate of Exemption from their local Registrar
of Enemy Aliens.

          At your convenience, therefore, you will
call at your nearest Registrar of Enemy Aliens who
will, if he sees fit, issue to you a Certificate of
Exemption which, when properly endorsed by him, will
permit you to proceed to Port Alberni, B.C. At the
same time, you will turn over to him your Certificate
of Parole for cancellation. On reaching your intended
destination, you are required to report to the Registrar
of Enemy Aliens at that point.

                                        Yours truly,

                                        A/Comm'r.
WCT   (C. H. Hill)
                                        Commanding "E" Division.

Job promised Negrin on return to Port Alberni

Offerta di lavoro per Negrin al suo ritorno a Port Alberni

RCMP issues Negrin Certificate of Exemption

La RCMP darà a Negrin un Certificato di esenzione

waste furnace facility." Later, Pete found a better paying job, which allowed the pair to send money home in support of Mrs. Carotenuto and the two younger children. After working in Calgary for nine months or so and with Italy nearing defeat, a thankful Carmine and Pete returned to Vancouver and a very happy family reunion.

Pete's brother Fred was a pre-schooler when the RCMP served notice that his father would have to leave Vancouver because in their view he posed a security risk. "I was around four years old when the RCMP came to our house. They came in reeking of cigarette smoke. As my dad and brother left, each with a suitcase, I hid my face behind my mother's skirts," Fred recalled rather emotionally.

Lori Hedin. "My parents Antonio and Giuditta Brandolini arrived in Canada in 1911 and 1912 respectively, but didn't apply for British Subject citizenship until 1920." For reasons that are not clear, they were compelled to report monthly to the RCMP. The stress from this questionable and embarrassing situation adversely affected Mrs. Brandolini's nervous condition. Finally, after months and months of dutifully reporting to the RCMP, she asked her doctor to intervene. After a complete examination, her doctor issued a medical certificate which served to exempt her from having to continue to report to the police.

Angelo Branca. As the community's prime advocate, Branca provided legal advice to many of the families whose breadwinners had been interned. He also represented a number of Canadian Italians who were required to report monthly to the RCMP. Although Branca had clearly pledged allegiance to King and country, the RCMP maintained a dossier on the young accomplished barrister. Among the documents marked secret and filed with the office of the Custodian is one addressed to the Inter-Departmental Committee, Ottawa. Its subject relates to the disposition of Aristodemo Marin, an internee known to his friends as "Big Marino." The document contains a direct reference to Angelo Branca, who appeared to be of special interest to the RCMP. The memo reads as follows:

certo Pace, e io venni assunto in una fonderia per raccogliere rottami da portare al forno degli scarti industriali». In seguito Pete trovò un lavoro che pagava meglio, il che permise ai due di inviare denaro a casa per aiutare la signora Carotenuto e i due figli più piccoli. Dopo aver lavorato a Calgary per nove mesi circa e con l'Italia sull'orlo della sconfitta, Carmine e Pete poterono finalmente tornare a Vancouver per una felice riunione di famiglia.

Fred, fratello di Pete, andava all'asilo quando la RCMP notificò al padre che doveva andarsene da Vancouver in quanto era ritenuto una minaccia per la sicurezza. «Avevo quattro anni quando venne a casa nostra la RCMP. Puzzavano di fumo di sigaretta. Quando mio padre e mio fratello partirono, ognuno con la sua valigetta, andai a nascondere la faccia tra le sottane di mia madre» ha ricordato Fred con una certa commozione.

Lori Hedin. «I miei genitori, Antonio e Giuditta Brandolini, vennero in Canada rispettivamente nel 1911 e 1912, ma non fecero domanda per diventare sudditi britannici fino al 1920». Non è chiaro il motivo per cui furono obbligati a presentarsi ogni mese alla RCMP. Lo stress provocato da questa discutibile e imbarazzante situazione cominciò a logorare i nervi della signora Brandolini. Alla fine, dopo mesi e mesi di disciplinata presentazione alla RCMP, chiese al suo medico di fare qualcosa. Dopo una visita completa, il medico stese un certificato che la esentava dal continuare a presentarsi alla polizia.

Angelo Branca. In qualità di principale avvocato della comunità, Branca fornì consulenza legale a molte delle famiglie i cui uomini erano stati internati. Assistette anche vari italocanadesi obbligati a presentarsi mensilmente alla RCMP. Nonostante Branca avesse chiaramente giurato fedeltà al re e al paese, la RCMP aveva un dossier sul giovane avvocato di successo. Tra i documenti segreti depositati presso l'ufficio del Custode ce n'è uno indirizzato alla Commissione Interministeriale a Ottawa. Tratta di cosa fare con Aristodemo Marin, un internato che gli amici chiamavano "Big Marino". Il documento

P. O. Box 284

Natal, B. C.

March, 23rd. 1943.

Registrar of Alien Enemies,

British Columbia Police,

Port Alberni, B.C.

Dear Sir:-   CERTIFICATE OF PAROLE No. 15368.

I have been notified by my former employer, the
Alberni Pacific Lumber Co, Ltd. of Port Alberni, B.C. Camp #1.
That as soon as I can be released from the local Police authorities by returning to the Protected Coast Area, they will give
me my old job which I was employed by the said Company for
9 years previous to my living the Protected Area.

In connection with this matter of re-entering the
said Area and under a recent order of the Defence of Canada
Regulations (As I was told by the local Police) I must be recommended or given permission from my registrar of Port Alberbi, B.C
as to my conduct. In this matter will you please send me a
letter of reference, stating my good conduct.

As for my reference If you dont remember me, you can
phone Mr. D. Mc Coll, Superintendent of Alberni Pacific Lumber,
Co. Ltd. or Dr. C. T. Hilton of Alberni, which he attended my
wife while there. Trusting to receive the reference and
thanking you very much.

Sincerely yours,

Your File No...............   In reply quote File No...............

SUBJECT: "A"   West Coast District Hqrs.,
                          B.C. Police,
                          Port Alberni, B.C.

April 19th, 1943.

Mr. Gilberto Negrin,
P.O. Box 284,
Natal, B.C.

Certificate of Parole #15368

Dear Sir:

Your record here has been investigated. It shows
that you worked in this district for Alberni Pacific Lumber
Co. Ltd. for a period of almost ten years. They state that
you were very reliable, believed to be loyal to this country,
and had never been in trouble to their knowledge. Our files
show that you have no criminal record in this District.

If the Department at Ottawa is willing to grant you
permission to return, I have no objection to your returning
to this District.

Yours truly,

(S.Service) Sgt.
NCO i/c West Coast District,
B.C.P.P.

SS/M

BC Provincial Police OK with Negrin's return

La polizia della Columbia Britannica è d'accordo sul ritorno di Negrin

Bert Negrin requests return to Protected Area

Bert Negrin chiede il rientro nella Zona Protetta

1. Re: Aristodemo Marino [sic], Vancouver, BC, [hereafter referred to as the Subject]: The above named is the sole remaining person listed under Appendix III at Vancouver, whose disposition has not been decided. It will be recalled that the matter has already received the attention of the Inter-Departmental Committee, at which time it was decided to hold the matter in abeyance pending the completion of an investigation into the activities of Angelo E. Branca, Barrister, who had become interested in the case and who was also the originator of the Italo Canadian Vigilants [sic] Association. The activities, of which, appeared questionable.

2. The file on Branca is attached hereto and contains two recent reports dated the 9th and 16th instants respectively. A perusal of these reports disclose that little in the way of tangible evidence indicative of disreputable methods has been obtained. A review of report dated the 7th instant and appearing on file [with the] Italian Fascist Party, British Columbia, disclose that Branca is presently undergoing two weeks military training on Vancouver Island with the 2nd Battalion Irish Fusiliers in the Non-Permanent Militia.

3. With respect to the Subject, the files of this Force disclose that he was a strong Fascist and pro-German. He was a member of the Circolo Giulio Giordani Lodge of the *Fascio*, Vancouver. Following the roundup of Italians at the inception of the war with Italy, Gregorio Fuoco, Secretary of the Vancouver *Fascio*, supplied a list of the membership of that branch in his record of interrogation completed in the form of a solemn declaration. In this list, the Subject is shown as having 'left the organization last year'.

Your attention is directed to the second paragraph of memorandum dated the 19th ultimo submitted by the Officer Commanding "E" Division. It will be noted that our Secret Agents state that the Subject retained his strong Fascist leanings after he

contiene un riferimento diretto ad Angelo Branca, che appare persona d'interesse particolare per la RCMP. Il memorandum dice:

1. Oggetto: Aristodemo Marino [sic], di Vancouver, Columbia Britannica (nel seguito 'il soggetto'): Il summenzionato è l'unico individuo rimasto nell'elenco di cui all'Appendice III a Vancouver, sul cui destino non sia stata presa una decisione. Si ricorderà che la questione è già stata portata all'attenzione della Commissione Interministeriale, ove si decise di tenere in sospeso la questione fino al completamento di un'indagine circa le attività dell'avvocato Angelo E. Branca, che si è interessato al caso e che è anche stato all'origine dell'Associazione Vigilanti [sic] Italocanadesi, le attività della quale appaiono di natura discutibile.

2. Si allega il dossier su Branca, contenente due recenti rapporti datati rispettivamente 9 e 16 del corrente mese. La consultazione di tali rapporti rivela che si sono ottenuti scarsi elementi tangibili di prova che indichino l'uso di metodi loschi. L'esame del rapporto del 7 corrente mese presente nel dossier sul Partito Fascista Italiano in Columbia Britannica rivela che Branca sta al momento partecipando a due settimane di addestramento militare sull'isola di Vancouver col 2° Battaglione Fucilieri Irlandesi della milizia provvisoria.

3. Nel merito del soggetto, i dossier di questa Forza rivelano che è stato fascista convinto e filotedesco. Era iscritto al Circolo Giulio Giordani del Fascio di Vancouver. Dopo gli arresti di italiani allo scoppio della guerra con l'Italia, Gregorio Fuoco, segretario del Fascio di Vancouver, fornì in interrogatorio una dichiarazione solenne con l'elenco degli iscritti a quella sezione. In tale elenco, il soggetto è indicato come "uscito dall'organizzazione lo scorso anno.

Si richiama l'attenzione al secondo capoverso del memorandum del 19 ultimo scorso trasmesso dall'ufficiale in

DEPARTMENT OF LABOUR

CANADA

NATIONAL SELECTIVE SERVICE

MOBILIZATION SECTION

Date........OCTOBER.29,.1943........

Place........VANCOUVER...............

Province...BRITISH.COLUMBIA.........

Serial **K 55506**

1. This is to certify that the bearer of this Certificate, whose name appears below, is not liable for compulsory mobilization under National Selective Service Mobilization Regulations as he is:

.......ITALIAN.CITIZEN...

2. Particulars of National Registration 1940, are:

NAME...........GILBERTO.NEGRIN...................................

ADDRESS..............333..................................BOYNEST.STREET.........
             (Number)   (Street)

.........NEW.WESTMINSTER..................BRITISH.COLUMBIA.........
         (Place)   (Province)

DATE OF BIRTH...June.20,.1904...................

POLLING DIVISION............38.............ELECTORAL DISTRICT...........229...........

3. This certificate is issued on the date and at the place named above and expires on the...TWENTY-NINTH....day of....APRIL..........19.44.unless sooner cancelled or subsequently renewed.

4. This certificate is granted to the person named herein for the reason indicated above, it being subject to cancellation for military reasons or cause.

The Registrar, Administrative Division " **K** ",
National Selective Service, Mobilization Section

N.S.S. (M) 51

Negrin not liable for compulsory mobilization

Negrin è esentato dalla leva obbligatoria

Courtesy N. Negrin / Per gentile concessione di N. Negrin

Emilio Sanvido (front row, second from the left)
visits Negrins in Michel-Natal; Lalo Pivato, standing at right

Emilio Sanvido (prima fila, secondo dalla sinistra)
visita i Negrin a Michel-Natal; Lalo Pivato, in piedi a destra

Back row, left to right / Seconda fila, da sinistra a destra:
Eliza Negrin, Nino Negrin, Gilberto Negrin

left the Fascio. Also, he many not have attended the meetings. Attention is also directed to paragraph three of memorandum dated the 16th instant in which the Officer Commanding "B" Division stated that the release of the Subject at this time would not reflect clearly to Branca.

During this period, Branca continued his leadership role within the Canadian Italian War Vigilance Association. In a notice of meeting dated Feb. 20, 1941, signed by Angelo Branca and Marino Culos, the Subject of establishing a "Free Italy Movement" in the City of Vancouver was discussed. The memorandum reads in part, "The meeting is simply to marshal opinion of citizens of Italian Origin in this Country, as has been done in England and the United States, and all who are in favour, and who are against the Facist [sic] Regime, and will do whatever can be done by them through force of unanimity of opinion to bring about a free Italy with a Free Parliament so that the government of the country might be based directly upon the will of the people rather than upon force and totalitarian power as has been the case and is, as it is at the present time."

comando della Divisione "E". Si noti che i nostri agenti segreti dichiarano che il soggetto ha mantenuto forti tendenze fasciste anche dopo aver lasciato il Fascio. È anche possibile che non abbia partecipato alle riunioni. Si richiama l'attenzione anche al terzo capoverso del memorandum del 16 corrente mese nel quale l'ufficiale in comando della Divisione "B" afferma che il rilascio del soggetto in questo momento non si rifletterebbe chiaramente sul Branca.

In questo periodo, Branca continuò il suo ruolo di leader della Associazione Canadese-Italiana di Vigilanza sulla Guerra. Nell'avviso di convocazione di una riunione, datato 20 febbraio 1941 e firmato da Angelo Branca e Marino Culos, si discute il tema della costituzione di un "Movimento Italia Libera" nella città di Vancouver. L'avviso dice, tra l'altro: «La riunione ha il solo scopo di orientare l'opinione dei cittadini di questo paese di origini italiane, come è stato fatto in Inghilterra e negli Stati Uniti, e di tutti coloro che sono a favore [del movimento], e contrari al regime fascista, e che faranno quanto loro possibile per unanimità d'intenti per promuovere un'Italia libera con un libero Parlamento, in modo che il governo del paese possa basarsi direttamente sulla volontà del popolo anziché sulla forza e sul potere totalitario come è stato in passato ed è ancora oggi».

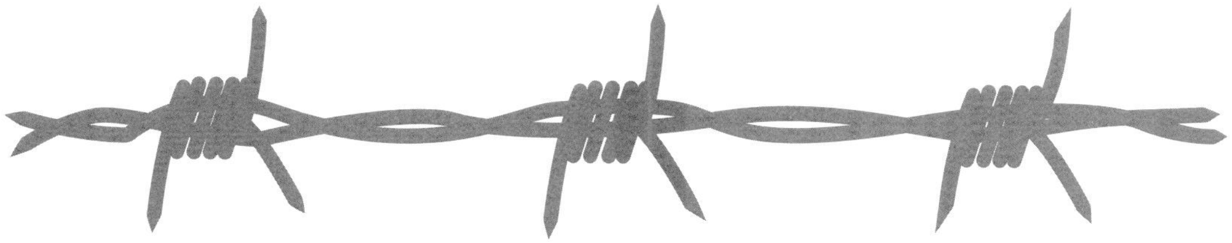

CHAPTER NINE

Italian Canadians Serve in Canada's Forces

CAPITOLO NONO

Gli italocanadesi nelle forze armate canadesi

Canada's record as an efficient and effective military machine during World War II is well documented. Hundreds of thousands of young men and women, serving in the country's three branches of the armed services, fought victoriously in all theatres of war. Following the Italian Campaign in 1944, however, a shortage of replacements for the Army became acutely problematic. Although conscription had been soundly rejected, primarily by French Canadians, Prime Minister Mackenzie King sought a compromise solution. He resolved the politically sensitive issue by introducing his now famous "Conscription if Necessary but not Necessarily Conscription" campaign. This rather ambiguous policy was successful in shoring up needed recruits. An estimated 68,000 conscripts swelled the ranks, with approximately 12,000 being added to those serving in Europe. Men who joined or became conscripts were asked to declare their intentions: either to serve in the active forces or to decline service overseas by remaining members of the Home Guard. The latter group made up mostly of Quebecers, but including a number of Italian Canadians, was unflatteringly referred to by some as Zombies.

The Peter Ruocco family suffered many indignities associated with the internment question and the contradictions of war. Shortly after Peter Ruocco had been detained at the Immigration Building, his son Silvio attempted to join the Canadian Forces.

A recruitment officer allegedly refused Silvio's application to join the military on the basis of his racial origin. This happened in spite of the fact that two of Silvio's uncles had served in the Canadian Army

L'efficacia e l'efficienza della macchina bellica canadese durante la seconda guerra mondiale sono ben documentate. Centinaia di migliaia di giovani uomini e donne, in servizio nelle tre branche delle forze armate, combatterono vittoriosamente in qualsiasi teatro di guerra. Tuttavia, a seguito della campagna italiana del 1944, la carenza di rimpiazzi per l'esercito divenne estremamente problematica. Nonostante la coscrizione fosse stata respinta con forza, soprattutto dai francocanadesi, il primo ministro Mackenzie King cercò un compromesso. Risolse il difficile problema politico introducendo l'ora famosa campagna "Coscrizione solo se necessaria, ma non necessariamente coscrizione". Questa politica piuttosto ambigua ottenne il risultato sperato: circa 68.000 reclute, 12.000 delle quali inviate in Europa, andarono a ingrossare le fila. Agli uomini che si arruolarono o che furono chiamati alle armi fu chiesto di dichiarare le proprie intenzioni: combattere nei reparti al fronte oppure rifiutare il servizio oltreoceano ed entrare a far parte della guardia nazionale. Alcuni chiamavano questo secondo gruppo, formato in prevalenza da quebecchesi e da qualche italocanadese, con il termine poco lusinghiero di "zombi".

La famiglia di Peter Ruocco subì non pochi oltraggi a causa dell'episodio dell'internamento e delle contraddizioni che la guerra faceva emergere. Poco dopo che Peter Ruocco era stato detenuto presso l'Immigration Building, suo figlio Silvio tentò di arruolarsi nelle forze armate canadesi.

Uno degli ufficiali reclutatori respinse la domanda di Silvio di arruolarsi a causa delle sue origini razziali. Questo accadde nonostante

during World War I. One of these family members was his dad's brother Jimmy Scatigno Ruocco, who served in the Canadian Medical Corps. The other was his mother's brother, Fio Teti, who made the ultimate sacrifice at Vimy Ridge.

MP James Sinclair was aghast at the way Silvio had been treated. He wrote a letter of reference for Silvio and introduced details of this unacceptable and discriminatory recruitment practice in Parliament. As a result of this intervention, Silvio was given his opportunity to fight for his country, which he did with distinction. While in England, he sustained serious injuries including a broken neck following an explosion at an airdrome, which caused several fighter bombers to blow up.

"I presented Mr. Sinclair's letter to the recruitment officer. He looks at it and says, 'Well, I guess we've got to take you.' This is an Englishman. 'I guess we'll have to take you,' he said. So, I kissed the Bible and everything and he said, 'Well, look, would you like to change your name?' And I said 'What for?' 'You wouldn't want to live with an Italian name in this country after the war.' I looked at him steely-eyed and said, '*bacia il mio culo!*' He didn't understand that I had just said, 'Kiss my ass.' Good thing. He might have put me in irons," stated Silvio whimsically.

His older brother Victor joined the RCAF six months later. After taking part in repeated bombing raids over Germany, Victor was given leave to return to BC, where he remained on active duty with the Pacific Squadron at Pat Bay, Vancouver Island. At one point in 1944, he volunteered to fly US military personnel to Washington State. During the flight, the wings of his aircraft iced up at 10,000 feet. Losing control of his aircraft he crash-landed on Whidbey Island, WA. There were no survivors. Following Victor's tragic death, Silvio conveyed his sorrow by writing an epic poem, "My Brother and I," in memory of his brother lost.

Of the fate which befell the Ruocco family, Gerald Federici stated, "I don't know how they could have interned Peter Ruocco and his brothers Willie and Angelo, when Peter's sons Silvio and Victor were on active duty with the RCAF. Victor had completed his tours and returned to Pat Bay where he became an instructor. Sadly, he died in an air crash.

due zii di Silvio avessero combattuto nella prima guerra mondiale nelle file dell'esercito canadese. Uno era il fratello del padre di Silvio, Jimmy Scatigno Ruocco, che si era arruolato nel corpo sanitario canadese. L'altro era il fratello della madre, Fio Teti, caduto in battaglia al crinale di Vimy.

Il parlamentare James Sinclair rimase stupefatto dal trattamento riservato a Silvio. Scrisse una lettera di referenze per Silvio e denunciò in parlamento questa pratica di reclutamento inaccettabile e discriminatoria. In seguito a questo intervento, a Silvio fu data la possibilità di combattere per il proprio Paese, cosa che fece con distinzione. Mentre si trovava in Inghilterra, subì gravi ferite, tra cui una frattura al collo, a causa di un'esplosione in un aeroporto che fece saltare alcuni cacciabombardieri.

«Consegno la lettera dell'onorevole Sinclair all'ufficiale reclutatore. Lui la guarda e dice: "Allora mi sa che la dobbiamo prendere". Il tizio era un inglese. "Mi sa proprio che la dobbiamo prendere". Così bacio la Bibbia e tutto il resto e lui mi fa: "Senta, vuol cambiare nome?", e io rispondo: "Perché?", e lui: "Non vorrà mica vivere in questo Paese con un nome italiano dopo la guerra". Io allora lo guardo diritto negli occhi e gli dico: "Baciami il culo". Ovviamente non capì cosa gli avessi detto, per fortuna, altrimenti mi avrebbe messo in guardina", raccontò Silvio.

Victor, il fratello maggiore di Silvio, si arruolò nella RCAF sei mesi dopo. Dopo aver partecipato a ripetuti bombardamenti aerei sopra la Germania, Victor ritornò in Columbia Britannica dove rimase attivo presso lo squadrone del Pacifico a Pat Bay sull'isola di Vancouver. Nel 1944 si offrì di trasportare militari americani nello stato di Washington. Durante il volo, a 3.000 metri di quota si formò ghiaccio sulle ali dell'aereo che pilotava. Victor perse il controllo del velivolo che si schiantò sull'isola di Whidbey nello stato di Washington. Non ci furono superstiti.

Dopo la tragica morte del fratello Victor, Silvio diede sfogo al suo dolore componendo un poema epico intitolato "My Brother and I" [Mio Fratello ed Io] in memoria del fratello perduto.

Courtesy Silvio Ruocco / Per gentile concessione di S. Ruocco

Silvio's ode to his brother Victor Ruocco

Ode di Silvio Ruocco a suo fratello Victor

Courtesy E. Trasolini / Per gentile concessione di E. Trasolini

Elmo Trasolini on tail of captured German plane

Elmo Trasolini sulla coda di un aereo
tedesco catturato

Courtesy M. Caravetta / Per gentile concessione di M. Caravetta

Mario Caravetta joins RCAF

Mario Caravetta arruolato nella RCAF

He was killed along with his passengers - US service personnel - in a crash en route to the Seattle area. I was serving in Europe with the Canadian Seaforth Highlanders at the time. But how could they have interned a man whose son was flying for Canada?"

In January 1944, the Lega Femminile Italiana, the Italian Women's Lodge, came up with a brilliant idea for a special project. A concept advanced by its president Mrs. Raffaella Trasolini, the Lega proposed that the Sons of Italy strike a *Comitato Ricordo Soldato*. The purpose of the Remember the Soldiers Committee was to expedite the mailing of gift packages to men and women serving in the Canadian Forces. The only qualifying criterion was that each recipient be the son or daughter of a member of the women's or men's branch of the Society.

Trasolini's involvement seemed pre-eminent, as four of her five children were then serving as volunteers in the Canadian Forces. She had three sons on active duty: Norman, a captain serving in northern Europe; Salvador, a staff sergeant, Medical Corps; and Elmo, a member of the famous Canadian Princess Patricia's Light Infantry. In addition, her daughter Fulvia was a sergeant in the Canadian Women's Army Corps assigned to the U.S. Army Liaison Office, a branch of G-2 (intelligence), Western Defence Command.

At 21, Elmo was the youngest. He couldn't wait to follow his brother Norman into the fray. But it wasn't easy for him to be accepted for active duty. "When I got shipped to Calgary, they were making up a draft - those to be sent overseas. Well, we were all out on the parade square with all our equipment and everything else. My name was not called. I had to step out. The rest of the guys moved on. I missed two or three drafts to go overseas and started to get suspicious. And I had heard that due to the fact I was an Italian, I was not to be placed where there were fortifications or anything like that. So, I deliberately got into trouble, had to, kind of got called on the mat and got punished. I swept and washed floors while making my way into the major's office. And I saw on the wall - and my name was on the wall - that this man was not to be placed anywhere fortifications were located. Boy, I was just

Gerald Federici, parlando del destino della famiglia Ruocco, disse: «Non so come abbiano potuto internare Peter Ruocco e i suoi fratelli, Willie e Angelo, quando gli stessi figli di Peter, Silvio e Victor, erano in servizio attivo nella RCAF. Victor aveva finito i suoi turni di servizio ed era ritornato a Pat Bay dove era diventato istruttore. Morì in un incidente aereo. Rimase ucciso insieme ai passeggeri, militari americani, in un incidente aereo mentre era in volo verso Seattle. A quell'epoca io ero in Europa a combattere con i Seaforth Highlanders, ma come hanno potuto internare un uomo il cui figlio pilotava aerei per il Canada?»

Nel gennaio del 1944, la Lega Femminile Italiana ebbe una brillante idea per la realizzazione di un importante progetto. L'idea di base era venuta alla presidentessa della Lega, la signora Raffaella Trasolini. La Lega propose ai Figli d'Italia di creare un Comitato "Ricorda i Soldati". Lo scopo di questo comitato era di accelerare la spedizione di pacchi dono agli uomini e alle donne arruolati nelle forze armate canadesi. L'unico criterio per qualificarsi era che ciascun destinatario fosse figlio o figlia di un socio odi una socia.

Il coinvolgimento della signora Trasolini era preminente dato che quattro dei suoi cinque figli erano allora arruolati come volontari nelle forze armate canadesi. Tre figli erano in servizio attivo: Norman, capitano, si trovava nell'Europa settentrionale; Salvador, sergente maggiore, era nel corpo sanitario, ed Elmo serviva nel famoso reparto canadese Princess Patricia Light Infantry. Inoltre, la figlia Fulvia era sergente nei reparti femminili canadesi ed era assegnata all'ufficio di collegamento con l'esercito americano, un ramo del settore G-2 (servizi segreti) del comando di difesa occidentale.

Elmo aveva 21 anni ed era il più giovane. Non vedeva l'ora di seguire il fratello Norman in combattimento. Ma non gli fu facile farsi accettare nel servizio attivo: «Quando mi mandarono a Calgary, stavano preparando l'elenco di quelli da mandare oltreoceano. Eravamo schierati nel piazzale, equipaggiati e pronti. Non venni chiamato, dovetti uscire dai ranghi. Gli altri partirono. Per due o tre volte il mio

Lu Moro leaves army to enlist in navy

Lu Moro lascia l'esercito per arruolarsi in marina

Courtesy G. Moro / Per gentile concessione di G. Moro

Courtesy P. Di Fonzo / Per gentile concessione di P. Di Fonzo

Courtesy R. Bevilacqua / Per gentile concessione di R. Bevilacqua

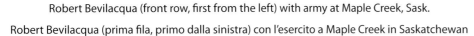

Robert Bevilacqua (front row, first from the left) with army at Maple Creek, Sask.

Robert Bevilacqua (prima fila, primo dalla sinistra) con l'esercito a Maple Creek in Saskatchewan

Paul Di Fonzo gets his army call

Paul Di Fonzo riceve la chiamata alle armi

raving. But I think my brother Sal had something to do with it - I'm not positive - but he raised so much damn hell. So, when the next draft came, I went," Elmo recalled years later.

Under the military code name Operation Husky, Canadian troops, and Elmo among them, landed in Sicily in the summer of 1943. He saw action in several bloody battles and participated in the victorious campaign over the formidable German troops defending the Hitler Line.

During this period, Nellie Pitton served as secretary of the Remember the Soldiers Committee. The men's side comprised Raffaele Caravetta, Marino Culos, and Zefferino Bordignon. Bordignon, owner of a local accordion manufacturing outlet, had a son in the service while Caravetta's three sons were in uniform.

Nellie Cavell. Thank You notes were received by the Lodge from a score or more grateful forces personnel stationed in Canada and abroad. The stationery used by Lance-Cpl. Eugene Paone read, "On Active Service - C.E. Branch Adm. Headquarters First Canadian Army, April 25, 1945." He wrote, "I received our present of 600 cigarettes today. And at present am loath to know how you received my name. Thanks to the ladies of your organization for their act of kindness to a stranger so far way."

Vic Mauro. Vic's letter dated May 6, 1945, was sent on Armed Forces stationery: *HMCS Matane* c/o CFMO Great Britain, London, England. He wrote, "Just a short note to let you know that I received the cigarettes which you so kindly sent and to thank you very much for them. The English cigarettes are expensive and not nearly as good as Canadian cigarettes. So, the two cartons you sent are more than appreciated. I wish I knew how to thank you enough for them. I'm afraid I'm not much at letter writing so I guess I'll have to let it go at that. Thanks again and all the best of luck."

Mario Caravetta. Apparently Mario joined the Air Force on a rebound. Actually, he had never thought about joining up. However, within a couple of weeks of turning 19, in 1943 he got his army call notification. As he had no liking for this arm of the services, he rushed down to the RCAF recruitment centre and enlisted. He then went home

nome non fu chiamato. Iniziai a insospettirmi. Mi era giunta voce che siccome ero italiano non dovevo essere assegnato dove c'erano fortificazioni o cose del genere. Così mi misi deliberatamente nei guai, mi feci richiamare e punire. Ramazzando e lavando pavimenti arrivai all'ufficio del maggiore. Sul muro c'era una disposizione, col mio nome, che quest'uomo non doveva essere assegnato dove ci fossero fortificazioni. Mannaggia quanto mi arrabbiai! Penso che mio fratello Sal abbia avuto qualcosa a che farci, non ne sono sicuro, ma fece un casino. Così, la volta successiva mi chiamarono e partii», ricordò Elmo anni dopo.

Con il nome in codice di Operazione Husky, le truppe canadesi, tra cui Elmo, sbarcarono in Sicilia nell'estate del 1943. Elmo prese parte a diverse battaglie sanguinose e partecipò alla vittoriosa campagna per sconfiggere le poderose forze tedesche attestate a difesa della linea Hitler.

In questo stesso periodo, Nellie Pitton era segretaria del Comitato "Ricorda i Soldati". I membri maschi del comitato erano Raffaele Caravetta, Marino Culos e Zefferino Bordignon. Bordignon, proprietario di un negozio di fisarmoniche, aveva un figlio arruolato, mentre Caravetta di figli arruolati ne aveva tre.

Nellie Cavell. La Lega ricevette decine di biglietti di ringraziamento inviati da militari sia in Canada che all'estero. Quello del caporale Eugene Paone è intestato: «In Servizio Attivo - Amministrazione Genio Costruzioni Quartier Generale Prima Armata Canadese, 25 aprile 1945». Eugene scrisse: «Oggi ho ricevuto il vostro regalo di 600 sigarette. E ora sono riluttante a chiedervi come abbiate avuto il mio nominativo. Ringrazio le signore della vostra organizzazione per la loro gentilezza verso uno sconosciuto così lontano».

Vic Mauro. La lettera di Vic, datata 6 maggio 1945, era su carta intestata delle forze armate: HMCS Matane c/o CFMO Gran Bretagna, Londra, Inghilterra. Vic scrisse: «Due brevi righe per farvi sapere che ho ricevuto le sigarette che così gentilmente mi avete spedito e per ringraziarvi molto. Le sigarette inglesi sono molto costose e non sono nemmeno paragonabili a quelle canadesi. Quindi, le due stecche che avete spedito sono più che gradite. Vorrei sapere come ringraziarvi

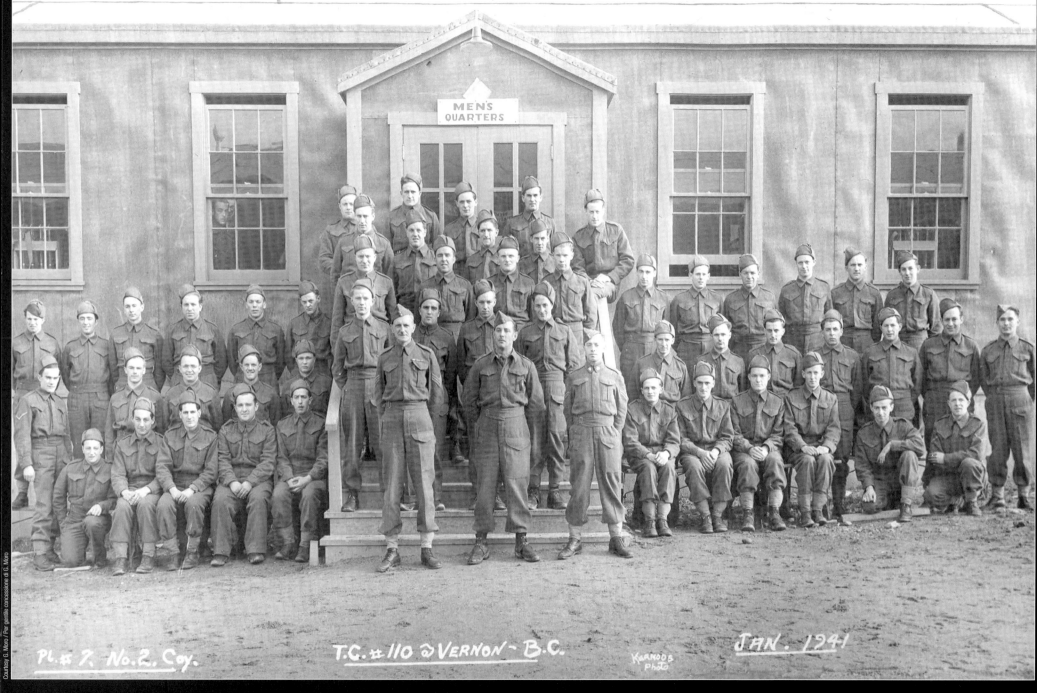

Courtesy G. Moro / Per gentile concessione di G. Moro

MEN'S QUARTERS

Pl. # 7. No. 2. Coy.   T.C. # 110 @ VERNON - B.C.   KARNOOB Photo   JAN. 1941

Lu Moro, ex-enemy alien (front row, fourth from the left), joins Canadian Army / Lu Moro, ex straniero nemico (prima fila, quarto dalla sinistra), arruolato nell'esercito canadese

to shock the hell out of his parents. "I was afraid to go home and tell them. My two older brothers already had been inducted so Pop really was okay with it. However, he did make me promise, if it was in my control to do so, not to join the air crew. It seemed he just didn't want me to go in the sky.

"As part of my induction and training, I was enrolled at the Ground Crew Training Centre, St. Thomas, Ontario. That's when I came down with scarlet fever. It had the effect of eliminating me for overseas duty. Once fully recovered, I was posted to Winnipeg and later, in January 1945, transferred to Jericho Beach in Vancouver where I remained for the duration.

"In July 1943, my brother Joe, already in the Canadian Army, got leave to attend his niece's wedding. The family wedding was held in the mining community of Michel. While there, he learned that coal miners were exempt from serving in the military because their work was regarded as essential to the war effort. Soon Joe was working in the mines."

R. J. Bordignon. Because of his father's connection to the Society, Bordignon was aware that his gift had come from the Lega. "You do not know how much it means for us fellows in the service to know that the lodge has not forgotten us and we appreciate it very much when we receive a parcel from you."

Ernest Coello. "It sure is nice being back in Canada after spending six months in the desolate island of Kiska. We did not encounter the Japs [Japanese] but it was a great experience and our little job was done without warfare or any bloodshed through battle."

Robert and Abby Bevilacqua. The war ended before the twin brothers could see action. They were 18 when answering the call for duty in 1945. Robert first trained for the European theatre and later for the Japanese campaign. However, by the time their units were fully prepared, the enemy had surrendered.

A few of the other Italians who served in Canada's forces are listed below:

davvero. Mi spiace ma non sono molto bravo a scrivere, così mi fermo qui. Grazie di nuovo e buona fortuna».

Mario Caravetta. Sembra che Mario si fosse arruolato nell'aeronautica militare per ripiego. In realtà non ci aveva mai pensato. Tuttavia, quando mancavano circa due settimane al suo 19° compleanno, nel 1943, ricevette la chiamata alle armi per arruolarsi nell'esercito. Siccome non amava questa branca delle forze armate, si presentò alla sede della RCAF e si arruolò. Andò poi a casa e sconvolse i genitori con la notizia. «Avevo paura di andar a casa e dirlo ai miei. I miei due fratelli più vecchi erano già stati reclutati e papà era d'accordo. Ma mi fece promettere che, se avessi potuto, non mi sarei fatto assegnare al personale di volo. Sembrava non volesse che volassi».

«Come parte del mio addestramento, fui mandato al Centro Addestramento Personale di Terra a St. Thomas in Ontario. Fu lì che presi la scarlattina che mi fece scartare dal servizio oltreoceano. Quando mi ripresi completamente, fui assegnato a Winnipeg e più tardi, nel gennaio del 1945, venni trasferito a Jericho Beach a Vancouver, dove rimasi fino alla fine.

Nel luglio del 1943, mio fratello Joe, già nell'esercito canadese, ottenne una licenza per partecipare al matrimonio di sua nipote. La cerimonia si tenne nella comunità mineraria di Michel. Mentre si trovava lì, Joe scoprì che i minatori erano esentati dal servizio militare perché il loro lavoro era considerato essenziale per la guerra. E fu così che Joe iniziò ben presto a lavorare in miniera».

R. J. Bordignon. Grazie ai rapporti che suo padre aveva con la società, Bordignon sapeva che i regali ricevuti venivano dalla Lega. «Non sapete cosa voglia dire per noi qui in servizio sapere che la Lega non ci ha dimenticati e ci fa molto piacere ogni volta che riceviamo un pacco da voi».

Ernest Coello. "Non c'è che dire... è bello essere di nuovo in Canada dopo sei mesi passati nella desolata isola di Kiska. Non abbiamo incontrato i giapponesi, ma è stata una grande esperienza e il nostro lavoretto si è svolto senza battaglie né spargimento di sangue».

Sgt. Tony Padula (fourth from the left), member of RCAF band

Il sergente Tony Padula (quarto dalla sinistra) con la banda della RCAF

Mike Malfesi, career RCN bandsman

Mike Malfesi, musicista di carriera nella RCN

Luigi Moro. Lu arrived from Italy at age 11 in 1929 with his mother and sister, to be reunited with his father who was working and living in Trail, BC. Lu's experience, as he enlisted in the Canadian Navy in 1942, proved to be another example of discriminatory conduct on the part of a recruitment officer. "I had been classified as an enemy alien. I was living in Trail at the time and, with others, I was transporting a juvenile hockey team to Vernon. It was winter and, in order to by-pass the Cascades [mountain range], we decided to go through the States. At the US border, the customs official wouldn't let me pass because I was an enemy alien.

"Later, when I had joined the navy, I informed Sergeant Williams at the RCMP detachment, where I reported on a monthly basis, that I was leaving to report for duty the next day. I added that I wouldn't be coming in to sign anymore. He said, 'You take this transfer paper to the Victoria Provincial Police and report to them.' I said, 'You know what you can do. You can wipe your bum with this.' I threw it at him and said, 'No, I will not! Look, I'm joining the navy and you can't make me sign anymore.'"

Dave Mazzucco. "In 1942 - I had just turned 21 - I went into the service: Air Force. There was a whole bunch of us Canadian born Italians including friends Federici and Mazzoni. After training in Ontario and being posted in Saskatchewan, I was lucky to get back to BC. I was stationed at Sea Island, when we were flown to the Aleutians in response to the Japanese landing there. That was in 1943; a real scare. There were 5,300 Canadians that participated in the reoccupation of the islands in the summer of 1943, but the Japanese force had been evacuated three weeks before we arrived."

Peter Barazzuol. His uncles, Fred Ghislieri and Fred Tenisci, had been interned during the war, after which Barazzuol saw service in the Aleutians.

Paul Di Fonzo. In 1940, Di Fonzo was characterized as an enemy alien and was required to report monthly to the RCMP. Upon turning

Robert e Abby Bevilacqua. La guerra finì prima che i gemelli potessero combattere. Avevano 18 anni quando risposero alla chiamata alle armi nel 1945. Robert si addestrò prima per il fronte Europeo e successivamente per quello giapponese. Tuttavia, il nemico si arrese prima che le loro unità fossero finalmente pronte per il combattimento.

Di seguito sono elencati altri italiani arruolati nelle forze militari canadesi:

Luigi Moro. Lu arrivò dall'Italia all'età di 11 anni nel 1929 insieme alla madre e alla sorella per riunirsi al padre che all'epoca viveva e lavorava a Trail nella Columbia Britannica. L'esperienza dell'arruolamento di Lu nella marina militare canadese nel 1942 dimostra come anche Lu sia stato vittima di un comportamento discriminatorio da parte dell'ufficiale reclutatore: «Ero stato classificato come straniero nemico. A quel tempo abitavo a Trail e, con altri, stavo portando una squadra di hockey giovanile a Vernon. Era inverno e per oltrepassare la catena montuosa dei Cascades decidemmo di passare per gli Stati Uniti. Al confine, l'ufficiale non mi voleva far passare perché ero uno straniero nemico.

«Quando poi mi arruolai in marina, informai il sergente Williams al distaccamento della RCMP, dove mi presentavo ogni mese, che partivo per presentarmi in caserma il giorno dopo. Aggiunsi che non sarei più tornato a firmare. Disse: "Prenda questo foglio di trasferimento, lo porti alla polizia provinciale di Victoria e si presenti a firmare da loro". Io risposi: "Sa cosa può farci con questo? Ci si può pulire il culo". Gli lanciai il foglio e dissi: "Non lo farò! Guardi, mi arruolo in marina e non potrete più farmi firmare un bel niente"».

Dave Mazzucco. «Nel 1942 (avevo appena compiuto 21 anni) mi arruolai in aeronautica. Eravamo in tanti, italiani nati in Canada, fra cui anche degli amici, Federici e Mazzoni. Dopo l'addestramento in Ontario e l'assegnazione in Saskatchewan, ebbi fortuna e tornai in Columbia Britannica. Ero di stanza a Sea Island quando fummo portati in aereo alle isole Aleutine il risposta allo sbarco giapponese. Era il 1943: una gran paura. 5.300 canadesi parteciparono alla rioccupazione

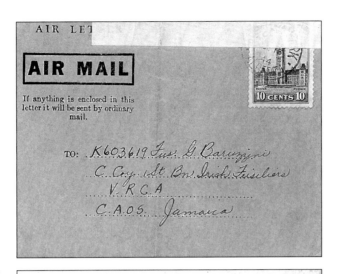

Dominic (Don) Lastoria, RCAF bandleader

Domenic (Don) Lastoria, capobanda della RCAF

Guerino Baruzzini wounded in action

Guerino Baruzzini ferito in azione

(I) SOLDIER'S NAME AND DESCRIPTION ON ATTESTATION

Regtl. No. *K603619*

Surname (in capitals) *BARRUZZINI*

Christian Names (in full) *GUERINO*

Date of Birth *3 JULY 1911*

Place of Birth *MICHEL B.C*

Citizenship *CANADIAN*

Trade on Enlistment *MINER*

Nationality of Father at Birth *ITALIAN*

Nationality of Mother at Birth *ITALIAN*

Religion *R.C.*

Enlisted at *VANCOUVER B.C.*

Date *12 AUG 1942*

Particulars of former service (if any) i.e. Regtl. No., Corps or Regiment and period. *NIL*

Signature of Soldier *G. Barruzzini*

Signature of Officer

Place *NANAIMO B.C.* Date *20 Apr 43.*

Peter Barazzuol on active duty in Aleutians

Peter Barazzuol in servizio attivo alle Aleutine

151

19 in 1943, he was inducted into the Army where he served, in Canada, for 39 months.

Tony Padula. As enemy aliens, Tony's parents reported regularly to the RCMP. Nonetheless, he followed his cousin Dominic Lastoria's example and joined the RCAF. Both remained members of the Air Force Band even after war's end.

Guerino Baruzzini. Guerino was born in the Crowsnest area of BC in July 1911, the year his parents Pietro and Maria immigrated to Canada from Codroipo, Italy. In 1941, he enlisted in the Seaforth Highlanders and the following year was posted to Jamaica. Following the D-Day invasion, he was in the thick of the fight. As his unit advanced into Belgium in 1944, he was wounded in action and evacuated to England. After recovering from his injuries, he was demobilized and returned to Vancouver. A bachelor, Guerino worked for the Vancouver School Board as a boiler man until retirement. He eventually became resident at the George Derby Centre, the veterans home in Burnaby, BC, where he spent the last years of his life.

Michael Malfesi. At the outbreak of war with Italy, 19-year-old Malfesi was classified as an enemy alien. This is because he, his mother, and his two sisters arrived in Canada from fascist Italy in 1937. They had come to join his father, who had been living in Alberta since 1925. As a result, he was required to report regularly to the RCMP. In talking with one of the more affable officers, Malfesi voiced interest in enlisting in the Navy. An accomplished clarinet player, he was especially keen on joining the navy's band he said. Well, he soon got his chance.

While taking his training in Canada and playing in a 15-piece navy band, he volunteered for active service as an interpreter. From Calgary he was sent to Halifax, where he boarded the 8,800-ton *HMCS Ontario*. Destination: Malta. Once in the Mediterranean, he underwent an intensive shipboard target and seamanship training program. Later, while patrolling in the Atlantic, officers on the bridge of the Canadian light cruiser spotted distressed Italian sailors clinging precariously on rafts. Subsequently, the sailors were rescued and brought on board. As

delle isole durante l'estate del 1943, ma le forze giapponesi erano state evacuate tre settimane prima del nostro arrivo».

Peter Barazzuol. Gli zii, Fred Ghislieri e Fred Tenisci, erano stati internati durante la guerra. Dopo questo episodio Barazzuol prestò servizio alle Aleutine.

Paul Di Fonzo. Nel 1940 Di Fonzo fu classificato come straniero nemico e dovette andare ogni mese a presentarsi alla RCMP. Nel 1943 compì 19 anni e venne reclutato nell'esercito. Di Fonzo servì, in Canada, per 39 mesi.

Tony Padula. I genitori di Tony, qualificati come stranieri nemici, dovevano presentarsi regolarmente alla RCMP. Tuttavia, Tony seguì l'esempio del cugino Dominic Lastoria e si arruolò nella RCAF. Entrambi rimasero nella banda musicale dell'aviazione fin dopo la fine della guerra.

Guerino Baruzzini. Guerino era nato nell'area di Crowsnest nella Columbia Britannica nel luglio del 1911, l'anno in cui i genitori Pietro e Maria erano immigrati in Canada da Codroipo. Nel 1941 si arruolò nei Seaforth Highlanders e l'anno successivo fu assegnato in Giamaica. Dopo l'invasione del D-Day, Guerino si trovò nel pieno della battaglia. Mentre la sua unità avanzava in Belgio nel 1944, fu ferito in azione ed evacuato in Inghilterra. Dopo essersi ripreso dalle ferite, fu smobilitato e rimpatriato a Vancouver. Guerino, che era celibe, lavorò per il consiglio scolastico di Vancouver come addetto alle caldaie fino al pensionamento. Trascorse gli ultimi anni della sua vita al Centro George Derby, una casa di riposo per veterani a Burnaby in Columbia Britannica.

Michael Malfesi. Allo scoppio della guerra con l'Italia, Malfesi, che all'epoca aveva 19 anni, venne classificato come straniero nemico. Questo perché sua madre, le sue due sorelle ed egli stesso erano arrivati in Canada nel 1937 dall'Italia fascista. Erano venuti per ricongiungersi con il padre che aveva vissuto nella provincia dell'Alberta fin dal 1925. Malfesi fu quindi costretto a presentarsi regolarmente alla RCMP.

in other similar situations, Malfesi proved to be a proficient translator, learning details of their war experiences which had led to the sinking of their vessel. Sometime after the war Malfesi, accepted an invitation by the Canadian Navy to organize a reserve band, which provided him the opportunity to serve as Band Master, *HMCS Tecumseh*. When he left the navy reserves, he and his family settled in BC.

Bill Canal. On their return home after the war, special invitations were extended to many of the veterans to attend society banquets. "When I got back from service in the air force, the Società Veneta had two or three tables of ex-servicemen at its banquet. They threw a big banquet at the Silver Slipper for us. Included were Tony Negrin, some other fellows and my brother Ugo, who had just returned from overseas with the New Westminster Regiment. I was in uniform and feeling pretty proud to be honoured like this."

Parlando con uno degli ufficiali più affabili, Malfesi manifestò l'interesse di arruolarsi in marina. Essendo un abile clarinettista, Malfesi era particolarmente interessato a entrare a far parte della banda musicale della marina militare. Ne ebbe ben presto l'occasione.

Mentre si addestrava in Canada e suonava in una banda della marina composta da 15 elementi, Malfesi si offrì volontario per il servizio attivo come interprete. Da Calgary fu spedito a Halifax dove s'imbarcò sulla HMCS Ontario da 8.800 tonnellate. La destinazione era Malta. Una volta giunti nel Mediterraneo affrontò un intenso programma di addestramento al tiro e alla navigazione. Più tardi, perlustrando l'Atlantico, gli ufficiali sul ponte dell'incrociatore leggero canadese scorsero alcuni marinai italiani aggrappati precariamente a zattere di salvataggio. I marinai furono salvati e portati a bordo. Come in altre situazioni simili, Malfesi si dimostrò un interprete competente in grado di apprendere dettagli sull'esperienza di guerra di questi marinai e su come la loro nave fosse stata affondata. Dopo la guerra Malfesi accettò l'invito della marina canadese di organizzare una banda musicale della riserva navale. Malfesi ebbe l'opportunità di essere maestro della banda, a bordo della HMCS Tecumseh. Quando lasciò la riserva navale, si stabilì con la famiglia nella Columbia Britannica.

Bill Canal. Dopo il ritorno dal fronte, molti veterani ricevettero inviti a partecipare a banchetti. «Quando sono ritornato dal servizio in aeronautica, al ricevimento della Società Veneta c'erano due o tre tavoli riservati agli ex combattenti. Organizzarono un gran ricevimento per noi al Silver Slipper. C'erano anche Tony Negrin, altri compagni e mio fratello Ugo che era appena ritornato da oltreoceano con il regimento New Westminster. Io ero in uniforme e mi sentii molto orgoglioso di essere onorato a quel modo».

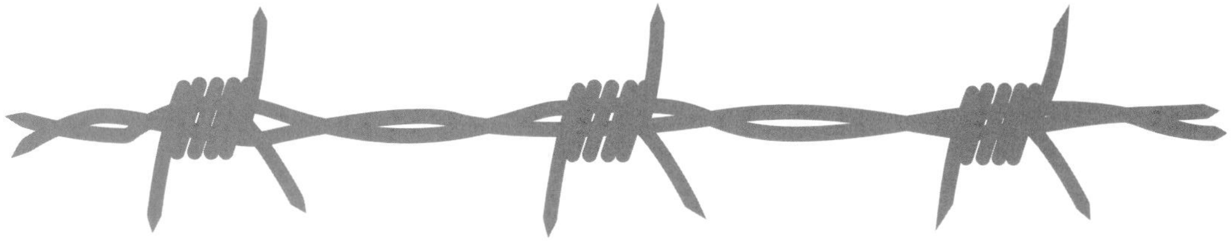

CHAPTER TEN

The Aftermath

Apprehended while trying to escape to Switzerland, Benito Mussolini was summarily executed near Como, on April 28, 1945. The next day his body, along with that of his mistress, Clara Petacci, was unceremoniously hanged upside down near a service station in Milan. People spat on the corpse of the former Duce while others cursed his soul. Most thanked God, however, for putting an end to the tyrannical administration of the fascist wartime regime known as the Italian Social Republic.

Mussolini had been installed as head of this Nazi puppet state in Northern Italy in late 1943. This event followed his rescue from Gran Sasso high in the Apennine Mountains, where he had been incarcerated on orders of the King of Italy. The daring and dramatic glider-raid had been initiated by Adolph Hitler and brilliantly executed by SS Lieutenant-Colonel Otto Skorzeny and his elite commando group.

In Vancouver the news of the end of Italian fascism was greeted with joy and relief. It was a time for renewal and, in some cases, political redirection. For the 44 former Italian internees, and the parolees ordered to leave the Protected Coast Area, the transition presented many challenges. On the whole, however, most were able to record a successful re-entry into civilian society. The impact on those who regularly reported to the RCMP appeared less dramatic. For them, life rapidly returned to normal, but the stigma of having been characterized as enemy aliens remained unabated. During the course of the next 70 years, the majority of survivors hid their pain - and even guilt in some cases - remarkably well. Yet, the failure to gain a sense of closure remained beyond the reach of those who claimed innocence. This

CAPITOLO DECIMO

Conseguenze

L'esecuzione di Benito Mussolini, catturato mentre tentava la fuga in Svizzera, avvenne nei pressi di Como il 28 aprile 1945. L'indomani, il suo corpo e quello di Claretta Petacci, la sua amante, furono appesi per i piedi senza tante cerimonie nei pressi di una stazione di servizio in Piazzale Loreto, a Milano. Alcuni sputavano sul cadavere del Duce, altri lo maledivano. I più ringraziavano Dio per aver messo fine alla tirannia del regime fascista conosciuto come Repubblica Sociale Italiana.

Mussolini era stato insediato a capo di questo stato fantoccio nel nord Italia alla fine del 1943 dai nazisti stessi, dopo che lo avevano recuperato dal Gran Sasso, sugli Appennini, dov'era stato imprigionato per ordine del re d'Italia. L'arditissimo raid con alianti era stato autorizzato da Adoph Hitler ed eseguito magistralmente dal tenente colonnello delle SS Otto Skorzeny e dal suo commando d'élite.

A Vancouver la notizia della fine del fascismo in Italia fu accolta con gioia e sollievo. Era tempo di rinnovarsi e, per qualcuno, di cambiare direzione politica. Per i quarantaquattro italiani internati e per quelli in libertà sulla parola cui era stato ordinato di lasciare l'area costiera protetta, la transizione presentava numerosi problemi. Nel complesso, tuttavia, la maggior parte fu in grado di rientrare con successo nella società civile. Per chi doveva presentarsi regolarmente alla RCMP l'impatto sembrava meno drammatico. La vita per loro tornò rapidamente alla normalità, ma il marchio di essere stati identificati come nemici rimase. Nei settant'anni successivi la maggior parte dei sopravvissuti nascose il proprio dolore, e in alcuni casi il senso di colpa, molto bene. Eppure l'impossibilità di archiviare quell'esperienza

is really a shame because, by 2011, BC had no living survivors of the camps and a greatly diminished number of those who had reported regularly to the RCMP.

The transition to normality presented its challenges for BC Italians, however insignificant, in comparison to the cataclysmic and devastating effects of war on the seas and on land in Europe, Africa and Asia. The members of the Sons of Italy Society, suspended when interned in 1940, were approached individually by the Culos administration. Each was informed that upon reapplying he would be reinstated as a member in good standing. Most accepted the personal invitation but, for some, a degree of animosity and resentment remained.

Santo Pasqualini was a brave and proud individual. The period of adjustment for him was extremely complex. The first thing he did on returning from Petawawa, however, was to attend to the needs of his wife and children. In so doing, he gained Alice's release from the psychiatric ward in the basement of the General Hospital and had her admitted to an appropriate private facility. He died in January 1961 and was buried on the day he would have turned 62. His wife, who benefitted immeasurably from his attentiveness, later remarried. Alice D'Appolonia, since widowed, celebrated her 102nd birthday in April 2011.

Bruno and Attilio Girardi: this popular duo established a number of enterprises, including grocery stores and a major ship chandler service in the late 1940s. Together, they sponsored baseball and soccer teams and became active as team coaches. Bruno took to the airwaves, becoming the host of the popular Sunday musical program *Musica Italiana* on CKWX. In 1948 he became president of the Sons of Italy Society and served a number of successive terms. In addition, he founded the Italian Immigrant Assistance Centre and, at his own expense, provided a recreational facility to those newly arrived. Later he operated Girardi's Travel Service, to which he remained connected until his death in 1995.

Tony Cianci resumed his position behind a barber's chair and cheerfully cut hair while trading real estate tips with select customers. After the death of his second wife, he courted Rose Puccetti, a widow,

andava al di là delle forze di chi si era dichiarato innocente. È una vergogna, perché nel 2011 in Columbia Britannica non ci sono più ex internati, e il numero di quelli che si dovettero presentare alla RCMP si è drasticamente ridotto.

La transizione alla normalità rappresentava un problema per gli italiani della Columbia Britannica, benché insignificante rispetto agli effetti di un cataclisma devastante quale era stata la guerra sulle terre e sui mari di Europa, Asia e Africa. I membri della Società dei Figli d'Italia sospesi al momento del loro internamento nel 1940 vennero contattati uno per uno dall'amministrazione di Culos. Ognuno venne informato che, dietro richiesta di riammissione, sarebbe stato reinserito come membro a tutti gli effetti. La maggior parte accettò l'invito ma alcuni rimanevano ancora ostili e risentiti.

Santo Pasqualini era una persona coraggiosa e orgogliosa. Il periodo di assestamento fu per lui estremamente complesso. Per prima cosa, tornato da Petawawa, si prese cura della moglie e dei figli. Ottenne il rilascio di Alice dal reparto psichiatrico nel seminterrato del General Hospital e la fece ricoverare in una struttura privata. Morì nel gennaio del 1961 e fu sepolto il giorno in cui avrebbe compiuto sessantadue anni. La moglie aveva tratto profondo giovamento dalle sue attenzioni e, in seguito, si risposò. Alice D'Appolonia, ormai vedova, nell'aprile del 2011 ha festeggiato il suo centoduesimo compleanno.

Bruno e Attilio Girardi. Questo famoso duo alla fine degli anni Quaranta avviò una serie di aziende, tra cui negozi di alimentari e un importante servizio di forniture navali. Insieme sponsorizzarono squadre di baseball e di calcio e si impegnarono attivamente in prima persona come allenatori. Bruno si diede alla radio, conducendo Musica Italiana, un popolare programma domenicale di musica su CKWX. Nel 1948 fu fatto presidente della Società dei Figli d'Italia e rimase in carica per diversi mandati consecutivi. Fondò inoltre il Centro Assistenza Immigrati Italiani e, a sue spese, procurò un centro ricreativo per i nuovi arrivati. In seguito diresse anche la Girardi's Travel Service a cui rimase legato fino alla sua morte nel 1995.

Attilio and Bruno Girardi, successful entrepreneurs

Attilio e Bruno Girardi, uomini d'affari di successo

Girardi Bros. soccer team

La squadra di calcio dei fratelli Girardi

COMITATO NAZIONALE PER IL CENTENARIO
DELLA NASCITA DI BENITO MUSSOLINI
1883 · 1983

Nella buona e nella cattiva sorte della Patria, ma sempre credente
nella sua resurrezione ideale, politica e civile

Bruno Girardi

militò sotto i segni del Littorio e della Fiamma Tricolore, dal
al 1983, cosi testimoniando la sua ininterrotta fede in Mussolini e
nella continuità dei valori eterni della Nazione italiana.

Predappio, 29 Luglio 1983

IL PRESIDENTE
DEL COMITATO PROMOTORE

Centenary of Benito Mussolini's birth

Centenario della nascita di Benito Mussolini

159

with whom he had been infatuated in 1904. They married in 1948 and lived happily together well into their nineties!

Italo Rader, former Catelli products manager, re-established himself as a successful businessman. In 1947 he was appointed the first post-war Italian vice-consul with offices in Vancouver. In the 1950s, the former "Macaroni King," who had a penchant for Cadillac cars, was reported living in a luxurious home in Vancouver's prestigious Point Grey district.

Fred Tenisci returned to Trail, but not before soliciting a promise from his sweetheart Emily Barazzuol, who was living in Vancouver. They married in 1945 and subsequently parented ten wonderful children. COMINCO welcomed Tenisci back to the smelter, where he soon rose to the position of foreman. In addition, he and his wife Emily served as Italian consular agents, being appointed in 1948 and in the 1970s respectively. Together they provided services to Italians living within the Cranbrook to Kelowna area, becoming known as the "Store-front diplomats" of Trail, BC.

Mario Ghislieri's three-year incarceration was the longest of the Vancouver internees. Once released from Fredericton, New Brunswick, he went to Toronto where he and his friend and fellow internee Tony Granieri set up a construction company. After five years, Ghislieri returned to Vancouver but spurned opportunities to take an active role in the affairs of the Vancouver Italian Canadian Society. Blessed with a wonderful and appreciative family, he led a rather low public profile existence for the rest of his life.

Herman Ghislieri was reinstated at the Hotel Vancouver in mid-1943 and began a brilliant career culminating as catering manager. He attributed his success largely to his family background and an indomitable spirit. A linguist, Ghislieri was conversant in English, French and Italian. He also possessed a smattering of Spanish, and German – all of which helped him to surface as a true professional in his field. Unfortunately, health problems eventually forced him to take on less onerous activities. Yet, it was difficult for him to subdue his entrepreneurial nature which ultimately led him to acquire the Ferguson Point Tea House located in Stanley Park. This, he accomplished in partnership with

Tony Cianci riprese il suo posto dietro una sedia da barbiere e continuò a tagliare capelli con la stessa allegria e a scambiarsi dritte sul settore immobiliare con clienti selezionati. Dopo la morte della seconda moglie fece la corte a Rose Puccetti, vedova, di cui si era infatuato già nel 1904. Si sposarono e vissero felicemente insieme fino a più di novant'anni.

Italo Rader, già manager della Catelli Products, si confermò uomo d'affari di successo. Nel 1947 fu nominato primo viceconsole italiano del dopoguerra con ufficio a Vancouver. Negli anni Cinquanta si riseppe che l'ex "Re dei Maccheroni", con un debole per le Cadillac, viveva in una dimora di lusso nel prestigioso quartiere di Point Grey a Vancouver.

Fred Tenisci fece ritorno a Trail, non senza prima aver ottenuto una promessa di matrimonio da Emily Barazzuol, la fidanzata che viveva a Vancouver. Si sposarono nel 1945 ed ebbero dieci meravigliosi bambini. La COMINCO accolse di nuovo Tenisci in fonderia, dove presto fu nominato caporeparto. Inoltre, lui e la moglie Emily furono nominati agenti consolari rispettivamente nel 1948 e negli anni Settanta. Insieme resero servizi agli italiani che abitavano nella zona tra Cranbrook e Kelowna, facendosi un nome come "negozio diplomatico" di Trail in Columbia Britannica.

La prigionia di tre anni di Mario Ghislieri fu la più lunga tra quelle degli internati di Vancouver. Rilasciato da Fredericton, nel New Brunswick, se ne andò a Toronto dove con l'amico e compagno di prigionia Tony Granieri avviò un'impresa di costruzioni. Cinque anni dopo Ghislieri fece ritorno a Vancouver dove però rifiutò di assumere un ruolo attivo nelle questioni della Società Italo-Canadese di Vancouver. Avendo la fortuna di una famiglia meravigliosa e riconoscente, mantenne un basso profilo pubblico per il resto della sua vita.

Herman Ghislieri venne riassunto all'Hotel Vancouver a metà del 1943 e avviò una brillante carriera che culminò con l'incarico di responsabile del catering. Attribuiva il suo successo soprattutto alla famiglia da cui proveniva e alla propria tenacia. Poliglotta, parlava bene inglese, francese e italiano. Aveva anche un'infarinatura di spagnolo

Emilio Barazzuol. Later, he completed stints as general manager of North Vancouver's Coach House Motor Inn and manager of the Quilchena Golf and Country Club in Richmond, BC. Ghislieri officially ended his working career as a food service instructor at Vancouver Vocational Institute.

Frank Federici's good name remained untarnished. Although interned in June 1940, he was released a month or so later by the Canadian Government, which acted judiciously and with compassion. An investigation by the RCMP had determined that the 61-year-old Federici had not been a member of the *Fascio* since 1932. He therefore immediately resumed his position as manager-franchisee of the Hotel Vancouver Barber Shop. Moreover, his expertise in acquiring stocks and bonds resulted in his becoming very comfortable financially. He remained alert and articulate beyond his 100th birthday which he celebrated in 1979.

Peter Ruocco had also been arrested on June 10th and he, too, was released the following month. In his case, an internal memo from the RCMP - marked secret - was sent to the Minister of Justice on July 25, 1940. It read in part: "This man, who attained citizenship in Canada prior to 1929, was recommended for internment and was interned as a result of information and evidence mistakenly attributed to him... it is recommended that this man be released unconditionally from internment forthwith."

W.G. (Willie) Ruocco, the longest serving president of the Sons of Italy Society, 1927-1939, never quite forgave the society's executive for suspending his membership during the duration of his incarceration. Although he consented to rejoin the club, he never again took an active role in its affairs. He finished his years in business as manager of a local hotel and pub.

Gregorio Fuoco, the former secretary of the Circolo Giulio Giordani, had been interrogated repeatedly by the RCMP. On his return from the camps, he continued to practice his shoemaker's trade as did his brother Jimmy, who settled in the Okanagan. Gregorio again became active in the Sons of Italy, serving as president in 1963. Mrs. Fuoco was unable to leave Italy during the war. She arrived in Canada after a long

e tedesco, il che lo aiutò a emergere professionalmente nel suo campo. Per sua sfortuna alcuni problemi di salute lo obbligarono infine a intraprendere attività meno gravose. Tuttavia gli restava difficile reprimere la sua natura imprenditoriale che lo condusse infine ad acquisire la Ferguson Point Tea House a Stanley Park in società con Emilio Barazzuol. In seguito fu per un certo periodo direttore generale della Coach House Motor Inn di North Vancouver e direttore del Quilchena Golf e Country Club a Richmond, in Columbia Britannica. Ghislieri concluse ufficialmente la sua carriera come insegnante di ristorazione all'istituto professionale di Vancouver.

Il buon nome di Frank Federici rimase immacolato. Benché internato nel giugno del 1940, fu rilasciato circa un mese dopo dal Governo canadese, che agì con compassionevole giudizio. Un inchiesta della RCMP aveva determinato infatti che il sessantunenne Federici non era più iscritto al Fascio dal 1932. Pertanto riprese immediatamente il suo posto di direttore del negozio di barbiere dell'Hotel Vancouver. Inoltre, la sua esperienza nell'acquisto di azioni e obbligazioni gli procurò un certo agio economico. Rimase lucido e arzillo fin oltre il suo centesimo compleanno che festeggiò nel 1979.

Anche Peter Ruocco venne arrestato il 10 giugno e rilasciato il mese successivo. Nel suo caso, una nota interna della RCMP, segretata, fu inoltrata al Ministero della Giustizia il 25 luglio 1940. In parte recitava così: «Quest'uomo, che ha ottenuto la cittadinanza Canadese prima del 1929, è stato raccomandato per l'arresto ed è stato internato a causa di informazioni e prove a lui erroneamente attribuite ... se ne raccomanda la scarcerazione immediata e senza riserve».

W.G. (Willie) Ruocco, che era stato presidente della Società dei Figli d'Italia più a lungo di chiunque altro (dal 1927 al 1939), non perdonò mai all'esecutivo della società di avergli sospeso l'iscrizione durante tutto l'arco della sua prigionia. Nonostante avesse acconsentito a rientrare nel club, non prese più alcun ruolo attivo ai suoi affari. Finì i suoi anni nell'imprenditoria come manager di un hotel del posto e di un pub.

separation from her husband, Eventually, the Fuocos returned to Italy when they retired.

Alberto Boccini, the passionate editor of *L'Eco Italo-Canadese* became ill while in captivity. He died soon after war's end. His widow Elfie Iussa, a wonderfully talented pianist and teacher, made a new life for herself and her two sons in Montreal.

Vincenzo Ricci, convinced that informants had caused him to be arrested in 1940, vowed never again to take up residency in Vancouver. Instead he moved to Montreal, where he established a successful shoe repair business.

A repeal of the *personae non gratae* legislation came on January 1, 1947, the day the Canada Citizen Act was introduced. For the first time, Canadians were legally classified as Canadian citizens. Thousands of Italians began immigrating to Canada seeking job opportunities and a better life for themselves and their children. Prior to the war, Canadians of Italian origin or heritage numbered fewer than 120,000. By 2006 that number swelled to more that 1.4 million.

Piero Orsatti opened a studio on Granville Street and once again attracted bright and talented singers as students and protégés. He continued to entertain audiences with his masterly voice well into his seventies.

In 1992 representatives of the National Congress of Italian Canadians (NCIC) held a series of meetings and interviews across the country with former internees, family members and community leaders. Celso Boscariol chaired the video recorded proceedings which were held at the Italian Cultural Centre. A wide range of topics were discussed, including the possibility of redress, compensation and an official apology from the Government of Canada.

Among those in attendance was Eugenio Pavan, an aging former internee, who became very emotional as certain aspects of the internment story unfolded. Such was his anxiety level that he was encouraged to withdraw from participating in the dialogue.

Alice Pasqualini D'Appolonia, supported by her daughter Lina, recounted the family's financial losses. She also placed emphasis on her

Gregorio Fuoco, ex segretario del Circolo Giulio Giordani, fu ripetutamente interrogato dalla RCMP. Di ritorno dal campo di prigionia continuò a esercitare la sua attività di calzolaio, come il fratello Jimmy che si era stabilito nell'Okanagan. Gregorio tornò ad occuparsi attivamente della Figli d'Italia, di cui fu presidente nel 1963. La signora Fuoco non riuscì a lasciare l'Italia durante la guerra e arrivò in Canada dopo una lunga separazione dal marito. Un volta in pensione, i Fuoco fecero definitivamente ritorno in Italia.

Alberto Boccini, il fervente direttore de L'Eco Italo-Canadese, si ammalò durante la prigionia e morì poco dopo la guerra. La vedova, Elfie Iussa, insegnante e pianista straordinariamente dotata, si rifece una vita per sé e i suoi due figli a Montreal.

Vincenzo Ricci, convinto che il suo arresto nel 1940 fosse stato provocato da una delazione, giurò che non avrebbe mai più abitato a Vancouver. Si spostò a Montreal dove aprì quella che poi divenne un'affermata ditta di calzoleria.

L'abrogazione della legge sulle personae non gratae *arrivò il 1° gennaio del 1947, il giorno in cui fu approvata la Legge sulla Cittadinanza Canadese. Per la prima volta i canadesi furano legalmente classificati cittadini canadesi. Migliaia di italiani iniziarono a immigrare in Canada alla ricerca di opportunità di lavoro e di una vita migliore per sé e per i loro figli. Prima della guerra i canadesi di origine o di discendenza italiana erano meno di 120.000. Nel 2006 erano più di 1,4 milioni.*

Piero Orsatti aprì uno studio in Granville Street e attrasse ancora bravi cantanti di talento come suoi studenti e protetti. Continuò a intrattenere il pubblico con la sua voce magistrale ben oltre i settanta anni.

Nel 1992 rappresentanti del Congresso Nazionale degli Italo-Canadesi (CNIC) organizzarono una serie di incontri e interviste in tutto il paese con gli internati di guerra, membri delle loro famiglie e esponenti di spicco delle loro comunità. Celso Boscariol presiedette il convegno videoregistrato che si tenne al Centro di Cultura Italiana. Si affrontò una vasta serie di questioni, incluse la possibilità di

Alice D'Appolonia at 102!

Alice D'Appolonia a 102 anni!

Judge Angelo Branca and daughter Judge Dolores Holmes

Il giudice Angelo Branca e sua figlia, il giudice Dolores Holmes

Fred Tenisci, Trail's post-war Italian Consular Agent

Fred Tenisci, agente consolare italiano del dopoguerra di Trail

life-threatening health issues, stating that she endured incredible stress following the internment of her husband Santo. Moreover, she articulated succinctly the trauma and mental anguish experienced by her children during the crisis. Clarifying her husband's status as a member of the Circolo Giulio Giordani, she stated that he had been encouraged to join the club on a *quid pro quo* arrangement. Apparently Santo had been approached by a member of the club who said, "We are happy to support you by purchasing your bakery products for our meetings and banquets. In return you should – as an *ex-combattente* – support us by becoming a member of the club." The recruiter added a compelling enticement: "Join the *Fascio* and you and your family will become eligible for free passage to Rome during the Anno Santo in 1940." Due to the advent of war, of course, this religious pilgrimage never materialized.

At one point, Bruno Girardi took to the microphone. He chided the panel members by suggesting that the proceedings were taking place rather late in the life of former internees. "If you're looking for the government to offer compensation or an apology, they need just wait another ten years and the problem will take care of itself. By then, there won't be any of us around." When asked his position regarding his political affiliations, he responded, "I was a fascist then, and I remain a fascist today."

Once the NCIC research was complete and a report prepared, the executive made contact with the PMO. The intent had always been to gain an official apology from the members of parliament and to have the MPs debate the appropriateness of redress and compensation. Instead, Prime Minister Brian Mulroney agreed to address the members of the NCIC and guests at the association's convention luncheon. His remarks, delivered on November 4, 1990, included a direct reference to the "enemy aliens" issue. "What happened to many Italians is deeply offensive to the simple notion of respect for the human dignity and the presumption of innocence. The terrible injustice was inflicted arbitrarily, not only on individuals whose only crime was being of Italian origin. In fact, many of the arrests were based on membership in Italian Canadian organizations much like the ones represented here today.

risarcimento, compensazione e scuse ufficiali da parte del governo del Canada.

Tra i presenti c'era Eugenio Pavan, ex internato avanti con gli anni, che si emozionò visibilmente quando vennero rivelati alcuni aspetti della storia della prigionia. Era talmente agitato che venne incoraggiato a non partecipare alla discussione. Alice Pasqualini D'Appolonia, aiutata dalla figlia Lina, raccontò le perdite economiche della famiglia. Sottolineò anche le condizioni di salute che l'avevano messa in pericolo di vita, affermando che era stata sottoposta a uno stress incredibile in seguito all'arresto del marito Santo. Inoltre spiegò brevemente il trauma e l'angoscia provati dai suoi figli durante la crisi. Dopo aver chiarito la posizione del marito quale membro del Circolo Giulio Giordani, affermò che era stato incoraggiato ad unirsi al club sulla base di un accordo di do ut des. *A quanto pare Santo era stato avvicinato da un membro del club che gli aveva detto: «Siamo felici di aiutarti comprando i prodotti del tuo panificio per i nostri incontri e banchetti. In cambio dovresti, in qualità di ex combattente, sostenerci e iscriverti al nostro circolo». Il reclutatore aveva aggiunto una proposta allettante: «Iscriviti al Fascio e tu e la tua famiglia avrete il passaggio gratis per Roma nell'Anno Santo del 1940». A causa dell'avvento della guerra, ovviamente, quel pellegrinaggio non si concretizzò mai.*

A un certo punto prese il microfono Bruno Girardi. Rimproverò i membri della commissione affermando che si era agito ormai troppo tardi nella vita degli ex internati. «Se cercate una compensazione o delle scuse dal governo, basterà attendere altri dieci anni e il problema si risolverà da sé. Per allora nessuno di noi sarà più in circolazione». Quando gli chiesero quale fosse la sua posizione in merito all'affiliazione politica rispose, «Ero fascista allora, e resto fascista ancora oggi».

Una volta completata la ricerca del CNIC e stilata una relazione, l'esecutivo si mise in contatto con l'ufficio del primo ministro. L'intento era sempre stato ottenere scuse ufficiali dai parlamentari e la discussione di un risarcimento o di una compensazione. Invece il primo ministro Brian Mulroney accettò di parlare ai membri del CNIC e ai loro ospiti al pranzo ufficiale dell'assemblea dell'associazione. Le sue

None of the 700 internees was ever charged with an offence and no judicial proceedings were launched. It was often, in the simplest terms, an act of prejudice organized and carried out under law, but prejudice nevertheless.

"In 1988 my Government revoked the War Measures Act – so that never again will such injustices be inflicted on innocent and unsuspecting Canadians. By creating the Canadian Race Relations Foundation, we are also saying 'never again.' But to say 'never again' without explicitly and formally recognizing as well that a wrong has been done is not enough.

"Forty-five years of silence about the wrongs is a shameful part of our history. The silence was maintained by Government who thought the interests were either right or inconsequential. Well, we know that they were neither. They were legally wrong and morally offensive. They showed as well that, when things got tough, the Government of Canada was not above blaming the newcomers with unusual sounding names, not beyond scapegoating minorities still struggling in many cases to learn English or French. This is a critical issue and I want to be clear. The kind of behaviour was not then, is not now, and never will be acceptable in a civilized nation that purports to respect the rule of law.

"On behalf of the government and the people of Canada, I offer a full and unqualified apology for the wrongs done to our fellow Canadians of Italian origin during World War II."

One question remains: Was justice or injustice served?

considerazioni del 4 novembre 1990 includevano un riferimento diretto alla questione degli stranieri nemici. «Ciò che è accaduto a molti italiani è un oltraggio profondo al concetto di rispetto della dignità umana e della presunzione di innocenza. Quella terribile ingiustizia venne inflitta arbitrariamente, non soltanto a individui il cui unico crimine era avere origini italiane. Infatti molti degli arresti si basarono sull'iscrizione ad associazioni italocanadesi proprio come quelle qui rappresentate oggi. Nessuno dei settecento internati fu mai accusato di reato, né si avviò alcun procedimento giudiziario. Fu spesso, in poche parole, un atto di pregiudizio, organizzato e perpetrato legalmente, ma pur sempre pregiudizio».

«Nel 1988 il mio governo ha revocato la Legge sulle Misure di Guerra, in modo che simili ingiustizie non possano mai più essere inflitte a canadesi ignari e innocenti. Con la creazione della Fondazione Canadese per le Relazioni Razziali anche noi diciamo "mai più". Ma dire "mai più" senza riconoscere formalmente ed esplicitamente che un torto è stato fatto non è abbastanza».

«Quarantacinque anni di silenzio sugli errori è una pagina vergognosa della nostra storia. Il silenzio è stato mantenuto dai governi che ritenevano giusti o irrilevanti i propri interessi. Ecco, noi sappiamo non erano né l'una né l'altra cosa. Erano legalmente sbagliati e moralmente offensivi. Mostrarono anche che, quando il gioco si era fatto duro, il governo del Canada non si era fatto problemi a incolpare i nuovi arrivati dai nomi inconsueti, né a usare come capro espiatorio minoranze che ancora faticavano in molti casi a imparare l'inglese o il francese. Questo è un punto critico e voglio essere chiaro. Quel comportamento non fu allora, non è adesso e non sarà mai in futuro accettabile in una nazione civile che pretende di rispettare la legge».

«A nome del governo e del popolo canadese, offro piene e incondizionate scuse per i torti fatti ai nostri concittadini di origine italiana durante la seconda guerra mondiale».

Resta una domanda: si è fatta giustizia o ingiustizia?

PROFILES

II

PROFILI

GINA BENETTI

"Canada gave my parents their life"

My father, Emilio Fortunato Sanvido, was born in 1900. At age 23 he arrived in Canada having been sponsored by his elder brother Giovanni, who introduced him to working in mines. His first mining job was at Britannia Beach and shortly after in Anyox, located at the head of Observatory Inlet, 130 km north of Prince Rupert, BC. At Anyox he was hired by the Granby Company, which operated the largest pyrite copper producing mine in the British Empire until it was forced to close in 1935.

In 1927 Father sent for his fiancée, Angela Meneghetti, whom he married in Prince Rupert shortly after her arrival. They set up housekeeping in Anyox where I was born in 1928. My brother Erminio arrived the following year. We continued to live and prosper in this northern mining town until the miners' strike was called in 1931. As a result, we relocated to Vancouver, which was feeling the affects of a major depression, and this meant no jobs and no money. However, with the help of Serafino and Maria Faoro, my parents were able to rent a house at 885 East Georgia, where they resided for the rest of their lives.

An employment opportunity finally was found in 1933 at Stewart, BC. Father was hired to erect timbers to shore up excavations at the Big Missouri gold mine, a job that lasted six years. To illustrate the sacrifices

"Il Canada ha ridato la vita ai miei genitori"

Mio padre, Emilio Fortunato Sanvido, era nato nel 1900. Arrivò in Canada a 23 anni, sponsorizzato dal fratello maggiore Giovanni, che gli trovò un posto nelle miniere. Il suo primo lavoro come minatore fu a Britannia Beach, e poco dopo a Anyox, situata all'estremità dell'Observatory Inlet, a 130 chilometri a nord di Prince Rupert, nella Columbia Britannica. Ad Anyox fu assunto dalla Granby Company, che sfruttava la più grande miniera di pirite di rame dell'Impero Britannico, sino a quando fu costretta a chiuderla nel 1935.

Nel 1927 mio padre richiamò la fidanzata, Angela Meneghetti, che sposò a Prince Rupert poco dopo il suo arrivo. Si stabilirono a Anyox, dove io sono nata nel 1928. Mio fratello Erminio è nato l'anno seguente. Continuammo a vivere e a prosperare in quella città mineraria del nord, sino a che fu proclamato uno sciopero dei minatori nel 1931. Come risultato, ci trasferimmo a Vancouver che risentiva gli effetti di una grave depressione, e questo voleva dire niente lavoro e niente denaro. Tuttavia, con l'aiuto di Serafino e Maria Faoro, i miei genitori riuscirono ad affittare una casa al numero 885 di East Georgia Street, dove rimasero per tutto il resto della loro vita.

Un'occasione di lavoro fu finalmente trovata nel 1933 a Stewart, in Columbia Britannica. Mio padre fu assunto per sistemare assi allo

made at that time, my father returned home only once a year to see his family. To us children, he was akin to a stranger.

At age 40, the year Italy declared war on the Allies, Father was a non-Canadian of military age. As a result he, like many other Italian nationals, was required to be evacuated from the West Coast. In so doing, he left behind my mother, my four siblings and me. Encouraged by my mother, I approached Miss Amy Barker, my counsellor at Templeton Jr. High for help. Her parents were our landlords. We hoped that she might appeal to the government regarding the evacuation order. Although willing to assist, she was sorry not to be able to help in a positive way.

Mother, a non-Canadian who arrived during Mussolini's tenure in government, was obliged to register with the RCMP and to sign in every month. We five children would accompany her via two streetcars. At first we travelled along Hastings Street and then transferred onto an Oak Street car. Once we alighted, we would trudge the rest of the way, up a hill with one of us pushing a stroller to the RCMP detachment at 33rd and Heather. After a few months of this, the authorities came to the realization that this non-citizen hardly was a threat to Canada. So she was excused from further reporting.

In the meantime my father, unsuccessful in finding work in Calgary, was in no position to forward money to his family. As a result, my mother was forced to apply for "Relief," a form of government support. Soon after, Father became aware of Italian friends living in the Kootenays who had left Vancouver for the same reason he had. Through their kindness, he was welcomed into their home and helped to find a job at a mine. This heartening act proved to be a godsend. He stayed and worked in Michel near the Negrin family until he was allowed to return to Vancouver in 1943. All of this happened to a man who had never belonged to any ethnic or political association.

My father came to Canada because of the poor economic situation his family found themselves in Italy. He worked, suffered and struggled but was witness to his seven children growing up, receiving

scopo di puntellare gli scavi nella miniera d'oro Big Missouri, un lavoro che durò sei anni. Per far capire i sacrifici fatti in quel periodo, devo dire che mio padre tornava a casa solo una volta all'anno per vedere la sua famiglia. Per noi ragazzi, era come un estraneo.

All'età di 40 anni, l'anno in cui l'Italia dichiarò guerra agli Alleati, mio padre era un non-canadese in età di richiamo alle armi. Come conseguenza, a lui come a molti altri di nazionalità italiana, fu ordinato di lasciare la costa occidentale. Facendo questo si lasciò dietro mia madre, i miei quattro fratelli e me. Spinta da mia madre, mi rivolsi per chiedere aiuto alla signorina Amy Barker, la responsabile dell'orientamento presso la scuola Templeton Jr. High. I suoi genitori erano i nostri padroni di casa. Speravamo che lei potesse interporre appello all'ordine di evacuazione. Benché volesse assisterci, si disse dispiaciuta di non essere in grado di aiutarci in modo efficace.

Mia madre, una non-canadese arrivata durante il regime di Mussolini, fu obbligata a registrarsi alla RCMP e a presentarsi ogni mese per firmare un registro. Noi cinque ragazzi l'accompagnavamo prendendo due tram. Prima andavamo lungo la Hastings Street, e poi passavamo sul tram di Oak Street. Una volta scesi, camminavamo faticosamente per il resto della strada, su per una collina, con uno di noi che spingeva un passeggino fino al comando RCMP all'incrocio della 33ª con Heather Street. Dopo alcuni mesi di questa storia, le autorità si resero conto che ben difficilmente questa non-cittadina poteva essere una minaccia per il Canada. Così le fu detto di non tornare più.

Intanto mio padre, che aveva inutilmente cercato lavoro a Calgary, non era assolutamente in grado di inviare denaro alla famiglia. Come conseguenza, mia madre fu costretta a richiedere assistenza governativa. Poco dopo, mio padre venne a sapere di amici italiani che abitavano nel Kootenays e che avevano lasciato Vancouver per la sua stessa ragione. Con grande amicizia fu accolto in casa loro, e fu aiutato a trovare lavoro in una miniera. Questo atto incoraggiante si rivelò un dono del cielo. Lui si fermò a lavorare a Michel, vicino alla

an education, marrying and prospering. By 1946 he and my mother, neither of whom ever returned to Italy, had become Canadian citizens.

All mother countries are sad to see their young people leave. But when affected by troubled economic situations, they often must in order to seek opportunity and a better life for themselves and their children.

For both my parents – Emilio and Angelina Sanvido – Canada was their adopted Mother Country and they loved it. It gave them their life. World War II was a serious bump in the road, but they courageously took it in their stride.

Mrs. Gina Benetti, a retired school teacher, is immediate past-president of the Lega Femminile Italiana affiliated with the Confratellanza Italo-Canadese Society.

Gina Sanvido Benetti scholastic medallist

Gina Sanvido Benetti, vincitrice di parecchie medaglie scolastiche

famiglia Negrin, fino a che gli fu concesso di tornare a Vancouver nel 1943. Tutto questo è successo a un uomo che non aveva mai appartenuto ad alcuna associazione etnica o politica.

Mio padre venne in Canada a causa della situazione economica in cui si trovava la sua famiglia in Italia. Lavorò, soffrì e lottò, ma poté constatare che i suoi sette figli crescevano, ricevevano un'istruzione, si sposavano e prosperavano. Nel 1946 lui e mia madre, nessuno dei quali era mai tornato in Italia, erano diventati cittadini canadesi.

Tutte le madrepatrie si rattristano nel veder partire i propri giovani. Ma quando essi sono colpiti da difficili situazioni economiche, spesso devono farlo per cercare occasioni e una vita migliore per sé e per i propri figli.

Per ambedue i miei genitori, Emilio e Angelina Sanvido, il Canada divenne la patria adottiva, e ne sono stati contenti. Questo paese ridiede loro la vita. La seconda guerra mondiale fu un serio ostacolo sulla via, ma loro coraggiosamente lo superarono.

La signora Benetti, insegnante in pensione, è un ex presidentessa della Lega Femminile Italiana affiliata alla Confratellanza Italo-Canadese.

REMO CALDATO

"The government should apologize..."

I believe that the internment of many Italo-Canadians and Italians during World War II was an overreaction on the part of the authorities caused primarily by their lack of understanding of the Italian character. In general, Italians favour rather colourful rhetoric in their declarations and, while I have not read it, this may be the type of language contained in the charter of the Circolo Giulio Giordani. However, had the signatories to that charter been called upon actually to sabotage Canada's war effort, I am convinced that most, if not all, would have acted more like sheep than wolves, as the mass surrenders of Italian troops in the Western Desert were soon to demonstrate. Ideally, the Canadian authorities should have had a better understanding of their subjects and realised that most, or all, were in fact quite harmless.

However, with war with Italy declared, a seemingly unstoppable German advance toward Britain, and tensions running high, it would probably be too much to expect that harassed officials could or should take the time to assess the situation coolly. In those circumstances, they had to give priority to the national security and to act on the basis of available indications as to the threat posed by Italians. The signatures on the Charter of the Circolo Giulio Giordani would then be seen to be a realistic yardstick of the likely subversive elements among the Italo-Canadian population.

"Il governo dovrebbe scusarsi..."

Credo che l'internare molti italocanadesi e italiani durante la seconda guerra mondiale sia stata una reazione esagerata da parte delle autorità, causata principalmente dal non aver compreso il carattere italiano. In genere, gli italiani sono a favore di una certa retorica colorita nelle loro dichiarazioni e, benché io non lo abbia letto, può essere questo il tipo di linguaggio del documento costitutivo del Circolo Giulio Giordani. Tuttavia, se chi ha firmato quel documento fosse stato effettivamente chiamato a sabotare lo sforzo bellico canadese, sono convinto che la maggior parte, se non tutti, si sarebbe comportata più come pecore che come lupi, come l'arrendersi in massa delle truppe italiane nel deserto libico avrebbe presto dimostrato. Idealmente, le autorità canadesi avrebbero dovuto conoscere meglio chi gli era soggetto, e avrebbero dovuto rendersi conto che erano per lo più, se non tutti, in effetti del tutto innocui.

Tuttavia, con la dichiarazione di guerra dell'Italia, l'avanzata tedesca apparentemente inarrestabile e le tensioni esacerbate, sarebbe probabilmente troppo aspettarsi che funzionari sotto pressione potessero o dovessero trovare il tempo per giudicare freddamente la situazione. In quelle circostanze dovevano dare priorità alla sicurezza nazionale, e agire sulla base delle informazioni in loro possesso per definire la minaccia rappresentata dagli italiani. Le firme sul documento

Given the prevailing conditions, the evidence on hand (primarily the signatures on the Charter), and other indications, and in the light of the authorities' ignorance of the Italian character, it is understandable that they had to act. And I believe it was their duty to do so and to order a round-up of individuals whom they regarded as threats to National Security.

I believe, however, that the government should apologize for the harsh and brutal manner in which this was done. Heads of family were bodily seized and restrained in their homes and workplaces with no explanation and dragged away, often in front of their shocked families including impressionable small children (I was one of them). The government should recognize that, without warning, many dependents were left with no means of support at a time when there was little or no community safety net available to help them.

My mother, an attractive 33-year-old woman, was one of those who was left on her own for 18 months. As a result, she was subjected to a good deal of social ostracism and the unwanted attentions of several men in the neighbourhood. I was 10 years old and I remember that I couldn't understand why my father was suddenly imprisoned at a time when I most needed him. I remember my feelings of panic and fear that something similar would happen to my mother. I believe that my lifelong feelings of anxiety are directly attributable to this period of my childhood.

As mentioned, I have never seen a copy of the charter of the Circolo Giulio Giordani and I know nothing of the contents. I don't know whether my father ever signed the membership application form. Like many other Italians and non-Italians at the time, my father was an admirer of Mussolini but was not by any means a violent or aggressive adherent of Fascism. He was a mild-mannered sociable person who loved his family, opera, and jovial company. I never knew him to be violent or to espouse violence. He had a grade five education and was not a literate person. If he did in fact sign the application, I am convinced

costitutivo del Circolo Giulio Giordani sarebbero allora state viste come una realistica indicazione di elementi probabilmente sovversivi all'interno della popolazione italocanadese.

Date le condizioni del momento, l'evidenza disponibile (soprattutto le firme in calce al documento) e altre indicazioni, e alla luce dell'ignoranza del carattere italiano da parte delle autorità, è comprensibile che dovessero agire. E io credo fosse loro dovere fare così e ordinare la cattura di persone che loro ritenevano una minaccia per il Paese.

Credo, tuttavia, che il governo dovrebbe scusarsi per il modo violento e brutale in cui ciò fu fatto. Padri di famiglia furono presi e arrestati senza spiegazioni in casa o al lavoro e trascinati via, spesso davanti alle famiglie terrorizzate, compresi bambini piccoli molto impressionabili (io ero tra questi). Il governo dovrebbe riconoscere che, senza preavviso, molte persone furono lasciate senza mezzi di sostentamento in un periodo in cui c'era poca o nessuna assistenza prevista per aiutarle.

Mia madre, un'attraente donna di 33 anni, fu una di quelle lasciate a badare a sé stessa per 18 mesi. Come conseguenza, fu soggetta a un notevole ostracismo sociale e alle attenzioni indesiderate di parecchi uomini del circondario. Io avevo 10 anni e ricordo che non potevo capire perché mio padre fosse stato arrestato in un periodo in cui io avevo più bisogno di lui. Ricordo il mio senso di panico e paura che qualcosa di simile succedesse anche a mia madre. Ritengo che il senso di ansietà che mi dura da tutta la vita sia direttamente attribuibile a quel periodo della mia infanzia.

Come ho già detto, non ho mai visto una copia del documento costitutivo del Circolo Giulio Giordani e non so niente del suo contenuto. Non so se mio padre abbia mai firmato la domanda di iscrizione. Come molti altri italiani e non italiani allora mio padre era un ammiratore di Mussolini, ma non era assolutamente un fascista violento o aggressivo. Era una persona dai modi miti e socievoli che amava la sua famiglia, l'opera, e la buona compagnia. Non l'ho mai visto essere

that he did so unthinkingly and was not aware of its sinister implications. He would never have carried out its belligerent commitments.

In judging these Italo-Canadians it should be remembered that for many years in the 1920s and 1930s they were looked down upon as "wops" and "dagos" and exploited both socially and in the workplace. Before the Ethiopian imperialistic adventure, and the alliance with Hitler, Mussolini enjoyed a good deal of public admiration in Canada, England and the U.S.A. Many Italo-Canadians were proud of what they believed were Il Duce's achievements in reforming Italian society, and they readily supported the propaganda of the Fascist Government.

As it is commonly known, Italy was an ally of Canada during World War I. As a 19-year-old, my father was on active service on the Austrian front as a *Carabiniere* - the Italian militarized police. He served with distinction and was decorated for his services. After the war, he was asked to stay on and make a career in the service. He declined, however, as he had decided to join his brother in Canada.

Upon graduating from UBC, Mr. Remo Caldato eventually found his way into the Canadian diplomatic service. He has served as First Secretary, Counsellor and Consul, and acting Chargé d'Affaires at various foreign postings (London, Rome, Budapest, Buenos Aires, Milan, Warsaw). He is retired and lives near Rome with his wife, Cherry. They have three adult children.

violento o approvare la violenza. Aveva la quinta elementare e non era una persona cui piacesse leggere e scrivere. Se in effetti aveva firmato la domanda, sono convinto che lo abbia fatto senza pensarci e senza essere conscio delle sue sinistre implicazioni. Non avrebbe mai messo in atto i propositi bellicosi del documento.

Nel giudicare questi italocanadesi ci si dovrebbe ricordare che per buona parte degli anni Venti e Trenta essi erano visti con disprezzo come "wop" e "dago", e sfruttati sia in società che sul lavoro. Prima dell'avventura imperialistica in Etiopia e dell'alleanza con Hitler, Mussolini aveva goduto di una notevole ammirazione pubblica in Canada, in Inghilterra e negli Stati Uniti. Molti italocanadesi erano orgogliosi di ciò che credevano fossero i risultati ottenuti dal Duce nel riformare la società italiana, ed erano pronti a sostenere la propaganda del governo fascista.

Come è noto, l'Italia era stata alleata del Canada nella prima guerra mondiale. A 19 anni mio padre prestò servizio attivo sul fronte austriaco nei Carabinieri, la polizia militare italiana. Servì con distinzione e fu decorato. Dopo la guerra gli proposero di rimanere e passare di carriera, ma non accettò poiché aveva deciso di raggiungere il fratello in Canada.

Dopo essersi laureato all'università della Columbia Britannica, Remo Caldato si fece strada nel servizio diplomatico canadese. Ha prestato servizio come Primo Segretario, Consigliere e Console e Incaricato d'Affari in diverse città straniere (Londra, Roma, Budapest, Buenos Aires, Milano, Varsavia). È pensionato e vive vicino a Roma con sua moglie Cherry. Hanno tre figli adulti.

NELLIE CAVELL

"I was mortified at having to report to the RCMP"

I was only two and a half years old in 1922 when I arrived in Vancouver with my mother from San Giovanni di Casarsa (PN), Italy. My memory is that of seeing a glass enclosure or case at the CNR train terminal building which was cram full of chocolates. I was so impressed with the sumptuous looking chocolates. I've never forgotten how I felt looking at them. My father Antonio (Tony) Pitton, who had been living in British Columbia for a couple of years, met us at the station. We all went happily to Powell River where Dad was employed at the pulp mill. We came down from Powell River in 1929 to better our lives but, instead, we found a great big Depression. But still, everybody was in the same boat.

After graduating from Strathcona School and the Grandview High School of Commerce, I fulfilled a dream I had been nurturing throughout my teens: a desire to work for the Italian consul. In 1937, I successfully applied for a position at the Italian consulate office and soon was working for Dr. Giuseppe Brancucci, the Royal Vice-Consul. I learned so much. I will always revere him for what he taught me. He was very patient. I came there using some Italian but not being very proficient in its use. He brought me along. He and Miss Forti, director of the Italian language school, taught me to write beautiful Italian letters. In the process, I learned the language of diplomacy.

"Dovermi presentare alla RCMP era mortificante"

Avevo solo due anni e mezzo quando nel 1922 arrivai a Vancouver con mia madre da San Giovanni di Casarsa in provincia di Pordenone. Ciò che ricordo è di aver visto, nell'edificio della stazione centrale della CNR, una specie di cassa di vetro piena di cioccolatini. Fui colpita dall'aspetto sontuoso di quei cioccolatini. Non ho mai dimenticato come mi sentii nel guardarli. Mio padre Antonio (Tony) Pitton, che viveva in Columbia Britannica da un paio d'anni, ci aspettava alla stazione. Tutti contenti andammo a Powell River, dove papà lavorava in una cartiera. Lasciammo Powell River nel 1929 per migliorare la nostra vita, ma invece trovammo la grande Depressione. Ma comunque, eravamo tutti nella stessa barca.

Dopo essermi diplomata alla Strathcona School e alla Grandview High School of Commerce, realizzai un sogno che avevo nutrito sin dall'adolescenza: il desiderio di lavorare per il console italiano. Nel 1937 feci domanda di lavoro al consolato italiano, fui assunta e presto mi trovai a lavorare per il dottor Giuseppe Brancucci, il regio viceconsole. Imparai molte cose. Lo ammirerò sempre per tutto ciò che mi ha insegnato. È stato molto paziente. Quando arrivai conoscevo un po' l'italiano, ma non sapevo usarlo molto bene. Lui mi fece da guida. Lui e la signorina Forti, direttrice della scuola di italiano, mi insegnarono a

Still in my teens and rather naïve about politics, I soon became aware of the existence of the pro-Italy elements in Vancouver. I was invited by Dr. Brancucci to join the Circolo Roma Women's Lodge, affiliated with the Circolo Giulio Giordani. However, when he realized my age, he said you can't join until you are 21. I thought, "Thank you God."

They met at Rose Puccetti's house on Pandora Street. The women would mention *Duce* this and *Duce* that but nothing was made of it. The only serious thing about it was that the club was affiliated with the *fascisti*. Wouldn't it have been awful if they had taken me into custody with those who had become members of the Circolo Giordani? I would be telling a different story today. It was fate, just fate. I don't know if a lot of those people actually were *fascisti*. They just joined the club.

There was Brancucci, a figure that everybody admired. He drew everybody to him. He was charismatic. He was like Trudeau. People flocked to him. People wanted to be part of him. I think a lot of people just wanted to socialize with him. They wanted to be there when he was there. His wife was such a charming lady and they had a beautiful family; two beautiful boys. It was apparent that they were happy. It's too bad Mussolini joined up with Hitler. Italy didn't desire that. The Italian people certainly didn't want it.

That fateful day when Italy declared war conjures up some very vivid memories. I'll never forget the moment when Brancucci came through that office door shouting, *"Siamo in Guerra!"* His face was black! And within minutes, my co-workers and I were going down the Marine Building elevator to burn diplomatic files in the basement furnace room. It truly was an historic time.

A few days later a most shocking event took place: the RCMP were at my door. They came to notify me that I was required to register with the police and to report to them on a monthly basis.

Although there was no one more Canadian than I, the fact that I had been working for the Italian consul obviously was a factor in their decision to want to keep tabs on me. On the day I checked-in and

scrivere belle lettere in italiano. Un po' alla volta imparai il linguaggio della diplomazia.

Ancora adolescente e piuttosto ingenua riguardo alla politica, mi resi conto presto dell'esistenza di elementi filoitaliani a Vancouver. Fui invitata dal dottor Brancucci a iscrivermi al Circolo Femminile Roma, affiliato al Circolo Giulio Giordani. Tuttavia, quando si rese conto della mia età, disse che non potevo farlo prima dei 21 anni. Pensai: «Dio sia ringraziato».

Si incontravano in casa di Rose Puccetti, in via Pandora. Le donne ripetevano il Duce qui e il Duce là, ma non facevano niente di concreto. L'unica cosa seria era che il Circolo era affiliato al Fascio. Sarebbe stato terribile se avessero arrestato anche me assieme agli iscritti al Circolo Giordani? Oggi racconterei un'altra storia. È stato il destino, soltanto il destino. Non so se molti di loro erano davvero fascisti. Si erano solo iscritti al Circolo.

C'era Brancucci, che tutti ammiravano. Lui attirava tutti a sé. Era molto carismatico. Era come Trudeau. La gente gli si affollava intorno, voleva condividere la sua vita. Penso che un sacco di gente volesse soltanto socializzare con lui. Volevano esserci dove c'era lui. Sua moglie era una signora molto affascinante e avevano una bella famiglia, due bei ragazzi. Era evidente che erano felici. È un vero peccato che Mussolini si alleasse con Hitler: l'Italia non lo desiderava. Il popolo italiano certamente non lo voleva.

Il giorno fatale in cui l'Italia dichiarò guerra evoca vividi ricordi. Non dimenticherò mai il momento in cui Brancucci spalancò la porta dell'ufficio gridando: «Siamo in guerra!». Era scuro in volto! Entro pochi minuti io e i miei colleghi prendevamo l'ascensore del Marine Building per bruciare l'archivio diplomatico nella caldaia del seminterrato. Fu davvero un momento storico.

Pochi giorni dopo avvenne qualcosa di sconvolgente: la RCMP suonò alla mia porta. Erano venuti a dirmi che dovevo registrarmi al comando e presentarmi a firmare una volta al mese.

was finger printed. I had gone to the RCMP headquarters with Marino Culos. I was mortified. I was embarrassed. I was livid to think that I was being classified as an enemy alien. I didn't tell anyone and did my best not to be noticed as I reported monthly to the detachment at 33rd and Heather. In fact, I arranged to go during my lunch hour so as to be less conspicuous. I would take the streetcar from the Catholic Charities office on 16th and travel up Oak Street to a stop near 33rd Avenue. And I would walk the rest of the way, doing my best not to be seen by anyone on the street.

Although I have since found success, solace and much happiness, I will never forget the hurt and humiliation of that time.

Mrs. Cavell is a founding member and past president of the Italian Women's Lodge affiliated with the Confratellanza Italo-Canadese Society

Benché non ci fosse nessuno più canadese di me, il fatto che lavorassi per il consolato italiano ovviamente contribuì a farli decidere di tenermi sotto controllo. Il giorno in cui mi recai al posto di polizia e mi furono prese le impronte digitali, vi ero andata con Marino Culos. Ero mortificata. Ero imbarazzata. Ero furiosa all'idea di essere stata classificata come straniero nemico. Non lo dissi a nessuno e feci del mio meglio per non farmi notare quando ogni mese andavo al distaccamento all'incrocio tra la 33a e Heather Street. In effetti, facevo in modo di andarci durante la pausa del pranzo, e così essere meno evidente. Prendevo il tram dall'ufficio della Catholic Charities sulla 16a su per Oak Street, fino alla fermata vicino alla 33a. Camminavo per il resto del percorso, facendo del mio meglio per non farmi vedere da nessuno per la strada.

Benché in seguito io abbia avuto successo, consolazioni e molta felicità, non dimenticherò mai il dolore e l'umiliazione di quel periodo.

La signora Cavell è stata fondatrice e presidentessa della Loggia Femminile Italiana affiliata alla Confratellanza Italo-Canadese.

ALICE D'APPOLONIA

"I was lonely, sick and with no money"

My husband Santo Pasqualini who died in 1961 sold bread and buns to the Circolo Giulio Giordani of the *Fascio*. And a member of that club – Bruno Girardi – said to Santo, "Since you're doing business with the club, you should become a member."

They told him Italy was going to have the *Anno Santo* in 1940. Santo could have a trip to Italy and it would be free. So, Mussolini had made the offer to everybody to go to Rome. I liked it because we could go to see Santo's mamma and mine, too. They never had a chance to see my children. So, he went and talked to the Giordani Club. When he came home he said, "What do you think – should I go in?" "Well, if you did we could take time to visit our families – each for a week." So, we decided, yes, let's do it.

Then Mussolini went to war. It was on the radio. *Mamma mia.* Santo came home at two o'clock in the afternoon from our Paris Bakery. As he came in, I left to walk down to the shop to sell leftover breads until closing time between 5 and 6. Santo was asleep and our boarder's 12-year-old son was playing in the front when the police came. The detectives asked him if Mr. Pasqualini lived at this address. He said, "Yes." "Where is he now?" "Oh, he's sleeping." "So," they said, "take us there." The boy took the detectives into the house and into the

"Ero sola, malata e senza un soldo"

Mio marito Santo Pasqualini, morto nel 1961, vendeva pane al Circolo Giulio Giordani del Fascio. Un iscritto al Circolo, Bruno Girardi, disse a Santo: «Poiché fai affari con il Circolo, dovresti iscriverti».

Gli dissero che l'Italia avrebbe celebrato il Giubileo nel 1940. Santo sarebbe potuto andare in Italia gratis. Mussolini aveva offerto a tutti di andare a Roma. A me l'idea piaceva perché così Santo e io saremmo potuti andare a trovare la sua mamma e anche la mia. Non avevano mai avuto la possibilità di vedere i miei bambini. Così Santo andò a parlare con il Circolo Giordani. Quando tornò a casa, disse: «Cosa pensi, mi dovrei iscrivere?» «Beh, se diventi socio, potremmo andare a far visita alle nostre famiglie, una settimana per ciascuno». Così decidemmo per il sì.

E poi Mussolini entrò in guerra. La notizia la sentimmo alla radio. Mamma mia. Santo tornò a casa alle due del pomeriggio dal nostro panificio Paris. Mentre entrava, io uscivo per andare al panificio a vendere il pane avanzato fino all'ora di chiusura, tra le 5 e le 6. Santo dormiva e il figlio dodicenne del nostro pensionante stava giocando davanti casa quando arrivò la polizia. Gli agenti chiesero al bambino se il signor Pasqualini abitasse a quell'indirizzo. Rispose di sì. «Dov'è ora?» «Sta dormendo». «Allora», dissero, «portaci da lui». Il ragazzo

bedroom. Santo woke up and they went into the kitchen where they put the handcuffs on him. The police said they were taking him away because he was a fascist.

The fascist club was registered in Ottawa. So the Mounted Police had the names. When they came for Santo, they said, "Mr. Pasqualini you are a fascist." "So," he said right away, "I am not a fascist." They went into the drawers and found a medal from the *fascista* – of Mussolini. When I came home I couldn't find him.

After about a week, the police let Santo send a postcard. He told me the RCMP had arrested him. The next day I went to the Immigration Building with Lina and Lino and four or five women who were going to see their husbands too. The place was behind the Marine Building where Santo had to sleep on the floor. That's why he got a sore back. Ghislieri was there with Pavan, Facchin and Girardi.

When they put Santo in the camps, they asked him why he joined the Giordani Club. "You are a fascist." But he said he was not. What happened is hard to believe because he never was in jail and had a very clear name. He just worked for a living. Santo always said he never was a *fascista* and had joined the club only for the business and not for the politics. I'm not mad at Canada, because the government has to save the nation. It was the war that the fascists started. Mussolini made a terrible mistake to go with Hitler.

Santo became a cook at Kananaskis and Petawawa. He liked to make spaghetti the way the men got it at home. When he was taken away, I tried to look after the business but I couldn't do it. There were a lot of debts and bills to pay. People like Marino Culos tried to help me, but I couldn't go on. We lost everything, including a new truck. And then I was so tired and I become nervous. I was given only $26 a month by the government for relief. I paid six dollars a month for renting the house and had only 20 dollars for me and my children. I couldn't do it and I got really sick. My friends took my children to live with them. I had no relatives in Canada. I was lonely, sick and with no money.

accompagnò gli agenti dentro casa e poi nella camera da letto. Santo si svegliò e andarono tutti in cucina dove gli agenti lo ammanettarono. La polizia disse che lo portavano via perché era fascista.

Il circolo fascista era registrato a Ottawa e la RCMP aveva i nomi. Quando andarono a prendere Santo, dissero: «Signor Pasqualini, lei è un fascista». «No», rispose subito Santo, «non sono un fascista». Gli agenti frugarono nei cassetti e trovarono una medaglia dei fascisti con la testa di Mussolini. Quando sono tornata a casa, non l'ho più trovato.

Dopo una settimana circa, la polizia permise a Santo di spedire una cartolina. Mi scrisse che la RCMP l'aveva arrestato. Il giorno dopo andai all'Immigration Building insieme a Lino e Lina e altre quattro o cinque donne che, come noi, andavano a far visita ai loro mariti. Il posto si trovava dietro al Marine Building e Santo dovette dormire sul pavimento. Ecco perché gli venne male alla schiena. Ghislieri era lì insieme a Pavan, Facchin e Girardi.

Quando misero Santo nel campo d'internamento, gli chiesero perché si fosse iscritto al Circolo Giordani. «Lei è un fascista». Rispose che non lo era. Quello che accadde è difficile da credere perché Santo non era mai stato in prigione e aveva la fedina penale pulitissima. Lavorava per vivere. Santo diceva sempre che non era un fascista e che si era iscritto al Circolo solo per affari e non per la politica. Io non sono arrabbiata con il Canada perché il governo doveva salvare la nazione. La guerra la iniziarono i fascisti. Mussolini commise un terribile errore entrando in guerra a fianco di Hitler.

A Kananaskis e Petawawa Santo diventò cuoco. Gli piaceva preparare gli spaghetti come gli uomini erano abituati a mangiarli a casa. Quando lo hanno portato via, ho provato ad occuparmi del negozio, ma non ne sono stata capace. C'erano un sacco di debiti e di bollette da pagare. Persone come Marino Culos hanno provato ad aiutarmi ma io non ce la facevo ad andare avanti. Abbiamo perso tutto, compreso un camion nuovo. Ero molto stanca e nervosa. Il governo mi passava solo 26 dollari al mese. Pagavo 6 dollari di affitto al mese

They put me in the hospital and Dr. Paul Ragona sent a telegram to Ottawa asking them to send Santo home to help me or I would die. And Fr. Bortignon asked the people at Sacred Heart Church to pray because he thought I was going to die. And here I am now at 102. Santo die, John, my second husband die, and my Lina die.

I don't know how I am in life. I think it is just God. Life is a mystery. And I think it is nice to be good. But when I think about the government helping the Japanese, I wonder why they don't do something for us, too.

As an active centenarian, Mrs. D'Appolonia has achieved icon status within Vancouver's Italian community.

e mi restavano solo 20 dollari per me e i bambini. Non ce la facevo e mi sono ammalata gravemente. Degli amici si presero in casa i miei figli. Non avevo parenti in Canada. Ero sola, malata e senza un soldo.

Mi ricoverarono in ospedale e il dottor Paul Ragona spedì un telegramma a Ottawa chiedendo di mandare Santo a casa per aiutarmi o sarei morta. E padre Bortignon chiese ai fedeli della parrocchia del Sacro Cuore di pregare per me perché pensava che sarei morta. Ed eccomi qui a 102 anni. Santo è morto, il mio secondo marito, John, è morto e la mia Lina pure.

Non so come mai io sia ancora viva. Penso sia volontà di Dio. La vita è un mistero. E penso sia una bella cosa essere buoni. Ma se penso a come il governo ha aiutato i giapponesi, mi chiedo come mai non faccia qualcosa anche per noi.

La signora D'Appolonia, un'arzilla ultracentenaria, è diventata un emblema della comunità italiana di Vancouver.

When Santo Pasqualini (standing) was interned, his Paris Bakery was forced into bankruptcy

Quando Santo Pasqualini (in piedi) è stato internato, la sua panetteria, Paris Bakery, fu costretta a dichiarare bancarotta

TRENTINO (PAUL) DI FONZO

"I went from enemy alien to Canadian soldier"

"Da straniero nemico diventai soldato canadese"

My father, Gerardo Di Fonzo, a veteran of the Italian Army during World War I, served at Caporetto in 1917. Pa married Maria Pannozzo in 1921 and had two sons within three years. Triestino was the first born and I, Trentino, came along in 1922. Father, who was very patriotic, named us after the two regions ceded to Italy following the defeat of the Austro-Hungarian Empire. Pa came to Canada in 1927. After spending a dreadfully frigid winter in Winnipeg, he moved to Vancouver, where he started to barber, a skill he learned while in the military.

My mother, brother and I, along with our younger sister Concetta, left Italy in August 1931. After four weeks or so, we arrived in Vancouver. We were met by Pa and Dan Minichiello, who drove us to his home, where we met his wife and children. Shortly before enrolling at Our Lady of Sorrows School, one of the Minichiello daughters commented on how difficult our Christian names would be to pronounce by our Canadian schoolmates. So they decided my brother would be called John and that I would be Paul. When my sister started school, she became known as Connie. And that's the way it's been ever since.

When I was 16, I received notice that I was to register with the RCMP along with my parents. We had been classified as enemy aliens. I can recall going alone by streetcar to the Little Mountain headquarters. Subsequently, I left Britannia High School in grade 12 to work in a camp

Mio padre Gerardo Di Fonzo, un veterano dell'esercito italiano della prima guerra mondiale, combatté a Caporetto nel 1917. Papà sposò Maria Pannozzo nel 1921 ed ebbe due figli maschi nel giro di tre anni. Il primogenito fu Triestino e io, Trentino, sono nato nel 1922. Mio padre, che era molto patriottico, ci chiamò come le due regioni cedute all'Italia dopo la sconfitta dell'Impero austroungarico.

Papà arrivò in Canada nel 1927. Dopo aver trascorso un inverno glaciale a Winnipeg, si trasferì a Vancouver dove iniziò a fare il barbiere, mestiere che aveva imparato durante il servizio militare.

Mia madre, mio fratello e io, insieme a Concetta, la nostra sorella più piccola, lasciammo l'Italia nell'agosto del 1931. Dopo circa quattro settimane arrivammo a Vancouver. Papà e Dan Minichiello ci accolsero e ci portarono a casa di Minichiello dove conoscemmo sua moglie e i suoi bambini. Poco prima di iscriverci alla scuola della Madonna Addolorata, una delle figlie di Minichiello disse che per i compagni di classe canadesi sarebbe stato difficile pronunciare i nostri nomi. Così si decise che mio fratello si sarebbe chiamato John e io sarei stato Paul. Quando mia sorella iniziò la scuola, divenne Connie. Ed è stato così sin da allora.

A 16 anni mi fu comunicato che mi dovevo registrare alla RCMP insieme ai miei genitori. Eravamo stati classificati come stranieri

at Oyster Bay near Campbell River, BC. However, I was instructed to contact the RCMP detachment in Campbell River where I would be required to report on a monthly basis. Remember, I was only 16 years of age and a naturalized British Subject through my dad!

While on Vancouver Island, I received my draft instructions to present myself to the Canadian Army recruitment centre. The notice was dated February 23rd, the day of my 19th birthday. Returning to Vancouver, I reported to the army barracks at Little Mountain for my orientation. I was given an opportunity to declare myself for active service overseas or to serve in the Home Guard. I chose the latter because I couldn't be guaranteed that I would not be sent to the Italian front. I was apprehensive about the possibility of having actually to fight Italians, as I had cousins fighting for Italy.

Cousin Mike Marino served on the Russian Front. He spent two winters in Russia during which he experienced serious trauma during the retreat. His brother Joe served in Libya and was captured by the British. Mike eventually spent several months as a POW in Great Britain. During his incarceration, Fascist Italy capitulated and the new government joined the Allies. Although technically a prisoner, he was permitted to mingle among the public, provided he was in prison garb, which included wearing a shirt on the back of which was a red patch. He represented no threat to the public.

On April 14, 1943, I was shipped to Vernon for basic training. Then in October 1944, I was transferred to Kamloops where elements of the army, navy and air force had ammunition magazines stored. I remained with the Canadian Army Engineers until my discharge in July 1946.

As a young man I devoured books on the world political situation prevalent in the 1930s. And yet, I can honestly say that I never realized what was happening closer to home. For example, I had no knowledge of the existence of the Circolo Giulio Giordani or the Canadian Fascio. Moreover, I wasn't aware that some Italians from Vancouver had been arrested and interned because the RCMP considered them possible threats to the State.

nemici. Mi ricordo ancora quando andavo da solo con il tram al comando RCMP di Little Mountain. Poi lasciai la Britannia School all'ultimo anno per lavorare a Oyster Bay vicino a Campbell River nella Columbia Britannica. Mi fu detto di contattare il distaccamento della RCMP a Campbell River dove dovevo presentarmi ogni mese. Da tener presente che all'epoca avevo solo 16 anni ed ero un cittadino britannico naturalizzato attraverso mio papà!

Mentre ero sull'isola di Vancouver, ricevetti la chiamata alle armi per presentarmi al centro di reclutamento dell'esercito canadese. La comunicazione era datata 23 febbraio, il giorno del mio 19º compleanno. A Vancouver mi presentai presso la caserma dell'esercito a Little Mountain per l'incorporazione. Mi fu data la possibilità di rendermi disponibile per il servizio attivo oltreoceano oppure per la guardia nazionale. Scelsi quest'ultima opzione perché non mi potevano garantire che non sarei stato mandato al fronte italiano. Ero preoccupato dall'eventualità di dover combattere contro italiani, dato che avevo dei cugini che stavano combattendo per l'Italia.

Mio cugino Mike Marino combatté sul fronte russo. Trascorse due inverni in Russia. Durante la ritirata subì un forte trauma. Suo fratello Joe combatté in Libia e fu catturato dai britannici. Mike trascorse diversi mesi come prigioniero di guerra nel Regno Unito. Durante la sua prigionia, l'Italia fascista capitolò e il nuovo governo si unì agli Alleati. Sebbene tecnicamente fosse prigioniero, a Mike fu permesso di interagire con il pubblico a condizione che indossasse gli abiti da prigione tra i quali una camicia con una toppa rossa cucita sulla schiena. Non rappresentava un pericolo.

Il 14 aprile del 1943 fui mandato a Vernon per l'addestramento di base. Poi, nell'ottobre del 1944, fui trasferito a Kamloops dove si trovavano scorte di munizioni per l'esercito, la marina e l'aviazione. Rimasi con il genio canadese fino al congedo nel luglio del 1946.

Da giovane divoravo libri sulla situazione politica mondiale negli anni Trenta. Tuttavia posso dire con sincerità che non avevo la più pallida idea di che cosa stesse succedendo vicino a casa. Ad esempio, non sapevo dell'esistenza del Circolo Guido Giordani o del Fascio

The only memento I have of that wartime experience is my Army Pay Book, which contains all my information. In my latter years of service in the Army, I qualified to be a cook. At that time my regular private serviceman's pay was $1.50 per day. However, being a cook I earned an additional 25 cents a day, the total of which was quite considerable at the time. And I saved money out of that!

Upon being discharged, I enrolled in Government of Canada courses being offered to veterans. Whereas my father and brother already were in the barber business trade, I started to think about the other end of the business - that of serving the ladies. The hairdressing course I took had been funded through the government program and, after working for the hairstyling department at The Bay, I established my own business. I am pleased to say that Paul's Hair Styling Salon in Vancouver East truly became a successful and lucrative business over a period of 38 years. In 1949 Eva [Mantine] and I were married and have been blessed with two daughters; Paula and Brenda.

Mr. Di Fonzo served as an examiner on the Hairdressers' Association Examining Board for 16 years. In addition, he held volunteer leadership positions, notably with the Hastings Chamber of Commerce, Burnaby Hastings Rotary Club and PNE Board of Directors.

canadese. Inoltre non sapevo che alcuni degli italiani di Vancouver fossero stati arrestati e internati perché la RCMP li riteneva possibili minacce per lo Stato.

L'unico ricordo che ho di quell'esperienza di guerra è il mio libretto paga militare che contiene tutte le mie informazioni. Durante i miei ultimi anni di servizio nell'esercito ottenni la qualifica di cuoco. A quel tempo la mia paga da soldato semplice era di 1,50 dollari al giorno. Da cuoco guadagnavo altri 25 centesimi al giorno, una discreta sommetta a quei tempi. Mettevo perfino qualcosa da parte!

Dopo il congedo, mi sono iscritto a dei corsi offerti ai veterani dal governo canadese. Mentre mio padre e mio fratello avevano già un'attività come barbieri, io ho iniziato a pensare all'altra faccia di questo mestiere: alle donne. Il corso per parrucchiere che avevo seguito era finanziato dal programma del governo e dopo aver lavorato nel reparto parrucchieri a The Bay ho aperto la mia bottega. Sono lieto di poter dire che il Paul's Hair Styling Salon a Vancouver Est divenne un'attività redditizia e di successo nel corso di 38 anni. Nel 1949 Eva [Mantine] ed io ci siamo sposati e abbiamo avuto la fortuna di avere due figlie, Paula e Brenda.

Il signor Di Fonzo fece parte della commissione esaminatrice dell'associazione dei parrucchieri per 16 anni. Inoltre ha ricoperto varie cariche a titolo volontario, come per esempio nella Camera di Commercio di Hastings, nel Rotary Club di Burnaby Hastings e nel Consiglio di Amministrazione della PNE.

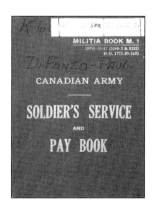

GEORGINA GATTO FABBRO

"Images of Hitler and Mussolini were burned in effigy"

I am blessed with an uncanny if not extraordinary memory. I can remember things that happened around me from the time I was a preschooler. For example, I have very vivid memories of the time when Nino, as a baby in 1942, came to Michel with his parents Gilberto (Bert) and Elisa Negrin.

In talking with my parents and later with Nino, I came to understand exactly what happened to the Negrins during the war. Bert, employed by the Alberni Pacific Lumber Company for nine years, was summarily ordered by the RCMP and the local Provincial Police to leave the Protected Coast Area. Like all Italian nationals living in Canada, he was considered an enemy alien and possibly a threat to the State. The family came to Michel-Natal because there was work available at the coal mine. At the time, mining coal was deemed an essential service to the war effort. Bert was issued with a Certificate of Parole, which he was instructed to carry with him. He also was required to report monthly to the local RCMP office. And in that regard so was my dad.

The morning that Mussolini issued his declaration of war, my mother was out back dumping the kitchen stove ashes into a large container. At that precise moment our English neighbour was doing the same thing. "Oh, good morning Mrs. Travis," but she didn't answer. Mom tried again, louder this time, "Hello, Mrs. Travis." Instead of offering a greeting, she gave my mother a dirty look, slammed the gate and

"Immagini di Hitler e di Mussolini date alle fiamme."

Ho la fortuna di avere una memoria sorprendente se non addirittura straordinaria. Mi ricordo cose che sono successe sin da quando andavo all'asilo. Per esempio, mi ricordo benissimo di quando Nino, un bambino nel 1942, arrivò a Michel con i genitori Gilberto (Bert) ed Elisa Negrin.

Parlando con i miei genitori e dopo anche con Nino, ho capito perfettamente cosa successe alla famiglia Negrin durante la guerra. A Bert, che da nove anni lavorava per la Alberni Pacific Lumber Company, fu ordinato dalla RCMP e dalla polizia provinciale del posto di lasciare l'area costiera protetta. Come tutti i cittadini italiani che vivevano in Canada, era considerato uno straniero nemico e una possibile minaccia per lo Stato. La famiglia era venuta a Michel-Natal perché c'era lavoro nelle miniere di carbone. A quel tempo il lavoro nelle miniere era considerato un servizio essenziale per lo sforzo bellico. A Bert fu rilasciato un certificato di libertà condizionata che doveva portare sempre con sé. Doveva anche presentarsi mensilmente all'ufficio della RCMP del posto. Così dovette fare anche mio padre.

La mattina in cui Mussolini dichiarò guerra, mia madre era sul retro e stava gettando le ceneri della stufa in un grande contenitore. In quel preciso momento la nostra vicina inglese stava facendo la stessa cosa. «Oh, buon giorno signora Travis», ma la vicina non rispose. La mia mamma provò un'altra volta, alzando la voce: «Salve, signora

disappeared into the house. My mother thought, how strange. About an hour later, my father Matteo returned home from the mine unexpectedly. "What are you doing home so early?" she asked. "Oh, Sunta, this is terrible. We can't go to work. The British miners won't let us in the mine." "Why?" she protested. "Because Italy is at war with Canada," he answered.

My dad explained that the Italians were prevented from using the man trips, a string of empty cars used by the miners to get from the mine entrance to the coal seam at which they worked. "But not to worry," he said "the miners are getting ready to do something about it."

That night the *Società Emanuele Filiberto Duca d'Aosta* called a special meeting at the Odd Fellows Hall at which scores of miners and lodge members were in attendance. Their mission was to develop a plan of action. In short order it was decided that the miners would report for work the next morning as usual. With shovels over their shoulders and at the ready, they marched down the centre of Natal's main street. Arriving at the mine before the other miners, the Italians stood vigilant in front of the man trip. You have to know that the majority of people in Natal were Italian so there were a lot of Italian miners who would be out of work unless this impasse was resolved. When the other miners arrived at the man trip, they asked the Italians to step aside so that they could start their shift. But this wasn't going to happen. "You wouldn't let us go in to work yesterday so today we're not letting you pass," was the message.

Fortunately, Mr. Chapman, a senior pit boss, rushed from his office to the site. In so doing he prevented a major confrontation from erupting. Following a quick briefing by a foreman, Chapman appealed to the Italians. He asked that they appreciate the fact that many of the other miners had relatives fighting in the war against Germany, and now Italy, and to understand their sense of emotion. "But we have boys fighting the Germans, too," the Italians protested. After promising to resolve to this dilemma within 24 hours, Mr. Chapman cancelled the day's work schedule and requested that the men return the next day. The following morning the Italians - along with the other miners - reported for

Travis». Invece di ricambiare il saluto, la signora Travis guardò male mia madre, sbatté il cancello e sparì dentro casa. Mia madre pensò: che strano. Circa un'ora dopo, mio padre tornò a casa dalla miniera inaspettatamente. «Che cosa fai a casa così presto?» chiese mia madre. «Oh, Sunta, è terribile. Non possiamo andare a lavorare. I minatori britannici non ci lasciano andare in miniera». «Perché?» protestò mia madre. «Perché l'Italia è in guerra contro il Canada», rispose mio papà.

Mio papà spiegò che agli italiani era stato impedito di usare il trenino, una fila di vagoni vuoti che i minatori usavano per andare dall'entrata della miniera al filone carbonifero al quale lavoravano. «Non c'è da preoccuparsi», disse; «i minatori si stanno preparando per fare qualcosa al riguardo».

Quella notte la Società Emanuele Filiberto Duca d'Aosta organizzò un incontro speciale alla Odd Fellows Hall al quale parteciparono molti minatori e soci. Lo scopo era di coordinare un piano d'azione. In un battibaleno fu deciso che i minatori si sarebbero presentati al lavoro il giorno dopo come al solito. Pronti, pale in spalla, marciarono verso il centro della via principale di Natal. Arrivati alla miniera prima degli altri minatori, gli italiani si piazzarono davanti al trenino. La maggior parte delle persone a Natal era italiana, quindi c'erano molti minatori italiani che sarebbero rimasti senza lavoro se questa situazione non si fosse risolta. Quando gli altri minatori arrivarono al trenino, chiesero agli italiani di farsi da parte in modo da poter iniziare il turno di lavoro. Ma così non fu. «Ieri non ci avete lasciato andare al lavoro. Oggi siamo noi che non vi lasciamo passare», era il messaggio.

Fortunatamente, il signor Chapman, un vecchio capo miniera, accorse dal suo ufficio sul luogo della disputa. Così facendo fermò sul nascere una grande rissa. Dopo un veloce aggiornamento con uno dei capi, il signor Chapman si rivolse agli italiani. Chiese loro di capire che molti dei minatori avevano parenti che stavano combattendo contro la Germania, e ora contro l'Italia, e di essere comprensivi. «Ma anche noi abbiamo ragazzi che stanno combattendo contro i tedeschi», protestarono gli italiani. Dopo aver promesso una soluzione entro 24 ore, il signor Chapman cancellò il programma di lavoro per quel giorno e

work with their buckets. Chapman, however, had arrived ahead of the miners and stood at the entrance to the mine a short distance from the man trip station.

During the night he had successfully talked with representatives on both sides. It was clear that nobody wanted to risk their livelihood over this situation. With a smile and a wink, he simply said, "Okay boys, go on in and get to work." That's how the otherwise explosive situation was resolved.

Notwithstanding, a certain degree of hostility persisted with some people not wanting their children mixing with the Italian kids. In July 1943, this situation eased with news that Mussolini's government had capitulated. There had been war casualties which, I guess, tended to unite the community. With common nationalistic pride, the community came together as one on V-E Day, which marked the end of hostilities in Europe. As part of the celebration, images of Hitler and Mussolini were burned in effigy.

Ever energetic and gregarious, Mrs. Fabbro, with three sons, their wives, and six grandchildren nearby, resides with her husband Fermino in Burnaby, BC.

Nino Negrin

chiese ai lavoratori di ritornare il giorno dopo. Il mattino successivo gli italiani si presentarono al lavoro insieme agli altri minatori. Il signor Chapman, tuttavia, era arrivato prima e stava all'entrata della miniera a poca distanza dalla stazione del trenino.

Durante la notte aveva parlato con successo con rappresentanti di entrambe le fazioni. Era chiaro che nessuno voleva perdere il lavoro a causa della situazione. Con un sorriso e una strizzata d'occhio disse: «Okay ragazzi, entrate e mettetevi al lavoro». Fu così che la situazione altrimenti esplosiva fu risolta.

Rimase una certa ostilità, e alcuni non volevano che i loro figli si mescolassero a quelli degli italiani. Nel luglio del 1943, questa situazione migliorò con la notizia che il governo di Mussolini era caduto. C'erano stati dei caduti che, immagino, unirono la comunità. Attraverso un orgoglio nazionale comune, la comunità si unì nella Giornata della Vittoria in Europa che segnò la fine delle ostilità in Europa. Come parte delle celebrazioni, si bruciarono immagini di Hitler e di Mussolini.

La sempre energica e socievole signora Fabbro vive col marito Fermino a Burnaby, in Columbia Britannica, circondata da tre figli, le cognate e sei nipoti.

HERMAN GHISLIERI

"My father, brother and I were at Kananaskis at the same time"

The Ghislieri family is a direct descendent of Italian nobility. The most illustrious member was Antonio [Michele] Ghislieri who served as Pope Pius V (1566 - 1572) and was canonized in 1712. He excommunicated Queen Elizabeth I from the Catholic Church and initiated the Crusade in defense of Christianity that resulted in the decimation of the Turkish fleet in 1565. Other Ghislieris - over 200 - were among the elite throughout the centuries until modern days. In 1925 a disastrous flood created a sea of water 15 feet high that engulfed the Ghislieri/Rossini families' extensive farm and dairy property at Sala in the Alessandria region of Piedmont. Bankruptcy resulted, thus changing the Ghislieri and Rossini (my mother's maiden name) families' financial fortunes forever. In 1927, we immigrated to Canada.

We arrived in Vancouver in 1934 from Johnson Lake, Saskatchewan, where we had been ranchers and farmers. My father, Mario Ghislieri, had cultivated an impressive 3,000 acres in wheat at that location. Due to the Great Depression the enterprise collapsed.

People within the Italian community soon became aware of my father's considerable abilities. He was well educated, a good orator and one who possessed an imposing military bearing. During World War I

"Mio padre, mio fratello e io eravamo tutti insieme a Kananaskis"

La famiglia Ghislieri discende direttamente dalla nobiltà italiana. Il membro più illustre fu Antonio [Michele] Ghislieri che divenne papa col nome di Pio V (1566-1572) e fu canonizzato nel 1712. Scomunicò dalla chiesa cattolica la regina Elisabetta I d'Inghilterra e promosse la difesa del Cristianesimo che culminò con la decimazione della flotta turca a Lepanto nel 1565. Altri membri della famiglia Ghislieri, più di 200, fecero parte dell'élite attraverso i secoli fino all'epoca moderna. Nel 1925 una devastante inondazione creò un mare d'acqua alto 4,5 metri che inghiottì l'azienda agricola che apparteneva alle famiglie Ghislieri e Rossini, a Sala, nella zona di Alessandria, in Piemonte. Seguì la bancarotta che cambiò per sempre la situazione economica dei Ghislieri e dei Rossini (il cognome di mia madre). Nel 1927 immigrammo in Canada.

Giungemmo a Vancouver nel 1934 provenienti da Johnson Lake, in Saskatchewan, dove avevamo lavorato come fattori e agricoltori. A Johnson Lake, mio padre, Mario Ghislieri, aveva coltivato a grano 3.000 ettari di campi, ma con la Grande Depressione l'azienda agricola crollò.

A Vancouver, i componenti della comunità italiana capirono ben presto che mio padre possedeva grandi capacità. Aveva una buona educazione, era un buon oratore e aveva un portamento imponente

he served with distinction in the Italian Army. Following the Armistice, father joined the Gabriele D'Annunzio insurgency force that hoped to annex Fiume to Italy. After this adventure, he held the rank of Regimental Sergeant Major of the Mountain Artillery, Alpini.

In Vancouver he built the Sacred Heart Church rectory, later to become the Sisters of the Immaculate Conception residence. He also built the St. Anthony Church in Trail, BC, in 1935. Father founded the Vancouver Section of the Ex-Combattenti [Italian war veterans] and was elected president of the Vancouver Italian Canadian Mutual Aid Society and of the Italian Language School. At the request of Italian Consul Giuseppe Brancucci, father became the founding president of the Circolo Giovanile to which scores of children subscribed. Brancucci, however, wasn't fair as he confused the purpose of this youth club with the purpose of the *Balilla* of the Fascist Party. It was never the intention of the members to have a fascist orientation for this group. My brother Fred and I got involved in the Circolo Giovanile, but seemed to get mixed messages as to its purpose. For example, they wanted me to teach at the Italian school in Queensborough, New Westminster, but I was more interested in volunteering to teach gymnastics. And then there was the Circolo Giulio Giordani, commonly referred to as the fascist club. It too was very much influenced by Brancucci.

I remember giving the eulogy at the Marconi memorial service at the Holy Rosary Cathedral in 1937. At Brancucci's behest Nino Sala and I wore black shirts to honour Senator Marconi who, of course, was part of the Italian Fascist Government.

It's true that members of the *Fascio* were interned, but the RCMP was given false information about its membership. Actually, the Canadian Government panicked. When Italy declared war, it interned quite a few British citizens. To counter this action, the Canadian Government said, "Okay, round up so many Italians." The three of us - my father, brother and me - were interned in 1940. Like the others, we were held at the Immigration Building because the RCMP had no plans. All of a

da militare. Durante la prima guerra mondiale aveva combattuto con onore nell'esercito italiano. Dopo l'armistizio, si era unito al gruppo di Gabriele D'Annunzio che sperava di annettere Fiume all'Italia. Dopo quest'avventura, mio padre diventò maresciallo maggiore degli Alpini.

A Vancouver costruì la canonica della parrocchia del Sacro Cuore che divenne più tardi la residenza delle Sorelle dell'Immacolata Concezione. Costruì anche la chiesa di Sant'Antonio a Trail, in Columbia Britannica, nel 1935. Mio padre fondò la sezione di Vancouver degli Ex Combattenti e fu eletto presidente della Società Italocanadese di Mutuo Soccorso di Vancouver e della Scuola di Lingua Italiana. Su richiesta del console Giuseppe Brancucci, mio padre divenne il presidente fondatore del Circolo Giovanile a cui si iscrissero decine di bambini. Brancucci, tuttavia, non fu onesto dato che confuse lo scopo di questo circolo con quello dei Balilla del partito fascista. Non era mai stata intenzione dei soci di dare a questo circolo un orientamento fascista. Mio fratello Fred e io eravamo coinvolti nel circolo ma ricevevamo messaggi contrastanti riguardo allo scopo del gruppo. Per esempio, volevano che insegnassi alla scuola italiana di Queensborough, a New Westminster, ma io volevo invece insegnare educazione fisica. E poi c'era il Circolo Giulio Giordani, conosciuto come circolo fascista, anche questo sotto l'influenza di Brancucci.

Ricordo quando recitai l'elogio durante la commemorazione di Marconi alla cattedrale del Santo Rosario nel 1937. Su richiesta ufficiale di Brancucci, Nino Sala e io indossavamo la camicia nera in onore del senatore Marconi che, naturalmente, aveva fatto parte del governo fascista italiano.

È vero che furono internati alcuni iscritti al Fascio, ma è anche vero che alla RCMP furono date informazioni errate riguardo alle adesioni. In realtà il governo canadese andò in panico. Quando l'Italia dichiarò guerra, internò un bel po' di cittadini britannici. Per bilanciare quest'azione, il governo canadese disse, «Ok, fate una retata di italiani». Noi tre (mio padre, mio fratello e io) fummo internati nel

sudden, they have an order from Ottawa to seize members of the Giulio Giordani Club to offset what the Italians had done to the English in Italy. We were all at the Kananaskis camp at the same time.

As an internee, I was required to appear in front of the Commission. They asked if I had ever been a member of the Fascist Party. I said, "No, not in the sense of being a fascist but rather as a member who was a gymnastics instructor." It was all over in three minutes and, within two weeks, I was released from Petawawa. They could have done that the first day instead of more than a year later. Fred was the first to be released, then me and finally my dad who, by this time, was confined at Fredericton with other heads of Italian societies.

When I came back to Vancouver in 1942, I was ordered to report to the Little Mountain Recruitment Centre. "How confusing," I said. Although a Canadian citizen, I was earlier referred to as an enemy alien and now I am being inducted in the Canadian Army. We mustered at Peterborough for basic training, during which time I severely reinjured my back. In due course, I was discharged and hospitalized. After surgery, I remained at the Kingston Hospital three months. Shortly thereafter, I was able to resume a normal life and my career at the Hotel Vancouver.

Mr. Ghislieri died in 2005 at age 92.

1940. Come gli altri, fummo detenuti all'Immigration Building perché il governo canadese non aveva un piano d'azione. All'improvviso ricevettero ordini da Ottawa di arrestare gli iscritti al Circolo Giulio Giordani per controbilanciare ciò che l'Italia aveva fatto agli inglesi in Italia. Ci ritrovanmmo tutti e tre contemporaneamente a Kananaskis.

Dato che ero internato, dovetti presentarmi di fronte alla commissione. Mi chiesero se fossi mai stato iscritto al partito fascista. Risposi: «No, non nel senso di essere fascista, ma piuttosto come iscritto che è insegnante di educazione fisica». Il tutto durò tre minuti e nel giro di due settimane fui rilasciato da Petawawa. Avrebbero potuto farlo il primo giorno, invece di aspettare più di un anno. Fred fu il primo ad essere rilasciato. Poi io e infine mio padre che per allora era confinato a Fredericton con altri capi di società italiane.

Quando ritornai a Vancouver nel 1942, mi fu ordinato di presentarmi al centro di reclutamento di Little Mountain. «Quanta confusione», dissi. Sono cittadino canadese, ma prima vengo classificato come straniero nemico e ora vengo arruolato nell'esercito canadese. Venimmo inquadrati a Peterborough per l'addestramento di base, durante il quale mi infortunai nuovamente la schiena. Fui congedato e mandato all'ospedale. Dopo l'operazione rimasi nell'ospedale di Kingston per tre mesi. Poco dopo fui dimesso e ripresi la mia vita di sempre e la mia carriera all'Hotel Vancouver.

Il signor Ghislieri è morto nel 2005
all'età di 92 anni.

ALITA EMANUELE GIBSON

"My teacher said I should have been sent to the concentration camp"

"Il maestro disse che mi avrebbero dovuto mandare in campo di concentramento"

My family knows about war. In 1915 my dad, Carlo Antonio Emanuele, returned to Italy on a mission. He was seeking to marry my mother. However, while she was considering his proposal, the Italian Government issued my father an ultimatum: return to Canada or serve in the Italian Army. Not having completed his quest, he chose the latter and immediately found himself on the front lines. That's when he caught a bullet.

He was bleeding profusely and near death, when soldiers picking up the dead for a mass burial happened upon him. They threw him unceremoniously onto their horse-drawn wagon, where he landed on a stack of dead bodies. The abrupt and severe jar to his body roused his senses, causing him to shriek with pain. Thankfully he survived – and to think he was almost buried alive. After the war, my mom and dad married and had two children. One died shortly after. They left Abruzzo, with my brother Jack, for Vancouver where I was born in 1924.

My mother taught me to read and write Italian before I went to school. I then learned English, and later took courses in French and Latin. I have an ear for languages. In 1937, I was enrolled in Cleofe Forti's Italian language class held at the old Sacred Heart School. Soon,

La mia famiglia sa che cosa sia la guerra. Nel 1915 mio papà, Carlo Antonio Emanuele, ritornò in Italia col preciso obiettivo di sposare mia madre. Tuttavia, mentre lei ci pensava, il governo italiano diede a mio padre un ultimatum: ritornare in Canada o entrare nell'esercito italiano. Non avendo ancora compiuto la propria missione, mio padre scelse di rimanere e ben presto si ritrovò al fronte. E lì si buscò una pallottola.

Sanguinava molto ed era sul punto di morire quando arrivarono dei soldati che stavano raccogliendo i cadaveri per una fossa comune. Lo gettarono senza tante cerimonie sul carro tirato da un cavallo e mio padre finì sopra a una pila di corpi. L'urto lo rianimò subito e gridò dal dolore. Fortunatamente sopravvisse; e pensare che per poco non lo seppellivano vivo. Dopo la guerra mamma e papà si sposarono e ebbero due figli, uno dei quali morì. Insieme a mio fratello Jack lasciarono l'Abruzzo diretti a Vancouver dove sono nata nel 1924.

La mia mamma mi ha insegnato a leggere ed a scrivere in italiano ancor prima che andassi a scuola. Ho imparato l'inglese e ho seguito dei corsi di francese e latino. Sono portata per le lingue. Nel 1937 frequentavo le lezioni d'italiano che Cleofe Forti teneva alla vecchia scuola del Sacro Cuore. Divenni presto la migliore della classe. Le domeniche,

I became her star pupil. On Sundays when she would go to the Roma Hall in New Westminster to teach the kids Italian, she often would take me with her. During the time I knew her, I can honestly say that I never, never, ever heard her promoting the Italian fascist thing. She was there to teach Italian and that is what she did.

As a teacher she was a very, very - what shall I say - she was a very fair person. She was a lovely lady and was so good to me. I have nothing but pleasant memories about her. We became quite close and my mom felt the same.

Along the way, Miss Forti mentioned that an Italian film would be presented either at a movie theatre or the Hastings Auditorium; can't remember which at the moment. At any rate, my mom and I went to see the movie, which turned out to be more or less a propaganda film. It depicted Mussolini in a very good light and documented Italy's recent achievements. Well, Giovanni Battista also was there, as I recognized his voice as he hollered "Viva il Duce." He was all for Mussolini. However, when we were at war with Italy, Johnny came to our house asking my parents to take care of his children, should he be picked up and sent to the internment camp. A number of people have said that had Mussolini not teamed up with that other maniac, he would have been regarded as a saint.

I was with Miss Forti the evening the RCMP arrived at her apartment. All of a sudden, there was a knock at the door. This guy - one person only - said in effect that he was from the RCMP and that he had orders to take her into custody. I guess he didn't expect her to have company, but it was a good thing that I was there because she didn't understand English all that well. Within a few minutes he rang up a taxi company and I was sent home in a cab. That's the last time I ever saw or heard from her. I believe she found her way to Argentina and then back to Italy. For me, it proved to be a terrible and lasting memory of the war.

quando andava alla Roma Hall a New Westminster per insegnare italiano ai bambini, mi portava spesso con lei. In tutta onestà posso dire di non averla mai, mai sentita promuovere il fascismo. Era lì per insegnare italiano e quello era ciò che faceva.

Come maestra era molto, come posso dire... molto corretta. Era una signora deliziosa ed era molto buona con me. Io ho solo bei ricordi di lei. Facemmo amicizia, e lo stesso la mia mamma.

Un giorno, la signorina Forti disse che sarebbe stato presentato un film italiano al cinema oppure all'auditorium Hastings; ora non ricordo bene dove. Ad ogni modo la mia mamma e io andammo a vedere il film che risultò essere più o meno un film di propaganda. Metteva Mussolini in buonissima luce e documentava i recenti successi dell'Italia. Anche Giovanni Battista era lì; ho riconosciuto la sua voce che gridava «Viva il Duce». Era completamente a favore di Mussolini. Tuttavia, quando eravamo in guerra contro l'Italia, Johnny [Giovanni] venne a casa nostra a chiedere ai miei genitori di prendersi cura dei suoi figli nel caso in cui venissero a prenderlo per portarlo al campo d'internamento. C'è chi disse che se Mussolini non si fosse messo con quell'altro maniaco, sarebbe stato considerato un santo.

Ero con la signorina Forti la sera in cui la RCMP arrivò al suo appartamento. All'improvviso bussarono alla porta. Questo tizio, da solo, disse che era della RCMP e che gli era stato ordinato di arrestarla. Immagino non si aspettasse che la signorina avesse compagnia, ma è stato un bene che fossi lì perché la signorina Forti non capiva tanto bene l'inglese. Nel giro di pochi minuti il tizio aveva chiamato un taxi e fui mandata a casa. Quella fu l'ultima volta che la vidi o che ebbi sue notizie. Credo abbia trovato il modo di andare in Argentina e da lì ritornare in Italia. Per me è stato un ricordo terribile e indelebile del tempo di guerra.

Tempo dopo, mentre frequentavo la Britannia High School, fui vittima di un'esperienza umiliante e molto crudele. Il mio insegnante di scienze sociali, il signor Montague Saunders, usando un accento

Sometime later, however, while I was attending Britannia High School, I was subjected to a very unkind and humiliating experience. My social studies teacher, Mr. Montague Saunders, speaking with an English accent, said this to me, "You don't belong in this classroom - the day Italy entered the war - you should have been sent to a concentration camp." That's what he said to me at Britannia High School. And I was what - 16 years old.

Although terribly embarrassed and humiliated, I stood up and said, "Well, I don't know about that, Mr. Saunders, as I have never been to Italy and I know nothing about Italians and the war. I am a Canadian." And do you know, he immediately backed off. He knew he had done wrong. Later when I was working at Woodward's - I ran Woodward's record department for eight years - he came in periodically to see me and to ask how I was doing. He knew he had overstepped himself by allowing his emotions to get the better of him. To give him his due, however, he had been a British patriot. Nonetheless, he had a nerve to say that to me.

Mrs. Gibson, now 87, is retired and lives
adjacent to Vancouver's Italian
Cultural Centre.

inglese, mi disse: «Non dovresti essere in questa classe. Il giorno in cui l'Italia è entrata in guerra avrebbero dovuto mandarti in campo di concentramento». Questo mi disse in quella scuola. E avevo solo... 16 anni.

Sebbene fossi imbarazzatissima e mi sentissi umiliata, mi alzai e dissi: «Non ne sono mica sicura, signor Saunders, dato che non sono mai stata in Italia e non so nulla degli italiani e della guerra. Io sono canadese». Smise immediatamente. Sapeva di aver sbagliato. Quando lavoravo da Woodward's (ho diretto il reparto discografico da Woodward's per 8 anni) veniva a trovarmi di tanto in tanto e mi chiedeva come stessi. Sapeva di aver passato il limite lasciandosi trascinare dalle emozioni. Bisogna riconoscergli che era stato un patriota britannico. Ma con che coraggio mi disse quelle cose!

La signora Gibson, che adesso ha 87 anni, è
in pensione e vive nelle vicinanze del Centro
Culturale Italiano di Vancouver.

ATTILIO L. GIRARDI

"My Canadian-born father was classified as an enemy alien"

"Mio padre, nato in Canada, fu classificato come straniero nemico"

In the story of BC's Italian internees, my father, Bruno Girardi, is an anomaly. He, like his younger brother Attilio, was a Canadian-born citizen. And yet both were classified as enemy aliens and interned in 1940.

By 1920 my grandparents Luigi and Dusolina Girardi had been living in Canada for a dozen or more years. At that time they decided to return to Selva del Montello, Treviso. So, along with their sons aged seven and four, they left for Italy. My dad, who did quite well in his studies, enrolled in a ship's master certificate program in 1930. While studying at the *Istituto Nautico Sebastiano Venier* in Venice, the family had a serious discussion about their national identity. Whereas my grandparents were steadfastly against leaving Italy, they believed that their sons should seriously reflect on their status as Canadian citizens in the increasingly hostile social environment that existed in Fascist Italy. The old man warned that when pursuing a profession or in time of an international crisis, they would always be regarded as Canadian and never as Italian. And so after receiving a special Emergency Exit document from the British Consul in Venice and saying a final goodbye to their parents, they boarded the *Augusto* at Genoa and sailed home. They would never meet again in this life!

Nella storia degli internati della Columbia Britannica, mio padre, Bruno Girardi, rappresenta un'anomalia. Bruno, come suo fratello più giovane Attilio, era nato in Canada. Eppure entrambi furono classificati come stranieri nemici e internati nel 1940.

Nel 1920, i miei nonni Luigi e Dusolina Girardi vivevano in Canada già da dodici anni o più. Decisero di tornare a Selva del Montello in provincia di Treviso. Così partirono per l'Italia coi figli di sette e quattro anni. Mio padre, che era stato piuttosto bravo a scuola, s'iscrisse nel 1930 a un corso di diploma in navigazione. Mentre studiava all'Istituto Nautico Sebastiano Venier a Venezia, la famiglia ebbe un'accesa discussione sulla propria identità nazionale. I miei nonni non volevano assolutamente lasciare l'Italia, ma credevano che i figli dovessero riflettere seriamente sul loro stato di cittadini canadesi in un ambiente, quello dell'Italia fascista, sempre più ostile. Il vecchio avvertì che nel cercare lavoro o durante una crisi internazionale sarebbero sempre stati considerati canadesi e mai italiani. E così dopo aver ricevuto dal consolato britannico di Venezia un visto d'uscita d'emergenza e dopo aver salutato per l'ultima volta i genitori, salirono a bordo della nave Augusto *a Genova e navigarono verso casa. Non si sarebbero mai più incontrati in questa vita!*

When back in Vancouver and boarding with friends, they discovered rather quickly the need to learn English all over again. However, my dad possessed an entrepreneurial spirit and by age 22 had founded *L'Eco Italo-Canadese*. It was Vancouver's first Italian language newspaper since *L'Italia del Canada* ceased publishing prior to World War I. The fledgling newspaper flourished for a few years and was sold in 1938. The new editor stepped up the fascist and pro-Italy rhetoric, which caused the RCMP to affect the newspaper's eventual demise at the outbreak of war with Italy.

As a POW at the Petawawa Internment Camp, my dad was given his day in front of an official tribunal, which he described as a "Kangaroo Court." He repeatedly asked for clarification, "Am I a Canadian citizen or an Enemy Alien? And why have I been interned?" If it wasn't so tragic it would be funny. How could my dad have been classified as an enemy alien – a citizen of a country with which we were at war – when he had been born in Canada?

The three adjudicators responded by saying that he, as an admirer of Mussolini, had been interned because of his connection with the *Fascio* and for being pro-German. By *Fascio*, they were referring to his membership in the Circolo Giulio Giordani, a legal entity in Canada until hostilities commenced between Canada and Italy. Although he didn't deny being a fascist sympathizer, the tag of being "pro-German" appears to have been simply conjecture on the part of the panelists.

During the year-and-a-half that my dad was in the camps, my mother and I lived with my maternal grandparents, Pietro and Luigia Cima. Without their love and attention, I don't know how we would have survived. At one point my mother was refused medical assistance from a doctor who was obviously prejudicial to the wife of an "enemy alien." My dad later said that he was treated very well as a prisoner of war, and that his time in the camps was a holiday in comparison to what the wives and families of internees experienced.

A Vancouver, mentre erano pensionanti presso amici, scoprirono ben presto la necessità di imparare daccapo la lingua inglese. Mio padre aveva uno spirito imprenditoriale e a 22 anni fondò L'Eco Italo-Canadese. Era il primo quotidiano in lingua italiana pubblicato a Vancouver dopo che L'Italia del Canada cessò le pubblicazioni prima della prima guerra mondiale. Il quotidiano prosperò per alcuni anni e fu venduto nel 1938. Il nuovo direttore aumentò la retorica fascista e filoitaliana del quotidiano e questo ne provocò la chiusura da parte della RCMP allo scoppio della guerra contro l'Italia.

Mio padre, da prigioniero di guerra al campo d'internamento di Petawawa, ebbe udienza davanti al tribunale ufficiale che lui descrisse come un «tribunale farsa». Chiese ripetutamente di ottenere chiarimenti: «Sono un cittadino canadese o uno straniero nemico? E perché sono stato internato?» Se non fosse stato così tragico, sarebbe stato divertente. Come poteva essere che mio padre fosse classificato come straniero nemico (cittadino di un Paese contro il quale si era in guerra) quando era nato in Canada?

I tre giudici risposero dicendo che lui, ammiratore di Mussolini, era stato internato a causa dei suoi legami con il Fascio e per essere filotedesco. Con Fascio si riferivano al fatto che mio padre era iscritto al Circolo Guido Giordani, un'entità legale in Canada fino allo scoppio delle ostilità tra Canada e Italia. Sebbene non avesse negato di avere simpatie fasciste, l'essere definito filotedesco sembra fosse stata solo una congettura fatta dai giudici.

Durante l'anno e mezzo che mio padre trascorse nei campi d'internamento, mia madre e io abitammo coi nonni materni, Pietro e Luigia Cima. Senza il loro amore e le loro attenzioni non so come saremmo sopravvissuti. A un certo momento a mia madre fu negata l'assistenza medica da parte di un dottore evidentemente prevenuto nei confronti della moglie di uno straniero nemico. Mio padre disse che era stato trattato molto bene come prigioniero di guerra e che il tempo trascorso

Released in December 1941, my dad felt a sense of *déjà vu* because he again was picking up the pieces of a fractured life in order to go forward. This time he was doing it with my mom and me. The whole internment episode was truly a disappointment, really. Canada is supposed to be our family. Instead they turned their back on us. Once a free man again and to add insult to injury, my dad was required to attend a meeting at the draft board. Although not conscripted, my dad took the opportunity to ask again, "Am I an enemy alien or a Canadian citizen?" The response, "You're a citizen!" He nearly passed out.

Notwithstanding my father's political leanings, the Government of Canada should at least issue a letter of apology for the way my mother, a Canadian, was treated throughout this sad and regretful affair. However, I won't be holding my breath.

In the years that followed the war, my father became a successful businessman, an innovator and recognized leader within the Italian community. He founded the Italian Immigrants Assistance Centre and served several terms as President of the Sons of Italy Society. Moreover, he financed and hosted a weekly radio program on CKWX entitled *Musica Italiana*. The irrefutable thing about my dad is that he was a proud Canadian who loved being Italian.

Active in semi-retirement, Mr. Girardi continues to provide services as a tax consultant and advocate.

nei campi d'internamento era una vacanza se paragonato a quello che le mogli e le famiglie degli internati avevano dovuto affrontare.

Rilasciato nel dicembre del 1941, mio padre visse una situazione di déjà vu *perché ancora una volta dovette raccogliere pezzi di una vita spezzata per poter andar avanti. Questa volta ricominciò con mia madre e con me. L'intero episodio dell'internamento fu una grande delusione. Il Canada avrebbe dovuto essere la nostra famiglia. Invece ci voltò le spalle. Per aggiungere la beffa al danno, una volta tornato in libertà a mio padre fu ordinato di presentarsi alla commissione di leva. Sebbene non coscritto, mio padre colse l'occasione per chiedere di nuovo: «Sono uno straniero nemico o un cittadino canadese?» Alla risposta «Sei un cittadino!» per poco non svenne.*

Nonostante le tendenze politiche di mio padre, il governo canadese dovrebbe almeno spedire a mia madre, canadese, una lettera di scuse per il modo in cui fu trattata durante questo triste episodio. Io però non mi aspetto niente.

Nel dopoguerra, mio padre divenne un uomo d'affari di successo, un innovatore ed un leader riconosciuto all'interno della comunità italiana. Fondò il Centro d'Assistenza Immigrati e ricoprì per diversi mandati la carica di Presidente della Società dei Figli d'Italia. Inoltre, finanziò e condusse un programma radiofonico settimanale su CKWY chiamato Musica Italiana. Non si può negare che mio padre fosse un orgoglioso canadese che amava essere italiano.

Attivo in semipensionamento, il signor Girardi continua a tenersi occupato come consulente fiscale e avvocato.

HON. MARIO MONDIN

"It was sheer stupidity for one to say that my mother was an enemy alien. Sheer stupidity!"

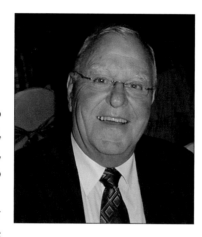

"Dire che mia madre era una straniera nemica fu mera stupidità!"

My mother Emilia Mondin was required to register with the Provincial Police in Trail, BC, at the outset of war with Italy. However, I can't remember for certain if my dad, Riccardo, also had to register.

In any event, my mother used to take me with her when reporting to the local police. We would go to the Strand Block Building and line up in the hallway, and then go up to the second floor office. There would be quite a buzz in the queue of those registering, among whom many were Italians known to my parents. I was only four or five at the time but I do recall that we didn't speak Italian there. I knew the difference, of course, because even though I was born here, we only spoke Italian at home. One would line up in front of this large desk on which a register was visible. Sign it and you were done!

Notwithstanding the enemy alien hysteria, the process was wrong in dealing with those interned. It was wrong to have men arrested and incarcerated without due process, only to be released and told later that they were guilty of being fascist supporters or whatever. In my judgement it was simply a case of what is commonly referred to today as ethnic or racial profiling.

A mia madre Emilia Mondin fu ordinato di registrarsi presso la polizia provinciale a Trail, in Columbia Britannica, allo scoppio della guerra con l'Italia. Non ricordo però con certezza se anche mio padre, Riccardo, dovette registrarsi.

In ogni caso, mia madre era solita portarmi con sé quando andava al posto di polizia. Andavamo all'edificio Strand Block e ci mettevamo in fila nel corridoio, e poi andavamo all'ufficio al secondo piano. C'era un notevole brusio poiché anche molti altri italiani, che i miei genitori conoscevano, erano in coda. Avevo solo quattro o cinque anni, allora, ma ricordo che là non parlavamo italiano. Sapevo la differenza, naturalmente, perché (benché fossi nato qui) a casa parlavamo soltanto italiano. Bisognava fare la fila davanti a una grande scrivania su cui si vedeva un registro. Si firmava, ed era tutto!

A parte l'isterismo per lo straniero nemico, il trattamento riservato agli internati fu ingiusto. Non fu giusto arrestare e internare uomini senza processo cui dopo furono rilasciati e fu detto che erano colpevoli di essere sostenitori dei fascisti o chissà che. A mio avviso, furono presi di mira semplicemente perché appartenevano a un determinato gruppo - quello che viene comunemente definito oggi come profilaggio etnico o razziale.

You see, I come from a background that tells me that the law is the law, and you acknowledge the law and you do not breach it. By doing what they did, they did breach the rights of these people. They destroyed their rights. They simply said, "Too bad, you don't have any rights because of who you are and your associations." I don't think you can operate a country that way. Are we doing that again today, and failing to learn from our past? Yes, I think we are. You take this Omar Khadr kid. One might presume that's what happened with him. Yes, he was caught in the wrong place and the wrong time. He was 15 years old. The Canadian Government is supposed to be taking care of kids - according to its laws and those of the United Nations.

So, here we are 70 years later doing exactly the same thing as was perpetrated upon certain Italians. Provisions of the Canada War Measures Act allowed the RCMP to incarcerate people in Canada without due process. It wasn't right then and it isn't right today. It ought not to happen! If the authorities have something on an individual, they should prosecute. If not, don't repeat the miscarriage of justice. That's what was wrong here. I'm not an apologist for the justice that was deemed necessary but rather for the process that was used at the time. It ought not to have been dealt with in that particular manner. One might say, this is a country of laws, and we should not be going that route.

I find the whole question of the internment of Italians very intriguing indeed. In dealing with the internees, didn't the authorities have it backwards? Shouldn't that have been, "Why am I here? You justify my being here, not me having to defend myself. You tell me why I'm here. That's your responsibility. If you have something on me, then prosecute. But do let me defend myself!"

It takes me to the perspective that I don't think that there are many people of my generation, and fewer in the next, who really know what went on during that period. I feel certain that most would be annoyed to discover what in fact did happen. It would have been hard not to feel demeaned if you had been classified as an enemy alien and required

Sapete, vengo da un ambiente che mi dice che la legge è legge e va rispettata e non infranta. Facendo ciò che hanno fatto, violarono i diritti di quella gente. Distrussero i loro diritti. Dissero semplicemente: «Peccato, non avete diritti, a causa di ciò che siete e delle vostre associazioni». Non penso un paese si possa governare in questo modo. Lo stiamo facendo anche oggi, dimenticando le lezioni del passato? Io penso di sì. Prendete Omar Khadr; uno potrebbe pensare che lo hanno preso nel posto e nel momento sbagliato. Aveva 15 anni. Si suppone che il governo canadese debba prendersi cura dei ragazzi, secondo le sue leggi e quelle delle Nazioni Unite.

Ecco, 70 anni dopo stiamo facendo esattamente la stessa cosa che fu perpetrata contro certi italiani. Certe clausole della Legge sulle Misure di Guerra permettevano alla polizia di imprigionare gente in Canada senza un giusto processo. Non era giusto allora e non è giusto adesso. Non dovrebbe succedere! Se le autorità hanno qualcosa a carico di una certa persona, dovrebbero processarla. Se no, si ripete l'errore giudiziario. Ecco dove fu l'errore qui. Non parlo della giustizia che si ritenne necessaria ma della procedura seguita. Non andava seguita in quel modo. Si potrebbe obiettare che questo è un paese di leggi, e ciò non dovremmo percorrere quella strada.

Trovo che l'intera questione dell'internamento degli italiani davvero stupefacente. Nel trattare con gli internati le autorità hanno agito alla rovescia. La domanda sarebbe dovuta essere: «Perché sono qui? Siete voi che dovete dirmi perché sono qui, non io che mi devo difendere. Voi dovete dirmi perché sono qui. È vostro dovere. Se avete qualcosa contro di me, processatemi. Ma lasciate che mi difendo!»

Questo mi fa avere la prospettiva che non penso ci siano molti della mia generazione, e ancora meno nella prossima, che sappiano realmente cosa diavolo sia successo in quel periodo. Sono convinto che la maggior parte si sentirebbero furiosi se scoprissero ciò che successe. Sarebbe stato difficile non sentirsi avviliti se si fosse stati definiti stranieri nemici e obbligati a registrarsi presso le autorità. Vi sarebbe

to register with the authorities. How would you like to have been my mother? She had only been in the country for six years, and with a couple of toddlers in hand plus a sick daughter, being demeaned and told "Go register." What in God's name could she do? An enemy alien? How absurd. The Italians involved didn't talk about what they were experiencing and they - including my mother - wouldn't have taken the perspective that I espouse. As far as she was concerned, that's the way it was. That's what it is.

Yes, I believe that the Federal Government should issue an apology to those denied their rights under Canadian law. There's the example of my mother. One has to be stupid to think that she was an enemy alien or any kind of threat to the State. The authorities just lumped everybody together and said this is the group that we are going to be dealing with and that's the way it is. As mentioned earlier, it's what we now call racial or ethnic profiling. It's wrong. It was wrong then and it's wrong now.

The Hon. Mario Mondin is a retired judge of the Provincial Court of British Columbia.

piaciuto essere mia madre? Lei era nel paese soltanto da sei anni, aveva un paio di bambini piccoli e una figlia ammalata, e si sentì dire «Va a registrarti». Cosa diavolo poteva fare? Straniero nemico ? Che assurdità. Gli italiani coinvolti non parlarono di ciò che stavano passando e loro, compresa mia madre, non condividerebbero il mio punto di vista. Per lei, le cose andavano così. Le cose stavano così e basta.

Sì, credo che il governo federale dovrebbe scusarsi con coloro cui furono negati i diritti riconosciuti dalla legge canadese. Prendiamo mia madre, per esempio. Bisognava essere stupidi per pensare che lei fosse una straniera nemica o una minaccia per lo Stato. Le autorità fecero semplicemente di ogni erba un fascio e si disse: questo è il gruppo con cui abbiamo a che fare, è così e basta. Come detto, è ciò che oggi si chiama profilaggio etnico o razziale (prendere di mira qualcuno perché appartenente a un determinato gruppo razziale). È sbagliato. Era sbagliato allora ed è sbagliato adesso.

On. Mario Mondin è un giudice in pensione del Tribunale provinciale della Columbia Bitannica.

GREG MORO

"Dad went from enemy alien to war service to a BC Lacrosse Hall of Fame Inductee. Isn't that incredible?"

"Mio padre da straniero nemico passò a fare il militare fino a essere ammesso nella Hall of Fame del Lacrosse, in Columbia Britannica. Non vi sembra una storia incredibile?"

My father, Luigi (Lou) Moro, was born in Savona, Italy, in 1918 and arrived in Trail, BC, when he was 11 years old. While growing up he excelled in many sports. However, he is best remembered as an outstanding lacrosse goalie for the champion Trail Golden Bears and later as a trainer in Vancouver. There's a team photo in the BC Lacrosse Hall of Fame. In 1942 he displayed his considerable talent as a goalie for Royal Canadian Navy in the United Services Lacrosse League.

When war broke out with Italy, police constables came to dad's house in Trail, BC. Because he was an Italian citizen, he would be treated as an enemy alien. Moreover, he would be required to register with the Provincial Police/RCMP. Dad was shocked and terribly offended by this disturbing news. I guess following the death of dad's mother Giovanna in 1932, my grandfather never quite completed the paperwork for citizenship. The language barrier might have had something to do with that. After 20 months of reporting monthly to an officer who openly displayed prejudice, Dad decided on a way out of his dilemma. He would join the army.

Mio padre Luigi (Lou) Moro nacque a Savona nel 1918 ed arrivò a Trail in Columbia Britannica all'età di 11 anni. Da ragazzo eccelse in molti sport, ma viene ricordato soprattutto per essere stato un eccellente portiere di lacrosse quando giocava per la squadra dei Trail Golden Bears e per essere poi stato allenatore a Vancouver. Nella Hall of Fame del Lacrosse, in Columbia Britannica, c'è una foto di squadra. Nel 1942 dimostrò un considerevole talento come portiere per la Marina nella lega di lacrosse delle forze armate.

Quando scoppiò la guerra contro l'Italia, alcuni agenti di polizia si presentarono a casa di mio padre a Trail, in Columbia Britannica. Come cittadino italiano, sarebbe stato considerato straniero nemico. Avrebbe dovuto registrarsi presso la polizia provinciale e la RCMP. Mio padre rimase scioccato e offesissimo da queste notizie sconvolgenti. Suppongo che dopo la morte di mia nonna Giovanna, nel 1932, mio nonno non abbia mai concluso le pratiche per ottenere la cittadinanza. Immagino il problema della lingua abbia giocato un ruolo in questo.

In so doing, he packed up and left Trail for Vernon, where he enlisted at the Canadian Army recruitment centre. But he hated the drill. He hated marching and carrying a gun. And he hated the thought that he might be sent to Italy in a shooting war against his fellow countrymen. I'm not sure how he did it, but he opted out of the army, went to Victoria, and joined the navy. Although on active duty, he and his shipmates were restricted to sorties in BC waters.

Any kind of discriminatory talk truly upset my dad. When I was growing up, I learned that he became really upset if called a WOP. A few of his co-workers at the Trail smelter dared call him WOP. He never forgot. I really think that what my dad went through in those early years is similar to what many East Indians have to deal with today. In the past there would be those who would say of Italians, don't let them take over your town. He likely had to endure those slurs when he played sports, too. For a man who always kept himself in good physical condition, I'm sure that he wasn't intimated.

In December 1942, my mom and dad were married. Sadly, less than three weeks later my paternal grandfather died. He was only 49. The tragedy left my parents responsible for dad's 12-year-old sister. To complicate things even more, he soon was transferred to a mine sweeper for active duty in the English Channel.

To boost morale among the sailors, the Canadian Navy established lacrosse and hockey sides to compete against their counterparts in the American and British navies. As a trainer, dad's hockey team boasted a number of National Hockey League players including Charlie Rayner, the league leading goalie prior to his joining the RCN.

In July 1943, when Italy surrendered, dad was a cook on board the *HMCS Cowichan* which was sweeping mines at the time, not too distant from France. The news over the ship's intercom system was received with cheers and much excitement. My dad's reaction was to race up to the bridge, grab the radio room microphone and sing a chorus or two of *Faccetta Nera*, the popular fascist military song. Apparently, the crew

Dopo 20 mesi in cui mio padre si presentava ogni mese a un poliziotto che esternava chiaramente i suoi pregiudizi, mio padre decise di fare qualcosa per uscire dalla sua situazione: si sarebbe arruolato.

Fece le valigie e lasciò Trail per andare a Vernon ad arruolarsi al centro di reclutamento dell'esercito canadese. Odiava l'addestramento. Odiava marciare e portare le armi. E odiava l'idea di poter essere spedito in Italia a sparare contro i suoi connazionali. Non so come abbia fatto ma mio padre lasciò l'esercito, andò a Victoria e si arruolò in marina. Sebbene fossero in servizio attivo, mio padre e i suoi compagni uscivano in navigazione solo nelle acque della Columbia Britannica.

Qualsiasi tipo di discorso discriminatorio faceva arrabbiare mio padre. Crescendo ho imparato che si arrabbiava moltissimo se veniva chiamato wop *[termine dispregiativo per italiani e altri non britannici]. Alcuni dei suoi colleghi di lavoro alla fonderia di Trail osarono chiamarlo* wop. *Non lo dimenticò mai. Penso davvero che ciò che mio padre dovette sopportare durante quegli anni sia simile a quello che accade oggi agli immigrati dal sudest asiatico. In passato c'era chi diceva degli italiani: non lasciate che si prendano la vostra città. Probabilmente dovette sopportare quegli insulti anche quando praticava sport. Sono sicuro però che mio padre non si lasciasse intimidire; si teneva sempre in gran forma.*

Nel dicembre del 1942, mio padre e mia madre si sposarono. Purtroppo meno di tre settimane dopo il matrimonio morì mio nonno paterno. Aveva solo 49 anni. A causa di questa tragedia i miei genitori dovettero prendersi cura della sorella dodicenne di mio papà. A peggiorare ancora di più le cose, mio padre fu trasferito su un dragamine in servizio attivo nella Manica.

Per sollevare il morale dei marinai, la marina canadese organizzò una squadra di lacrosse ed una di hockey per competere contro le squadre delle marine americana e inglese. Mio padre era allenatore e la sua squadra comprendeva diversi giocatori della lega nazionale di hockey tra cui Charlie Rayner, primo portiere della lega prima del suo arruolamento in marina.

cheered all the more. Coincidently, two generations later my son Blair was in the vicinity of this former war zone.

Resplendent in his BC Scout's uniform, Blair stood at attention at the 65th D-Day anniversary memorial ceremony held at Juno Beach, France, on June 6, 2009. It was attended by Prime Minister Stephen Harper, and sponsored by Veteran Affairs Canada. The delegation comprised 46 people, including veterans of the D-Day invasion, aides and politicians. Blair was there representing English-speaking Canadians, and at his side was a young woman from New Brunswick representing French-speaking Canadians. One of the things he had to do was to research the record and life on a soldier from BC who was killed at Juno Beach. This he did by producing an excellent paper on Pte. Andy Smith, a true Canadian war hero. In addition to reading his speech, he also attended the ceremony at Omaha Beach where Obama, Sarkozy, Prince Charles and Harper headlined the list of dignitaries.

Dad was extremely impressed with Blair's interest and performance in celebrating this event with the veterans. As a result, Dad opened up and talked to him about his experiences. It makes me realize that I should have pressed him to share more of his stories with me.

Mr. Moro is a former BC teacher who taught in the Nanaimo and Surrey school districts. Since retirement in 2009, he has devoted much attention to sports as an active enthusiast and mentor.

Nel luglio del 1943, quando l'Italia si arrese, mio padre era cuoco a bordo della HMCS Cowichan *che a quel tempo dragava mine al largo della costa francese. La notizia trasmessa attraverso l'interfono fu ricevuta con tanti evviva e molto entusiasmo. La reazione di mio padre fu quella di salire sul ponte, afferrare il microfono della sala radio e cantare un verso o due della famosa canzone militare fascista* Faccetta Nera. *L'equipaggio applaudì ancora più forte. Due generazioni dopo, mio figlio Blair si trovò nelle vicinanze di quella stessa zona.*

Raggiante nella sua uniforme da Boy Scout, Blair partecipò alla commemorazione del 65° anniversario del D-Day tenutasi a Juno Beach in Francia il 6 giugno del 2009. Alla cerimonia, patrocinata dal Ministero canadese per gli Affari dei Veterani, era presente il primo ministro Stephen Harper. La delegazione di 46 persone comprendeva veterani dello sbarco in Normandia, assistenti e politici. Blair era lì in rappresentanza dei canadesi di lingua inglese mentre al suo fianco c'era una giovane del New Brunswick in rappresentanza dei canadesi di lingua francese. Una delle cose che Blair dovette fare fu di compiere ricerche sulla vita e le azioni di un soldato della Columbia Britannica caduto a Juno. Blair scrisse un tema sul soldato scelto Andy Smith, un vero eroe canadese. Oltre a leggere il tema, Blair prese parte alla cerimonia a Omaha Beach dove in prima fila c'erano Obama, Sarkozy, il principe Carlo e Harper.

Mio papà rimase molto colpito dall'interesse e dal comportamento di Blair in questa occasione. Mio papà accettò di raccontare a Blair delle sue esperienze. Mi ha fatto capire che avrei dovuto insistere di più perché mi parlasse delle sue esperienze di vita.

Il signor Moro è un ex insegnante dei distretti scolastici di Nanaimo e Surrey. Dopo il pensionamento, nel 2009, si è dedicato allo sport sia come dilettante entusiasta che come mentore.

TONY PADULA

"My mother was witness to the arrest of the Girardi Brothers"

It was early in the morning, perhaps between 8 and 9 o'clock. Attilio Girardi, a boarder at our home at 627 East Georgia Street, was asleep, as he worked evenings as a waiter at the Hotel Vancouver. My mother was out back in the garden watering the tomato plants with Gerry our little Fox Terrier. Suddenly, the dog became agitated and began barking as he ran toward the front of the house. Mother somewhat anxiously followed him. Knocking on the front door were two burly men dressed in dark suits. "Yes, what do you want?"

They identified themselves as RCMP officers. "We urgently need to speak with Attilio Girardi," one of them answered. Going through the basement and up the stairs she opened the door and cautiously let them in. She explained that Attilio was asleep in the bedroom at the top of the stairs. With her tentative approval they quickly climbed the stairs and rapped firmly on Attilio's bedroom door. I guess Attilio was 23 at the time. He must have been flabbergasted to see the Mounties staring back at him, as they entered his room. After being ordered to get dressed he was summarily escorted out of the house and to a vehicle in which he was secured before being driven off.

My mom decided that she had better alert Bruno that the RCMP had taken his brother away. She took off her apron, collected the dog

"Mia madre fu testimone dell'arresto dei fratelli Girardi"

Era mattina presto, forse tra le 8 e le 9. Attilio Girardi, un pensionante a casa nostra, al numero 627 in East Georgia Street, stava dormendo poiché lavorava di sera come cameriere all'Hotel Vancouver. Mia madre era sul retro, in giardino, ad annaffiare le piante di pomodoro, in compagnia del nostro piccolo fox terrier, Gerry. Improvvisamente il cane si agitò e iniziando ad abbaiare corse verso il davanti della casa. Mia madre piuttosto in ansia lo seguì. Due omoni vestiti di nero stavano bussando alla porta. «Sì, cosa volete?» chiese mia madre. Si identificarono come agenti della RCMP. «Abbiamo urgenza di parlare con Attilio Girardi», rispose uno di loro. Passando per il seminterrato e su per le scale, mia madre aprì la porta e li fece entrare. Spiegò che Attilio dormiva al piano di sopra. Con l'esitante permesso di mia madre, salirono velocemente le scale e bussarono alla porta della camera da letto di Attilio. Penso che Attilio avesse allora 23 anni. Deve essere rimasto sbalordito nel vedersi entrare in camera gli agenti della RCMP. Dopo avergli ordinato di vestirsi, lo scortarono fuori dalla casa, lo fecero salire in macchina e se lo portarono via.

La mia mamma decise che la cosa migliore da fare fosse avvisare Bruno e dirgli che la RCMP aveva portato via suo fratello. Si tolse il grembiule, prese il cane e si diresse verso l'appartamento 25 al civico

and walked the block and a bit to where Bruno, Emma and their baby son Attilio lived. The address was Suite 25 - 660 Jackson Avenue. Upon arriving at the building, she went directly upstairs and with the dog walked along the hallway to Bruno's apartment only to run smack into the same two RCMP officers. The policemen recognized the dog and asked my mom what she was doing there. She gave some excuse saying that she was there to visit Emma Girardi and to ask how she was feeling. She was told that this was none of her business and to go home. It was then that she realized that Bruno also had been arrested.

Following Attilio's release from the concentration [sic] camp, he came over to the house to visit with my dad. They were sitting around the table and I was listening to this story. I would be in my teens and this would be in early 1942. Attilio was telling my dad that while he and the others were at Kananaskis, they would do paintings and make little items out of wood. I think he mentioned that he had carved a figurine. He also talked about the Italians being allowed to do their own cooking. Apparently, the POWs didn't like the food being served so they started cooking Italian style dishes.

He also mentioned that the Italians and Germans would challenge one another to games of softball and soccer. The two groups played very competitively, and when it came to soccer the Italian team with young talent like the Girardi brothers held the upper hand.

Attilio, a happy go lucky guy, didn't sound remorseful or at all vindictive to me. In fact, he said being in the camps was like being on holiday. He mentioned that the guards treated them well and, as mentioned earlier, they were able to cook their own meals. I sensed that things in the camps went along quite well and without major problems for him and the others. Although he would visit with my dad periodically, he never lived at our house again.

My parents, Federico and Assunta Padula, left Italy in 1926 when Mussolini was just getting started. Interestingly, my father, mother and grandfather, Antonio Padula, who had been in Vancouver since 1909,

600 di Jackson Avenue, a poco più di un isolato di distanza, dove vivevano Bruno, sua moglie Emma e il loro bambino Attilio. Arrivata all'edificio, salì le scale, percorse il corridoio e arrivò all'appartamento di Bruno giusto in tempo per imbattersi negli stessi due agenti della RCMP. I poliziotti riconobbero il cane e chiesero a mia madre che cosa facesse lì. Inventò una scusa dicendo che era lì per far visita a Emma Girardi e per sapere come stesse. Le dissero di tornarsene a casa perché non erano affari suoi. Allora capì che anche Bruno era stato arrestato.

Dopo il rilascio dal campo di concentramento [sic], Attilio venne a casa nostra a far visita a mio padre. Erano seduti intorno al tavolo e io ascoltavo questa storia. Ero un adolescente; sarà stato l'inizio del 1942. Attilio stava raccontando a mio padre che mentre lui e gli altri erano a Kananaskis, dipingevano e lavoravano il legno. Penso che abbia parlato di una statuina di legno che aveva intagliato. Disse anche che gli italiani potevano cucinare. Sembra che ai prigionieri di guerra non piacesse il cibo servito e iniziarono quindi a preparare piatti italiani.

Disse anche che gli italiani e i tedeschi si sfidavano a partite di softball e di pallone. I due gruppi giocavano in maniera davvero competitiva e quando si trattava del pallone la squadra italiana, con giovani talenti quali i fratelli Girardi, aveva la meglio.

Attilio, che era un ragazzo spensierato, non mi sembrava per nulla risentito o vendicativo. Disse che essere al campo d'internamento era come stare in vacanza. Disse che le guardie li trattavano bene e, come detto anche prima, li lasciavano cucinarsi i pasti. Ho avuto l'impressione che le cose al campo andassero bene, senza troppi problemi per lui e gli altri. Sebbene venisse regolarmente a trovare mio papà, Attilio non visse più a casa nostra.

I miei genitori, Federico e Assunta Padula, lasciarono l'Italia nel 1926, agli inizi del regime di Mussolini. Mio padre, mia madre e mio nonno, Antonio Padula, che si trovava a Vancouver già dal 1909, dovettero registrarsi presso la RCMP a Little Mountain. Io ho ancora i

had to register with the RCMP at Little Mountain. I have their ID cards. They went once a month to sign-in and travelled to the headquarters building via streetcar.

As youngsters, my sister Mary and I became connected with the Circolo Giovanile, the local Italian youth club. The club was sponsored by the Vancouver Italian Canadian Society of which my father was an active member. I guess I was 11 or 12 when I attended one of the club meetings. Mario Ghislieri was the head guy. We spoke a little Italian and were encouraged to take pride in being Italian. The ones who spoke to us were Lino and Ines Giuriato, whose father was president of the Society. They were really in charge of all of us. We went to at least one picnic and a parade. All the boys wore white shirts, black ties, hats and pants. The only common "uniform" item was the hat. The parade took place on Labour Day and the route was on Hastings Street around Clark Drive.

Retired and living in New Westminster, Mr. Padula operated his own shoe agency for over 40 years. He is a past president of the Shoe Travellers Association of Canada.

loro documenti d'identità. Andavano lì a firmare una volta al mese prendendo il tram per raggiungere il comando.

Da giovani, mia sorella Maria e io frequentavamo il Circolo Giovanile. Il Circolo era patrocinato dalla Società Italo-Canadese di Vancouver di cui mio padre era un socio attivo. Avrò avuto 11 o 12 anni quando partecipai a uno degli incontri del Circolo. Mario Ghislieri era il capo. Parlammo un po' in italiano e fummo incoraggiati a essere orgogliosi di essere italiani. Lino e Ines Giurato, il cui padre era il presidente della Società, ci parlarono. Erano loro a capo del Circolo. Siamo andati ad almeno un picnic e una parata. Tutti i ragazzi indossavano una camicia bianca, una cravatta nera, cappello e pantaloni. L'unico elemento "da uniforme" era il cappello. La parata ebbe luogo il giorno della Festa del Lavoro e il tragitto era lungo Hastings Street e attorno a Clark Drive.

Il signor Padula, ora pensionato e stabilitosi a New Westminster, gestì una ditta di calzature per più di 40 anni. In passato è stato Presidente dell'Associazione Commercianti di Calzature del Canada.

LEONARDO TENISCI

"My father loved his family, church, music and politics"

I was born in 1947, and learned much about my father's experiences 15 or 20 years after the fact. In 1939, Fioravante Fred Tenisci spent six months in Vancouver for physical rehabilitation purposes. At that time, the Circolo Giulio Giordani was sponsoring a picnic on Bowen Island. Dad is pictured in the dust jacket photo of this book, so he may well have been a member of the *Fascio* Lodge. He had earned the reputation of being a dynamic speaker and popular contributor to the fascist-leaning newspaper, *L'Eco Italo-Canadese*.

Dad was very patriotic and proud to be Italian, which would account for his pro-Italy rhetoric on the occasion of the 17th anniversary of the March on Rome. During his speech, he applauded Mussolini's domestic reforms and international status as a leading protagonist on the world stage. Fascism, he said, allowed ex-patriot Italians to love the adopted country which generously gave them their citizenship. The complete text of his remarks, delivered to a pro-Italy audience of Giordani members including the ubiquitous Consul Brancucci, was reproduced in the local Italian language newspaper, on November 25, 1939.

Actually, Dad was in Vancouver because Workers' Compensation lacked rehab facilities in Trail. While under doctor's care for an injury sustained at COMINCO, dad joined the Sacred Heart Parish Italian choir. My mother Emily Barazzuol, 17 at the time, also was a member of the choir and so that's how they met. A spark ignited between them and

"Mio padre amava la famiglia, la chiesa, la musica e la politica"

Sono nato nel 1947 e venni a conoscenza di molte delle cose successe a mio padre solo 15 o 20 anni dopo i fatti in questione. Nel 1939 Fioravanti Fred Tenisci trascorse circa 6 mesi in riabilitazione a Vancouver. A quel tempo il Circolo Giulio Giordani patrocinava un picnic sull'isola Bowen. Mio papà appare nella foto di copertina di questo libro, così può essere che fosse iscritto al Fascio. Aveva la reputazione di vivace oratore e di apprezzato collaboratore del giornale filofascista L'Eco Italo-Canadese.

Papà era molto patriottico e orgoglioso di essere italiano, sentimenti che spiegano la sua retorica filoitaliana in occasione del 17[o] anniversario della Marcia su Roma. Nel suo discorso lodò le riforme interne di Mussolini e il ruolo di spicco assunto dal Duce sulla scena internazionale. Il Fascismo, diceva, permetteva agli italiani all'estero di amare il loro Paese d'adozione che aveva generosamente dato loro la cittadinanza. Il testo completo del discorso, tenuto davanti a un pubblico filoitaliano composto da iscritti al Circolo Giordani, tra cui l'onnipresente Console Brancucci, fu riprodotto in un quotidiano locale in lingua italiana il 25 novembre del 1939.

Mio padre si trovava a Vancouver perché a Trail non c'erano strutture per la riabilitazione degli infortunati sul lavoro. Mentre era in cura presso un medico a causa delle ferite riportate alla COMINCO, mio padre si unì al coro italiano della parrocchia del Sacro Cuore.

they fell in love. However, Emily's mother didn't approve because my dad was 15 years older than her daughter.

When Mussolini entered the war against Canada six months later, Dad was taken into custody. A few hours before the police arrived, he learned of his imminent arrest. In a desperate move, he contacted his friend and parish priest Fr. Settimo Balo. In the event that he was taken away, he asked the priest to rescue the inventory at his religious bookstore, which he operated as a side business.

Soon after, he was processed and sent off to Kananaskis, Alberta, as a POW. Appearing in front of the Commission which dealt with enemy aliens, he was given an alternative to either join the Canadian forces or remain incarcerated. "Okay," he said, "I'll join your army if you can guarantee that I won't have to fight in Italy. If you put me in a position to fight my fellow countrymen, I won't agree." The proposition wasn't palpable to the commissioners and, in spite of numerous letters of reference and citizen support, he remained behind barbed wire.

Notwithstanding, life as a POW proved bearable. The guards posed no threat and the detainees were accorded certain considerations. Moreover, they benefitted from the camp regime. For example, the occupants of each hut were given various duties to perform and had the responsibility of cooking their own food. Conversely however, they were expected to keep the huts spic and span. My father was like the shop steward whose mandate was to oversee the work performance of his fellow inmates. When it came to garbage or latrine duty, he made sure that such tasks were dolled out on a rotational basis. Even in camp life, Dad's sense of fair play and leadership were easily recognizable.

In addition, Dad was instrumental, no pun intended, in organizing musical entertainment. As an accomplished musician and former member of the famed Trail Maple Leaf Band, he excelled at the clarinet and accordion. While at Petawawa, he was given a button accordion *fisarmonica* which he mastered in no time. His musical repertoire and the singing accompaniment provided by the men - especially the Italians - tended to break the tense and forlorn camp atmosphere while fostering a true sense of camaraderie. Dad eventually organized

Anche mia madre Emily Barazzuol, all'epoca diciassettenne, faceva parte del coro. Fu così che si incontrarono. La scintilla scoccò e s'innamorarono. La mamma di Emily non approvava la relazione perché mio padre aveva 15 anni in più di sua figlia.

Quando, sei mesi più tardi, Mussolini entrò in guerra contro il Canada, mio padre fu arrestato. Alcune ore prima dell'arrivo della polizia venne a sapere del mandato d'arresto contro di lui. Con una mossa disperata contattò il suo amico parroco, padre Settimo Balo. Nel caso in cui lo avessero portato via, chiese al prete di mettere al sicuro i materiali del negozio di libri religiosi che gestiva come attività secondaria.

Poco dopo fu arrestato e spedito a Kananaskis in Alberta come prigioniero di guerra. Davanti alla commissione che si occupava degli stranieri nemici gli fu data l'alternativa tra entrare nelle forze armate canadesi o rimanere detenuto. «Ok», disse, «mi arruolo se mi garantite che non combatterò in Italia. Se mi costringete a combattere contro i miei connazionali, non accetto». Ai commissari la proposta non piacque e nonostante numerose lettere di referenza e di sostegno, mio padre rimase nel campo d'internamento.

La vita come prigioniero di guerra era sopportabile. Le guardie non erano minacciose e ai detenuti erano concesse certe libertà. Inoltre traevano beneficio dalla vita del campo. Per esempio, gli occupanti di ciascuna baracca avevano diverse mansioni da svolgere e si cucinavano i pasti. In compenso, le baracche dovevano essere pulite e in ordine. Mio padre era come un caposquadra, incaricato di controllare il lavoro dei compagni di baracca. Quando si trattava delle immondizie o di pulire le latrine, si assicurava che queste mansioni fossero svolte a turno. Anche nella vita del campo d'internamento, il senso di onestà e la leadership di mio padre erano facilmente riconoscibili.

Inoltre, mio padre svolse un ruolo importante nell'organizzazione degli spettacoli musicali. Valido musicista ed ex elemento della famosa banda musicale Trail Maple Leaf, mio padre era un eccellente suonatore di clarinetto e concertina. Mentre era a Petawawa gli fu data una fisarmonica a tastiera che imparò a suonare subito. Il suo repertorio e

a choir, which entertained with such spirituals as *The Mass of St. John the Baptist*, composed by Rev. J.E. Turner, O.S.B.

Part of his routine was to write letters to Emily, the maximum number permitted each month. It's no longer clear as to how or when, but Mom had asked Dad to mail the letters intended for her to Fr. Joachim Bortignon at Sacred Heart. By picking up her mail at the priests' rectory she hoped to avoid aggravating her parents. Apparently, Emily's mother got wind of this arrangement and went to Fr. Bortignon demanding that he cease being involved as a go-between. This intervention complicated things for Dad. Following his release from Petawawa, he immediately went to visit Emily. The reception wasn't quite what he had expected. "What do you want here?" she demanded. "Did you really expect to find me waiting for you when you couldn't be bothered to write?" He protested, of course, and in quiet but persuasive tones convinced her of the facts and of his love for her. They married in 1945, prospered, and eventually brought ten loving children into the world.

Mr. Tenisci, who inherited his father's passion for music, is an actor on the Vancouver scene.

Mario Ghislieri, Frank Barazzuol,
Leonardo Tenisci & Bill Barazzuol

l'accompagnamento canoro dei compagni di campo, soprattutto degli italiani, rompevano l'atmosfera tesa e triste del campo, incoraggiando un senso di cameratismo. Papà alla fine organizzò un coro che eseguiva musica sacra come la Messa di S. Giovanni Battista, composta dal reverendo J.E. Turner.

Tra le cose che faceva regolarmente vi era lo scrivere a Emily, il numero massimo di lettere consentito ogni mese. Non è chiaro come o perché, ma mia madre aveva chiesto a mio padre di scriverle presso padre Joachim Bortignon al Sacro Cuore. Andando a prendere la posta in canonica, sperava di non irritare i suoi genitori. Pare che la mamma di Emily venne a conoscenza di questo piano e si presentò a padre Bortignon chiedendogli di smettere di fare da tramite. Questa mossa complicò le cose a mio papà. Dopo il suo rilascio da Petawawa, andò immediatamente a trovare Emily. Il modo in cui fu ricevuto non era esattamente quello che si aspettava: «Che cosa ci fai qui?» chiese Emily. «Davvero pensavi che sarei rimasta qui ad aspettarti quando non ti sei nemmeno degnato di scrivermi?» Mio padre protestò, ovviamente, e con tono calmo ma persuasivo convinse Emily del suo amore e le spiegò ciò che era successo. Si sposarono nel 1945, prosperarono e misero al mondo dieci figli.

Il signor Tenisci, che ha ereditato dal padre
la passione per la musica, è un attore che
calca le scene di Vancouver.

INDEX

INDICE DEI NOMI

A

Abruzzo 28, 192.

Abyssinia 28, 30.

Africa 28, 30, 37, 104, 158.

Air Force Band 152.

Albania 58, 60, 62, 64, 72, 104.

Alberni Pacific Lumber Company
    Limited 132.

Alberta 18, 23, 93, 100, 106, 118, 152,
    208.

Albo, Lilly 125.

Alessandria di Sale 42.

Aleutians 150, 151.

Allies 37, 62, 66, 126, 172, 184.

Angelotti, Pete 66, 68.

Anno Santo 164, 180.

Anti-fascists 16, 19, 48, 50, 57, 62, 68.

Antoniolli, Monsignor E.A. 26, 28.

Anyox 53, 130, 171.

Anzio 40, 42.

Apennine Mountains 157.

Arc de Triomphe 66.

Argentina 80, 193.

Asia 158.

Associazione Ex-Combattenti 18,
    42, 48, 54, 56, 78, 90.

Axis 37, 94.

B

Baesso, Rino 118.

Balilla 56, 190.

Balo, Fr. Settimo 100, 208.

Banff 93.

Barazzuol, Bill 209.

Barazzuol, Emilio 161.

Barazzuol, Emily 48, 160, 207, 208.

Barazzuol, Frank 209.

Barazzuol, Joe 48.

Barazzuol Peter 150, 151, 152.

Baruzzini, Guerino 151, 152.

Battistoni, Cyril 125.

Belgium 152.

Benedetti, Ramon 9.

Benetti, Gina Sanvido 9, 38, 40,
    126, 130, 171, 173.

Benny's Foods 24, 26.

Berardino, Rosa (Rose) 40, 42.

Berardino, W. (Bill) 66, 68.

Berlin 60.

Bevilacqua, Abby 148, 150.

Bevilacqua, Robert 145, 148, 150.

BF Ascania 40.

Bianchin, Laura 126.

Biscaro, Armando 38.

Blitzkrieg 62, 66.

Boccini, Alberto 56, 58, 59, 60, 66,
    68, 162.

Bode, Max 96.

Bordignon, R. J. 148.

Bordignon, Zefferino 146.

Bortignon, Fr. Gioacchino
    (Joachim) 47, 88, 104, 182, 209.

Bosa's 24, 26.

Bowe, Gloria 9.

Bowen Island 60, 207, 216.

Bow River 100.

Boy Scouts Canada 56.

Braga, Cirillo 48, 64, 85, 216.

Branca, Angelo 19, 24, 27, 47, 57,
    58, 64, 66, 68, 76-79, 88, 134, 136,
    138, 163.

Brancucci, Dr. Giuseppe 37, 38,
    40, 42, 46-50, 54, 56, 60-65, 73-80,
    177, 178, 190, 207.

Brancucci, Elena 37, 216.

Brandolini, Antonio 134.

Brandolini, Giuditta 134.

British Columbia 17, 18, 19, 23, 78,
    132, 136, 177, 200.

British Empire 71, 77, 118, 171.

Burnaby 152, 185, 188.

Butz, Elain 9.

C

Caldato, Guido 64, 103.

Caldato, Remo 9, 174, 176, 216.

Calgary 98, 130, 132, 134, 144, 152,
    153, 172.

Calori, Angelo 102.

Canada Citizen Act 162.

Canadian Army (Canadian
    Forces) 111, 114, 141, 144, 146-
    148, 184, 191, 202, 208.

Canadian Government
    (Government of Canada) 16-
    20, 54, 78, 118, 161-165, 185, 190,
    197, 199, 200.

Canadian Home Guard 98.

Canadian Immigration
    Building 86.

Canadian Italian War Vigilance
    Association 19, 68, 77, 79, 138.

Canadian Medical Corps 142.

Canadian Princess Patricia's Light
    Infantry 144.

Canadian Race Relations
    Foundation 165.

Canadian Seaforth
    Highlanders 144.

Canadian Women's Army
    Corps 144.

Canal, Bill 153.

Caravetta, Mario 9, 143, 146, 148.

Caravetta, Raffaele 146.

Carotenuto, Carmine 130, 134.

Carotenuto, Fred 134.

Carotenuto, Pete 56, 132, 134.

Cascades Mountain Range 150.

Casini, Guido 103.

Casorzo, Carlo 64, 66, 68, 94, 96.

Castricano, Gregory 125, 216.

Castricano, Mary 26, 29, 216.

Catelli 32, 34, 160.

Cavell Pitton, Nellie 9, 46-50, 74-78, 126, 146, 177, 179.

Cenerentola 34, 38, 39.

Cercarini, Leo 53.

Chalk River 104.

Chigi Palace 71.

Churchill, Winston 71.

Cianci, Antonio (Tony) 85, 100, 120, 158, 160.

Cianci, Vito 9.

Ciano, Count Galeazzo 58, 60, 71.

Cinderella (play) 34, 38, 39.

Circolo Giovani Italiane (Italian Young Girls' Club) 26.

Circolo Giovanile 33, 42, 44, 46, 48, 49, 190, 206.

Circolo Giulio Giordani 17, 18, 23-28, 42, 44, 58, 60, 64, 67, 83, 100, 111, 136, 161-164, 174-180, 184, 190, 191, 196, 207.

Circolo Roma Fascio 42.

CKWX 158, 197.

Codroipo 152.

Coello, Ernest 148.

Colbertaldo, Paulina 29.

Colbertaldo, Pietro 28, 29, 30, 32, 33, 34.

Colonial Theatre 46.

COMINCO 100, 160, 207.

Comitato Ricordo Soldato (Remember the Soldiers Committee) 144.

Como 157.

Confederazione Nazionale Dopolavoro (Dopolavoro) 26, 31.

CPR (Canadian Pacific Railway) 93.

Cranbrook 160.

Crowsnest 152.

Culos, Flora 60.

Culos, Marino 9, 19, 24, 27, 45, 54, 56, 60, 64, 66, 68, 74, 76, 86, 138, 146, 179, 181.

Culos, Phyllis 9, 64, 66, 86.

Culos, Rosina 60, 216.

Cunard 40.

D

Dalfo, Emma 38.

D'Alfonzo, Leonardo 84.

Dangerous Patriots (book) 106.

D'Annunzio, Gabriele 64, 190.

D'Appolonia, Alice 9, 158, 162-164, 180, 182.

D-Day 152, 203.

Dent, Madeline De Luca 9, 60, 62.

De Paola, Eugenio 60.

Department of Justice 111.

DeRico, R. 64.

Di Fonzo, Paul 9, 145, 150, 152, 183, 185.

Di Tomaso, Nick 48, 66, 68.

Dominion Bank Building 30, 58.

Dotto, A. 64.

Duce 18, 29, 30, 34, 37, 42, 46, 56, 62, 64, 71, 72, 157, 176, 178, 193, 207.

E

Elizabeth, Queen 60, 189.

Empress Taxi Company 80.

Eritrea 28.

Ethiopia 28, 29, 30, 32, 33, 37, 46, 62.

Ethiopian Campaign 30.

Europe Hotel 102.

F

Fabbro, Georgina Gatto 9, 186, 188.

Fabri, Alemando 85.

Fabri, Ennio Victor 32, 34, 77, 85, 94, 96, 102, 104.

Fabri, Grace 46, 48, 74, 216.

Faccetta Nera (song) 44, 202, 203.

Facchin, O. 48, 64, 181.

Falcioni, Ines 29, 38, 216.

Fascio 23, 24, 32, 37, 41-44, 46, 58, 60-68, 74, 83, 95, 100, 116, 136, 138, 161, 164, 178, 180, 184, 190, 196, 207.

Fascism 34, 40, 118, 175, 157, 207.

Fascist Party 23, 54, 111, 112, 136, 190, 191.

Fascist Revolution 18, 64.

FBI 80.

Federici, Francesco (Frank) 32, 96, 161, 216.

Federici, Gerald 142, 144.

Ferguson Point Tea House 160, 161.

Fifth Column 78.

Fiorito, Onofrio 58.

Florence Nightingale School 29.

Folk Festival Society 60.

Forti, Cleofe 32, 34, 38, 39, 40, 42, 44, 46, 50, 74, 80, 177, 192, 193.

Franceschini, (James) 106.

Franco, General Francisco 37.

Francois-Poncet, M. 71.

Fraresso, Marino 38.

Fredericton 18, 111, 112, 118, 160, 191.

Fuoco, Gregorio 56, 64, 85, 136, 161, 162, 216.

G

G-2 (Intelligence) 144.

George Derby Centre 152.

George VI, King 60, 78.

German Canadians 94, 96, 98, 101, 104, 107, 108, 205.

Germany 37, 60, 62, 64, 66, 71, 72, 74, 142, 187.

Ghislieri, Erminio (Herman) 9, 44, 48, 56, 93, 94, 96, 98, 111, 102-104, 106, 108, 160, 189.

Ghislieri, Fred 44, 48, 98, 100, 103, 111, 150, 152, 216.

Ghislieri, Gabriella 44, 48.

Ghislieri, Mario 42-46, 64, 85, 112, 160, 189, 206, 209.

Ghislieri of Stefano, Marquis

Giacomo Filippo 42, 44.

Gibson, Alita Emanuele 192.

Gillespie, Dr. 98.

Giorgi, Eda (Edith George) 40, 42.

Giovenezza (song) 48.

Girardi, Attilio 54, 83, 104, 158, 159, 204, 205.

Girardi, Attilio L. 9, 195.

Girardi, Bruno 9, 38, 53, 54, 85, 98, 100, 105, 106, 112, 113, 122, 159, 164, 180, 195.

Girardi, Emma 102, 205.

Girardi's Travel Service 158.

Girone, Paul 66, 68, 126, 128.

Giuriato, Luigi 47, 66, 68.

Goldoni, Carlo 38.

Grandview High School of Commerce 46, 177.

Granieri, Tony 160.

Graziano, Louis 66, 68.

Greece 104.

Grippo, Florence 40, 42.

Grippo, Maria 40, 42.

Grippo Stroppa, Mary 40, 42.

Ground Crew Training Centre 148.

H

Halifax 152, 153.

Hastings Auditorium 56, 76, 193.

Hedin, Lori 134.

Hitler 58, 60, 64, 66, 104, 146, 157, 176, 178, 181, 186, 188.

Hitler Line 146.

HMCS Cowichan 202.

HMCS Matane 146.

HMCS Ontario 152, 153.

HMCS Tecumseh 153.

Holmes, Hon. Dolores 9, 163.

Holy See 23.

Hotel Vancouver 32, 64, 66, 160, 161, 191, 204.

Hotel Vancouver Barber Shop 161.

Houde, Camillien 108.

I

Iacobucci, C.C., Q.C., Hon. Frank 9, 16.

Iacobucci, Gabriele 126.

Iacobucci, Lina 9.

Immigration building 63.

Inter-Departmental Committee 18, 66, 118, 134, 136.

Italian
Italian Army 42, 130, 183, 190, 192.
Italian Campaign 141.
Italian Canadians 6, 11, 17, 40, 68, 141, 162.
Italian Cultural Centre 6, 9, 17, 18, 162.
Italian Empire 24, 34.
Italian Foreign Office 34, 54.
Italian Immigrant Assistance Centre 158.
Italian Ladies' League 102.
Italian Language School 38, 41,

44, 102, 190.
Italian Social Republic 157.
Italian Somaliland 28.
Italian Veterans' Association (Ex Combattenti) 18, 42, 48, 54, 56, 78, 190.
Italo Canadian Vigilants 136.
Iussa, Elfie 162.

J

Jamaica 152.

Japanese 132, 148, 150, 182.

Jericho Beach 148.

Joachim von Ribbentrop 58.

K

Kananaskis Internment Camp 18, 87-93, 95-98, 100-107, 188-191, 205, 208.

Kelowna 160.

L

Lapointe, Rt. Hon. Ernest 18, 66.

Lastoria, Dominic 152.

L'Eco Italo-Canadese 34, 53, 54, 56, 57, 58, 60, 62, 67, 162, 196, 207.

Little Mountain 114, 125, 183, 184, 191, 205, 206.

Locandiera (play) 34, 39.

London 71, 146, 176.

Loraine, Sir Percy 71.

M

Mackenzie King, William Lyon 72.

Maddalozzo, Elio 9.

Maddalozzo, Ernie 9, 46.

Maffei, Emma Lussin 30, 32, 38, 128, 130, 216.

Mafia 104.

Malfesi, Michael 149, 152, 153.

March on Rome 23, 62, 207.

Marconi, Guglielmo 54, 56, 190.

Marega, Charles 76.

Marin, Aristodemo 32, 34, 47, 134, 136.

Marino, Antonietta 9, 29, 83, 216.

Marino, Carmine 26, 28, 33, 83, 216.

Marino, Elain 216.

Marino, Giacinto (George) 83, 114.

Marino, Gloria 216.

Marino, Louis 53.

Marino, Nellie 114, 216.

Marino, Oliver 64, 98, 100, 216.

Marino, Renaldo 114.

Masciola, (Leo) 106.

Masi, Nicola 23, 25.

Mauro, Vic 146.

Mazzucco, Dave 150.

McPherson, Margherita 9, 126.

Mediterranean 152.

Michel-Natal 130, 132, 137, 186.

Milan 40, 157, 176.

Milani, Demetrio 29, 30.

Minichiello, Artemisia 29.

Minichiello, Mary 38, 45.

Minichiello, Sam 66, 68.

Mondin, Hon. Mario 9, 198, 200.

Montreal 6, 40, 106, 108, 162.

Moose Jaw 42.

Moretto, Luigi 88.

Moro, Greg 9, 201.

Moro, Luigi (Lu) 9, 147, 150.

Mulroney, Brian 164.

Muntain, Captain Rodolfo 26.

Mussolini, Benito 11, 13, 18, 19, 20-30, 37, 40-48, 54, 56, 58, 60-66, 71-76, 83, 112, 125, 126, 157, 159, 172-181, 186, 188, 193, 196, 205, 207, 208.

Muzzatti, Emilio 100.

MV Cellina 26, 31, 33.

N

Nadalin, Joe 66, 68.

National Congress of Italian Canadians (NCIC) 162, 164.

Nazis 94, 104.

Negrin, Bert 135.

Negrin, Elisa 9, 130, 132, 186.

Negrin, Nino 9, 132, 137, 188.

Negrin, Tony 153.

New Brunswick 160, 203.

New Westminster Regiment 153.

New York 37, 80.

Norway 72.

O

Okanagan 32, 161, 162.

Operation Husky 146.

Orsatti, Piero 24, 25, 94, 96, 162.

Ottawa 40, 72, 74, 88, 95, 104, 134, 181, 182, 191.

Ottawa River 104.

P

Pacific Squadron 142.

Pact of Steel 60.

Padula, Assunta 129, 205.

Padula, Mary 44.

Padula, Tony 9, 44, 46, 149, 152, 204.

Palazzo Venezia (Venice Palace) 62, 71.

Paolella, Josie 125.

Paone, Eugene 146.

Paris 40, 66, 71.

Paris Bakery 86, 88, 180.

Partito Nazionale Fascista (National Fascist Party of Italy) 23.

Pasqualini, Alice (Alice D'Appolonia) 15, 20, 85, 86, 162, 164, 216.

Pasqualini, Lina 15, 216.

Pasqualini, Lino 44, 87, 216.

Pasqualini, Santo 15, 20, 84, 87, 88, 94, 96, 100, 102, 103, 158, 180, 216.

Pat Bay 142, 144.

Pattullo, Duff 78.

Pavan E. 64, 162, 164, 181.

Pearl Harbour 114, 132.

Pembroke 104.

Penway, Charlie 68, 76, 79.

Petacci, Clara 157.

Petawawa 18, 99, 104, 105, 106, 107, 108, 111, 112, 113, 116, 118, 119, 120, 122, 158, 181, 191, 196, 208, 209.

Pettovello, Mary 130.

Phony War 66.

Piemonte 42, 189.

Pitton, Antonio (Tony) 47, 48, 177.

Pius V, Pope 42, 189.

Point Grey 160.

Poland 62.

Port Alberni 132, 133.

Powell River 126, 177.

POW (Prisoner of war) 20, 85, 93, 95, 99, 101, 106, 107, 118, 119, 122, 184, 196, 208.

Principe, Angelo 64, 67.

Protected Pacific Coast Area 130, 132, 135, 157, 186.

Provincial Police Administration Office 125.

Puccetti, Rose 42, 44, 158, 160, 178, 216.

Q

Quebec 104.

R

Rader, Italo 32, 160.

Ragona, Paul 88, 182.

Rebaudengo, Antonio 95, 100.

Red Cross 78.

Repka, Kathleen M. 106.

Repka, William 106.

Reynard, Paul 71.

Ricci, Jimmy 84.

Ricci, Vincenzo 84, 162.

Richmond 161.

Rina, Bidin 40, 42, 216.

Robertson, Norman 18, 66.

Roma Club 42, 46, 48.

Rome 23, 34, 38, 40, 62, 71, 72, 164, 176, 180, 207.

Roosevelt, Franklin 72.

Rosse, Louis 66, 76, 79.

Royal Canadian Air Force (RCAF) 126, 142, 143, 144, 146, 148, 149, 151, 152.

Royal Canadian Mounted Police (RCMP) 15, 18-20, 64-67, 72-76, 83-84, 100-102, 116-118, 125-128, 130-134, 150-152, 157-163 172, 177-186, 190-193, 199-206.

Royal Italian Consular Corps 18, 23.

Royal Visit Committee 60.

Ruocco, Andy 102.

Ruocco, Dora 102.

Ruocco, Jimmy Scatigno 142.

Ruocco, Peter 119, 120, 141, 142, 144, 161.

Ruocco, Silvio 9, 143.

Ruocco, Victor 143.

Ruocco, Willie. G. 85, 102, 142, 161.

S

Sacred Heart Church 28, 56, 182, 190.

Sala Nino 38, 56, 98, 100, 190, 216.

Santamaria, Nellie 44.

Sanvido, Emilio 53, 130, 132, 137, 171.

Saskatchewan 42, 96, 145, 150, 189.

Scodeller, John 88.

Sea Island 150.

Seattle 144.

Seebe 93.

Selassie, Emperor Haile 28.

Shaughnessy District 80.

Silver Slipper 76, 153.

Sinclair, James 142.

Skorzeny, SS Lieutenant-Colonel
Otto 157.

Società Figli d'Italia (Sons of Italy
Society) 19, 48, 54, 74, 102, 158,
161, 197.

Società Veneta 54, 56, 78, 153.

Spain 62.

Spanish Civil War 37.

Stanley Park 60, 160, 161.

Stefani, Guido 114.

St. Paul's Hospital 24.

Strathcona School 34, 177.

St. Vincent's Hospital 126.

Switzerland 40, 157.

T

Telford, Lyle 78.

Tenisci, Fioravante (Fred) 62-64,
95, 100, 150, 152, 160, 163, 207, 216.

Tenisci, Leonardo 9, 207, 209.

Teti, Fio 142.

Timmins 106.

Tonelli, Jack 68.

Toronto 15, 16, 33, 106, 132, 160.

Trail 100, 125, 129, 131, 150, 160, 190,
198, 201, 202, 207, 208.

Trasolini, Elmo 9, 29, 143.

Trasolini, Fulvia 144.

Trasolini, Norman 66, 144, 216.

Trasolini, Raffaella 29, 144.

Trasolini, Salvator 144.

Trevisan, Ada 38.

Trevisiol, John 53.

U

Ukrainians 94.

United Kingdom 71.

United States 72, 138.

University of Virginia 72.

U. S. Army Liaison Office 144.

V

Valente, Patsy 84.

Valente, Sammy 80.

Vancouver
Vancouver Daily Province 112.
Vancouver General
Hospital 104.
Vancouver Harbour's Board 83.
Vancouver Island 136, 142, 184.
Vancouver Italian Canadian
Mutual Aid Society
(VICMAS) 42.
Vancouver's Italian Language
School 38.
*Vancouver's Society of
Italians* (book) 60.
Vancouver Sun 28, 30, 56, 62,
112.

Vatican 23.

Veneta Benevolent Society 54, 78.

Venice, Alberta 23, 100.

Venice Palace (Palazzo
Venezia) 62, 71.

Vernon 150, 184, 202.

Versailles 23.

Victor Emmanuel III, King
Emperor (Vittorio
Emanuele) 29, 30, 34, 71.

Victoria 128, 150, 202.

Victoria Provincial Police 150.

Victory Square Cenotaph 32.

Vimy Ridge 142.

Visentin, Remo 44.

W

War Measures Act 19, 165, 199.

Wartime Board Recruitment
Office 114.

Washington 142.

Wehrmacht 66.

Whidbey Island 142.

Winnipeg 32, 148, 183.

Wood, Commissioner S. T. 105, 118.

Woodfibre (BC) 88.

World's Fair and Exposition 40.

World War I 48, 98, 130, 142, 176,
183, 189, 196.

World War II 3, 6, 7, 9, 15, 17, 141,
165, 173, 174.

Y

Yonkers (New York) 37, 80.

Z

Zanon, Luciano 68.

Zito, Dr. Eugenio 24.

PICNIC AT BOWEN ISLAND

1 _____	32 _____	63 Mary Castricano	94 _____
2 _____	33 _____	64 _____	95 Carlos Emanuele
3 _____	34 Norma Cicarini	65 _____	96 Antonietta Marino
4 Gloria Marino	35 _____	66 Gregory Castricano	97 Maria Giuseppina Marini
5 Elain Marino	36 _____	67 _____	98 Frank Marini
6 _____	37 Cirillo Braga	68 _____	99 Henry Ciccone
7 Guido Zamboni	38 Santo Pasqualini	69 Secondo Faoro	100 Lina Pasqualini
8 _____	39 _____	70 Rosina Signori	101 _____
9 _____	40 _____	71 _____	102 Jack Emanuele
10 Lillian Zamboni	41 Luigi Palazzini	72 Cavelli brother	103 Maria Scodeller
11 _____	42 Tommasel Galiazzo	73 Ines Falcioni	104 Alice Pasqualini
12 _____	43 _____	74 Irma Fabbro	105 Norman Moscone
13 _____	44 Lino Pasqualini	75 _____	106 Sylvia Marino
14 Elsa Quarin	45 _____	76 _____	107 Madeline DeLuca
15 Guerino Pitton	46 Gregorio Fuoco	77 John Rusconi	108 _____
16 _____	47 _____	78 Nicola DiTomaso	109 Annie Teti Feronato
17 Vigi Montovani	48 _____	79 _____	110 Marianina Emanuele
18 _____	49 _____	80 Leondina Caldato	111 _____
19 _____	50 _____	81 Remo Caldato	112 _____
20 _____	51 _____	82 _____	113 _____
21 _____	52 _____	83 _____	114 _____
22 Rina Bidin	53 _____	84 _____	115 Yolanda Moscone
23 Grace Fabri	54 Rose Puccetti	85 Joe Nadalin	116 Antonina Pitton
24 _____	55 Elena Brancucci	86 _____	117 Stella DeLuca
25 _____	56 Philip Brancucci	87 Bruno Marini	118 Marietta Moscone
26 _____	57 Joseph Brancucci	88 Caterina Ciccone	119 _____
27 Oliver Marino	58 Cavalli brother	89 Remo Marino	120 Teodore Moscone
28 Battiste Ciccone	59 Giuseppe Brancucci	90 _____	121 Colombo Vagnini
29 Lungo Marchi	60 _____	91 Ernestina Silverstrone	122 Carmine Marino
30 Nino Sala	61 _____	92 Fred Tenisci	123 Dora Ciccone
31 _____	62 _____	93 Fred Ghislieri	124 Armida Pitton

125 Gloria Ruocco
126 Dick DeLuca
127 _____
128 _____
129 _____
130 _____
131 _____
132 _____
133 Mary Luporini
134 Francesco Federici
135 _____
136 _____
137 _____
138 Alma Emanuele
139 _____
140 Violet Luporini
141 Nellie Marino
142 _____
143 Emma Lussin
144 Antonia Pitton
145 _____
146 _____
147 _____
148 Mrs. Gazzola
149 _____
150 _____
151 _____

The names of the individuals in the photograph have been submitted by various people who believe them to be correct. We regret any errors.

I nomi delle persone nella foto sono state presentate da varie persone che credono che siano corrette. Ci scusiamo per eventuali errori.